Marc Bouloiseau

Nouvelle histoire
de la France contemporaine

2

La République jacobine

10 août 1792
9 thermidor an II

D1111670

Éditions du Seuil

« Nous avons fait jusqu'ici l'histoire des Mouvements, nous n'avons pas fait assez l'histoire des Résistances... La résistance de la mentalité en place est un des grands facteurs de l'Histoire lente... »

E. Labrousse, *L'Histoire sociale. Sources et méthodes*, Introduction, p. 5.

En couverture : photo **B.N.**

ISBN 2-02-005216-4 (éd. complète)
ISBN 2-02-000653-7 (tome 2)

© Éditions du Seuil, 1972

La loi du 11 mars 1957 interdit les copies ou reproductions destinées à une utilisation collective. Toute représentation ou reproduction intégrale ou partielle faite par quelque procédé que ce soit, sans le consentement de l'auteur ou de ses ayants cause, est illicite et constitue une contrefaçon sanctionnée par les articles 425 et suivants du Code pénal.

Avant-propos

Quatre-vingt-douze fit, comme Quatre-vingt-neuf, exploser la Révolution. La charge, plus forte cette fois, risqua de tout balayer, même la sacro-sainte propriété. « Gare devant! » annonçait la chanson. Des Tuileries, nouvelle Bastille, on chassa la tradition royale, séculaire. Ses défenseurs abandonnèrent le navire en perdition, prenant leurs quartiers d'hiver en prison, en province, en exil. Des « profondeurs obscures », chères à Michelet, surgit un peuple qui n'était pas celui de la misère, mais de la déception, qui réclamait son dû avec véhémence, qui, pour vaincre, consentait à mourir. Une autre bourgeoisie gravit les degrés de la République, appelée par l'insurrection; jusqu'au Neuf Thermidor, le Français moyen occupa la scène. Ce fut la période jacobine; elle dura à peine deux ans.

Vue « d'en haut », à travers les débats de l'Assemblée et des clubs, les décrets, la correspondance officielle, elle paraît suivre une route droite, protégée des déviations et du hasard. L'histoire convenue nous entretient des rivalités politiques, des factions, des journées. Elle leur accorde trop de gros titres; aux ténors, aux leaders, trop de gros plans; aux idées trop d'espace, comme si l'écrit suffisait à engendrer l'action, comme s'il convenait d'ignorer l'ignorant. Par elle, les légendes conservent encore leur pouvoir sentimental; notamment celles des « buveurs de sang » et des « héros en guenilles ».

Et puis, parce que cette révolution jacobine est sociale, on la « socialisa », transposant dans ce lointain brûlant des problèmes actuels qui faussent la perspective. Tandis que, d'un côté, les marxistes se l'annexèrent, de l'autre bord on travailla à rabaisser et à démystifier cette période dramatique. Mérite-t-elle tant d'honneur et tant d'ingratitude? L'explication objective, la seule que nous visions, se situe au niveau des forces qu'elle libéra, et de leurs rapports.

Pour les exprimer, l'analyse socio-économique, celle des crises de subsistances qui rythment le mouvement révolutionnaire, s'est résolue en diagrammes et en tableaux d'une mathématique rigoureuse, mais dérisoire face aux impératifs biologiques. Soumise à l'électronique, la conjoncture a révélé plus aisément ses cycles, la société, ses structures et ses hiérarchies. Mais elle s'est souvent perdue dans un charabia pseudo-scientifique qui rebute les amoureux du passé.

Il fallait réhabiliter le récit, replacer dans son milieu l'homme qui, par sa présence massive et contraignante, fabriqua collectivement l'Histoire. N'est-il pas de chair et de sang, d'esprit et de cœur ? Comment dédaigner ses comportements, ses attitudes et leurs motivations avouées ou secrètes ? Georges Lefebvre, mon Maître et mon très cher ami, discrètement nous y invita. Soboul, Cobb, Rudé et quelques autres entendirent son appel. Leurs efforts courageux ont révélé l'abondance des témoignages et la portée d'une exploitation méthodique. Récemment, Pierre Goubert soulignait l'urgence d'écouter penser et de regarder vivre la Révolution pour apprécier « des mentalités collectives, des brutalités ancestrales, des rancœurs, des espoirs, tout un inconscient — des inconscients plutôt — comprimés depuis des siècles [1] ».

La première République, création continue et sans cesse menacée, se prête à cette recherche élargie. Y sommes-nous préparés ? Ne risque-t-on pas d'interpréter des souvenirs, de donner trop de crédit à des témoignages indirects, d'appliquer à la France rurale un schéma parisien, et à tous les patriotes les attitudes du « terroriste » ? Tant que de multiples monographies, confrontant le social, le mental et l'économique, ne permettront pas de « nationaliser » les problèmes de la critique sociologique, tout essai de synthèse sera prématuré. Nous nous bornerons donc à un constat provisoire en recueillant les fruits de tâches obscures poursuivies plus de vingt années sans qu'on les sollicite, réunis sans préméditation. Ils peuvent, dès à présent, encourager des tentatives, prévenir des illusions, confirmer des résultats.

1. *L'Ancien Régime*, t. I, coll. U, chap. XI, p. 257.

La confusion du vocabulaire nuit d'abord à l'explication globale. Au cours de ces temps troublés, le sens des mots se modifia. Le peuple se distingua de la masse et de la foule, vite coagulées et tôt désagrégées. Identifié d'abord à la nation, communauté des citoyens, il se contracta comme elle, en rejetant ses éléments oppressifs. Mot-thème de l'idéologie jacobine, il revêtit la même ambiguïté que celui de patrie. Les contemporains, qui en avaient conscience, s'efforcèrent de le définir. Tantôt il engloba « la classe immense du pauvre... qui donne des hommes à la patrie, des défenseurs à nos frontières, qui nourrit la société par ses travaux, qui l'embellit par ses talents, qui l'orne et qui l'honore par ses vertus », tantôt il se restreignit à « la classe laborieuse et indigente ». L'absence de fortune et de propriété conféra une présomption de civisme. Le peuple des patriotes fut celui des travailleurs et la patrie se confondit avec la Révolution [1].

Parallèlement évoluèrent les noms qui désignaient des attitudes politiques. Jacobins, patriotes, révolutionnaires, sans-culottes, d'abord polyvalents, se précisèrent dans l'esprit des militants, cependant qu'en province des Sociétés populaires se décoraient à la fois de toutes ces étiquettes. Elles adoptèrent aussi celle de « montagnardes » pour prouver leur fidélité à la Convention où siégeait la Montagne, son inspiratrice. On déplora d'ailleurs cette profusion. « Nous ne connaissons, déclaraient les habitants d'Aurillac en avril 1793, ni côté droit, ni côté gauche, ni montagne, ni vallée, ni aucune de ces dénominations aussi ridicules qu'insignifiantes si elles n'étaient dangereuses. Ici, tous les patriotes sont unis pour défendre leur liberté. » En fait, les termes de Girondins et d'Hébertistes se répandirent après que leur procès les eut dénoncés, et leur emploi demeura limité, comme celui d'« Enragé » auquel on préféra le nom de « Maratiste ».

En revanche, pendant l'an II, le Montagnard demeura associé au Jacobin et au sans-culotte. Si le premier désigna toujours plus

1. Voir à ce propos, A. Geffroy, *Le Peuple selon Saint-Just, Actes du colloque Saint-Just*, Paris, 1966, p. 231.

nettement des Conventionnels, le « vrai Jacobin » fut aussi un « Montagnard sincère » tandis que, dans les campagnes, s'installa progressivement le « bon » et « pur » sans-culotte. Ce vocable, dérivé du costume de l'ouvrier des villes qui portait son pantalon boutonné à la veste, conserva toujours une signification populaire et sociale. Après l'été de 1793, le Jacobin petit bourgeois se distingua « des sans-culottes réels, c'est-à-dire des hommes n'ayant d'autres ressources pour vivre que le travail de leurs mains », ou « d'autre propriété que le salaire des services qu'ils rendent à leurs concitoyens ». Ainsi la Convention fut montagnarde, le peuple sans-culotte et la nation patriote.

La mentalité collective confondit de la sorte patriotisme et jacobinisme. Par elle s'établit le lien causal de l'événement. Sensibilisée par la guerre et le complot aristocratique, la conscience nationale effaça momentanément — et en apparence — les clivages sociaux. Bourgeoisie, sans-culotterie citadine et paysannerie s'oublièrent dans une société composite qui transcenda leurs habitudes. En se rendant à sa section, au club, au Comité de surveillance, le citoyen échappa à ses cadres familiaux et professionnels pour se préoccuper des intérêts supérieurs de la patrie. Il devint soldat; lui-même s'imposa des devoirs; il en accepta librement les contraintes. Celles-ci influencèrent à leur tour les comportements habituels et propagèrent l'idée d'une justice immanente n'engageant pas la responsabilité des exécutants.

En regard de la Révolution, plusieurs attitudes devinrent désormais possibles : l'adhésion inconditionnelle, la résistance larvée ou active, l'indifférence. Seule la première fut tolérable. La qualification prit alors valeur de verdict, elle condamna ou innocenta, comporta louange ou mépris. Aristocrate, feuillant, fédéraliste, fanatique, affameur, servirent de chefs d'accusation. On y ajouta, après septembre 1793, celui de « muscadin », appliqué aux fils de famille, aux déchets de la réquisition, aux paresseux, aux viveurs battant le pavé des villes et hantant les tripots. On discerna enfin, parmi les patriotes, des vrais et des faux qui se dissimulèrent derrière leurs exagérations.

Car l'esprit révolutionnaire résulte d'une unanimité de sentiments, et la solidarité nationale se manifeste dans le travail. Le Conventionnel Simond ne reconnaît que trois classes de citoyens : « Celle qui habille l'homme par son art, celle qui le nourrit par l'agriculture, celle qui le défend par l'art militaire. » Artisans, paysans, soldats, composants valables de la société jacobine, n'adoptent pas, pour autant, une mentalité globale. En dépit de la « loi suprême » du salut public, chaque catégorie persévère dans ses attitudes, motivées antérieurement à la Révolution par l'exercice du métier et la quête de la nourriture, même si le milieu social s'est modifié depuis lors. On ne répétera jamais assez combien le mental est conservateur, combien l'homme est « animal d'habitude ».

Ainsi, le groupe, limité et homogène, fournit à l'analyse des bases plus solides qu'une notion de classe embryonnaire. Bourgeoisie et paysannerie dissimulent sous leur généralité trop d'intérêts antagonistes et de conflits internes. L'accord collectif, lorsqu'il opère, se situe au niveau de slogans, de formules percutantes, non d'un programme revendicatif cohérent. Une agressivité commune contre des ennemis désignés le soutient. Cette tension qui culmine dans la guerre civile et étrangère sublima le patriotisme et le civisme, permettant, dans une large mesure, de canaliser le jeu aveugle des forces sociales. On n'en pouvait cependant arrêter le cours. Après le 10 août, la Révolution suivit donc sa progression logique où les aspirations de la sans-culotterie vinrent tout naturellement s'insérer.

La Révolution enferma en même temps le jacobinisme dans ce dilemme : république ou démocratie? Pour la majorité des patriotes, l'une ne pouvait d'abord se concevoir sans l'autre, puis on perçut que les termes n'étaient pas synonymes : la République désigna l'État, ses cadres, ses lois, et la démocratie un devenir social. Ainsi cessa bientôt la duperie des mots et se dessinèrent les voies de l'égalité : celle des droits et celle des jouissances. L'une se contenta de l'idéologie jacobine, tandis que le mouvement démocratique s'emballa, puis trébucha. Malgré sa contradiction fondamentale, la République demeura telle que la voulurent les Montagnards, et ses ennemis attribuèrent tous leurs maux à la Jacobinière.

Pouvait-elle ne pas être bourgeoise? Seuls les détenteurs du savoir ou des moyens de production, ou des deux à la fois, pouvaient prétendre la diriger, lui insuffler une énergie contagieuse, réaliser le compromis avec les masses. Les exigences de la défense nationale et de la lutte révolutionnaire attribuèrent à la bourgeoisie montagnarde des pouvoirs exceptionnels dont elle usa contre ceux qui l'avaient soutenue. Toutefois, si les hommes de Quatre-vingt-treize appartenaient à la génération de ceux de Quatre-vingt-neuf, l'expérience de quatre années les avait mûris. Les uns n'hésitèrent pas à dépasser leurs craintes et les autres s'aveuglèrent de la crainte d'être dépassés. Ce blocage progressif des mentalités conduisit inéluctablement à Thermidor.

L'élan patriotique se disciplina en effet au sein de sociétés civiles et militaires qui confondirent le service national avec celui de l'État et favorisèrent dans des cadres conformistes les ambitions individuelles. L'an II ne saurait donc être considéré comme « une déviation malheureuse » et inutile[1]. Bourgeois et possédants, un instant déconcertés, conservèrent la direction des choses. S'ils parurent s'égarer dans « les chemins de traverse populaires », les gouvernants empruntèrent, en réalité, la seule voie tracée par le nombre qui leur conféra l'efficacité. C'est traiter légèrement l'information que de refuser à la République jacobine une tragique grandeur; c'est nier l'évidence que de méconnaître l'esprit de sacrifice de ceux qui crurent en elle. Elle fut, quoi qu'on dise, et en dépit de germinal, « la phase ascendante de la lutte pour la Liberté ».

1. Voir F. Furet et D. Richet, *La Révolution*, t. I (12)* et son examen critique par Cl. Mazauric, « Réflexions sur une nouvelle conception de la Révolution française » (*A.h.R.f.*, 1967, p. 339 et s.). On lira aussi pour compléter le dossier la réponse de F. Furet à ses critiques dans *Le Catéchisme révolutionnaire* (A.E.S.C., mars-avril 1971).

* Le chiffre entre parenthèses renvoie à la bibliographie finale.

1
Bilan des forces et mentalités

La chute de la royauté française déchaîna des forces contraires dont l'étude n'a jamais été menée de front. Elles semblent poursuivre des routes parallèles interférant par épisode et au hasard. On mesure mal, à cause de ce cloisonnement très artificiel, l'influence de l'opposition sur le raidissement de la mentalité révolutionnaire. Le mouvement provoque des résistances qui le contrarient à leur tour. Dès qu'un nouveau péril menace la Révolution, elle rejette ses éléments douteux. A chaque crise répond un réflexe collectif d'autodéfense qui exige des précautions et des rigueurs accrues. Ainsi la réaction, nourrie des épurations successives et des peurs, se gonfle en volume lorsque progressent la contrainte économique et la revendication sociale. Le temps, qui travaille pour elle, lui fournit de nouvelles troupes dans lesquelles la contre-révolution aristocratique ne se reconnaît plus.

A la contre-révolution, on a longtemps accordé une admiration excessive ou une attention superficielle. Les historiens français « de gauche » la dédaignèrent. Dans l'œuvre de Mathiez elle apparaît marginale et réservée à l'explication politique, notamment pour « la conspiration de l'étranger ». Fort tard, Mathiez encouragea des travaux sur l'émigration et la finance internationale. Il traita avec une légitime défiance les papiers diplomatiques, comme le fit d'ailleurs Georges Lefebvre. L'optique de celui-ci fut néanmoins différente : il insista sur les aspects sociaux du désengagement. Proposant d'adopter l'attitude des révolutionnaires selon laquelle tous ceux qui ne les suivaient pas étaient forcément leurs adversaires, il atteignit les dimensions réelles du problème et déplora les difficultés d'un comptage. L'accès aux archives de la coalition, l'exploration de fonds privés et le classement de la série O³ des Archives nationales (Maison du roi) ravivèrent ses espoirs. Mais on emprunta des voies étroites, celles des réseaux et des agents secrets dont on s'attarde encore à percer le mystère.

Par contre, historiens britanniques et américains, engagés dans l'étude des idées, procurèrent sur les théoriciens et les doctrines, de solides analyses. Ils s'entêtèrent néanmoins à considérer « du dehors » l'antijacobinisme. Tout récemment enfin, de jeunes sociologues, rompant avec la tradition, ont abordé courageusement l'analyse des structures de la Vendée passive ou combattante, et du comportement de ses troupes.

Dans ces directions s'oriente de plus en plus la recherche. Elle permet déjà d'apprécier la fragilité des ralliements et la permanence d'une masse campagnarde insensible à tout effort novateur, ainsi que nous le développerons plus loin. Non seulement l'écart paraît immense entre les attitudes du militant parisien et celles du paysan de l'Ouest, mais les conditions géographiques et les rapports de clientèle contribuent à éveiller, d'une communauté à l'autre, des options politiques diamétralement opposées. Par son recrutement populaire, l'armée, quant à elle, favorise le brassage des opinions. On cesse donc de la considérer comme une institution rétrograde et une société bloquée; elle devient facteur d'évolution sociale et d'unité nationale.

Enfin, par le constat du mental, s'affirme la continuité de la Terreur. Anarchique en 1792, légalisée en 1793, la réaction punitive s'inscrit dans la dynamique révolutionnaire et dans l'esprit de la contre-révolution. Elle procède de motivations identiques et d'élans collectifs semblables. Dans les deux camps elle se manifeste avec la même violence : l'individu lutte pour sa vie, et le groupe social pour ses intérêts matériels et moraux. L'insurrection parisienne peut ainsi s'expliquer par une intuition populaire qui l'entraîna à devancer les projets royalistes.

La République, née du 10 août, timidement « datée » du 21 septembre 1792, fut consacrée par Valmy. Bien qu'elle s'auréolât d'une double victoire populaire acquise sur l'envahisseur étranger et l'antijacobinisme, elle s'inscrivit presque en fraude dans la loi. La royauté déchue lui servit de catalyseur; elle fut son antithèse et, de ce fait, cessa d'être une abstraction. Mais son contenu institutionnel et social demeurait vacant. Alors que le peuple prétendait user de la plénitude de ses droits, survivait la conception rousseauiste de la représentation nationale. Face à une Assemblée discréditée, se dressait la Commune parisienne, organe de l'insurrection [1]. On pouvait craindre une dualité de pouvoirs, source d'anarchie, génératrice de guerre civile, d'autant que cette « seconde révolution » ne recueillait pas l'adhésion unanime du pays.

Les possédants s'interrogeaient, en effet, sur la fermentation qui débordait de Paris vers les grandes cités et la France rurale, réputée indifférente et passive. Des blocs, socialement définis, préparaient leur affrontement. D'un côté, ceux qui voulaient achever la Révolution avec les conquêtes de 89, les citoyens paisibles, les « honnêtes gens », pusillanimes par tempérament, amis d'un ordre fondé par leur Constitution, riches et pauvres mêlés, qui redoutaient l'aventure, préférant leur présent, même médiocre, à un avenir incertain. De l'autre, ceux qui espéraient davantage et rêvaient d'une société meilleure, ceux qui souhaitaient faire sortir la Révolution de son enlisement, pour eux-mêmes, pour leurs enfants et tous les peuples, leurs frères.

1. La révolution démocratique

L'idéal jacobin participait de ce monde élargi. Il avait soutenu l'insurrection qui confirmait en retour son audience populaire. L'opinion se partageait à la fois sur le 10 août et le jacobinisme. Partisans et adversaires se comptaient vis-à-vis de cette double réalité. Elle conféra leur véritable dimension aux conflits prochains entre la démocratie qui cherchait sa voie et une société rétive aux cadres périmés. Par suite, les lendemains d'août, lourds de « peurs » anciennes, et d'un psychisme collectif que sensibilisent la guerre et l'invasion, méritent qu'on s'y attarde, malgré leur brièveté. Ils préfigurent le « prophétique an II » dans lequel ils s'épanouiront, sécrétant les mêmes violences, les mêmes résistances et, à certains

1. Au nom du peuple, la Commune, par l'organe d'Huguenin, était venue signifier dès le 11 août son congé à la Législative.

égards, les mêmes audaces. La mentalité terroriste et la dictature révolutionnaire se sont imposées dès l'an Ier de la République, qui fut aussi l'an I de l'Égalité.

Insurrection. Souveraineté. Légalité.

« Il faut que l'État soit sauvé de quelque manière que ce soit, et il n'y a d'inconstitutionnel que ce qui tend à sa ruine. » Ainsi Robespierre, le 29 juillet 1792, résolvait par avance, en faveur de l'insurrection, le problème de la légalité; c'était celle de la Révolution et de la liberté. Les circonstances seules l'imposaient, non la volonté d'un individu ou d'un parti. « Est-ce donc le code criminel à la main qu'il faut apprécier les précautions salutaires qu'exige le salut public dans les temps de crise amenés par l'impuissance des lois? » Déjà il distinguait les régimes issus « des guerres et des orages » de ceux qui convenaient à « la paix et la concorde ».

Les uns et les autres puisent leur justification dans un même principe : la souveraineté du peuple, c'est-à-dire « le pouvoir qui appartient à la nation de régler sa destinée ». Elle dispose de « tous les droits que chaque homme a sur sa personne, et la volonté générale gouverne la société comme la volonté particulière gouverne chaque individu isolé ». Elle réunit tous les pouvoirs que séparait la Constitution; elle est inaliénable et incessible. De ce fait, « les mandataires du peuple sont avec le souverain dans le même rapport que les commis d'un particulier avec leur commettant, et que le serviteur avec le père de famille ». Le peuple peut donc s'autoriser de cette subordination pour s'insurger contre ses fonctionnaires infidèles, balayer l'ordre antérieur et en imposer un nouveau, non encore codifié, mais aussi formel. Recours suprême, il confirme la nation dans ses prérogatives absolues, dont chaque fraction du souverain devient dépositaire, et qui doit inspirer ses pensées et ses actes tant qu'elle demeure sous les armes. Tout émane du peuple et tout revient à lui.

Cette notion du droit révolutionnaire, dans sa simplicité et sa rigueur, contenait une force latente. Elle souleva sectionnaires parisiens et fédérés provinciaux dans l'assaut des Tuileries; elle convainquit les sans-culottes de leur existence et de leur suprématie. Dès cet instant ils prirent conscience d'eux-mêmes. Leur conception de la souveraineté les engageait à l'exercer sans intermédiaire, et la justice constituait l'une de ses fonctions. L'expérience leur commandait la vigilance. « Le souverain doit être à son poste, à la tête de ses armées, à la tête de ses affaires; il doit être partout ». Devant la carence de l'État et « au défaut de lois protectrices, il doit veiller lui-même à ses propres besoins ». Il entend soumettre les ministres et les administrateurs, ses commis, à une censure permanente, et révoquer ceux qui manqueraient au serment du 14 août prêté à la Liberté et à l'Égalité. Un Versaillais, Frotié, proposait même, fin août, de désigner un tribun départemental qui préviendrait les abus des fonctionnaires publics et contrebalancerait leur influence. « Pense à toi, petite classe tant des villes que des campagnes. Voilà le moment arrivé de ton bonheur ou de ton esclavage ».

La révolution démocratique, conduite par les militants sectionnaires, triomphait dans la capitale qui vivait de sombres heures. L'avance du duc de Brunswick dépassait Longwy, atteignait Verdun, et s'exagérait de bruits alarmants. On prétendait apercevoir les éclaireurs prussiens près du camp de Châlons. D'aucuns les imaginaient demain sous Paris que l'on fortifiait hâtivement et de façon dérisoire. Les dangers de la patrie, solennellement proclamés depuis le 11 juillet, précipitaient à travers la France des cohortes de patriotes. La hantise de la trahison tenait la population en alerte. Un sentiment de malaise et d'insécurité gagnait tout le pays.

L'automne sanglant de 92.

Les décisions qui se succédèrent jusqu'à l'automne procédèrent de ces craintes; elles portèrent la marque de la précipitation. Visites domiciliaires, arrestations de suspects notoires, internement au Temple de Louis XVI et de sa famille, élimination de la presse royaliste obtinrent l'adhésion de la Commune et des sections. On en arracha d'autres, qu'elle réprouvait, à la Législative agonisante : la création d'un Tribunal extraordinaire pour juger les défenseurs des Tuileries, le bannissement des prêtres réfractaires, des mesures contre les émigrés et leurs parents. Une terreur anarchique se répandit, ponctuée de réactions punitives, de vengeances particulières, d'exécutions sommaires.

Les massacres précédèrent parfois en province, notamment dans l'Orne, ceux de la capitale, puis, du 4 au 16 septembre, on les dénonça à Gisors, Marseille, Lyon, Toulon, Versailles, Lorient et ailleurs. Partout le même processus, le même entraînement, la même violence. Elle ne fut cependant ni aveugle, ni inspirée par des mots d'ordre, comme on l'a prétendu. Si les auteurs ignoraient parfois l'identité de leurs victimes, la voix publique les leur avait désignées. A cet égard, les actes perpétrés dans de petits bourgs sont plus significatifs que ceux qui ensanglantèrent les prisons parisiennes où l'on dénombra parmi les morts une forte proportion — les trois quarts — de détenus de droit commun. La fureur populaire s'acharna sur des aristocrates et des réfractaires, des négociants et des riches, jaloux de leur autorité et de leur fortune; ils s'étaient eux-mêmes condamnés par leur égoïsme, leur incivisme et leur arrogance.

Les « terroristes » n'étaient ni des brigands ni des excités, mais des citadins et des ruraux enrôlés pour servir la patrie et combattre ses ennemis. Parmi les justiciers, beaucoup étaient mariés et pères de famille. Leurs épouses, à Alençon, les accompagnaient et les encourageaient à se défaire « de tous les foutus gueux d'aristocrates ». Les « frustes campagnards », comme les Parisiens, se persuadaient de cette précaution nécessaire. « Tout cela eût pris les armes pour nous égorger après le départ de notre brave jeunesse. » Peu songèrent à piller pour leur compte. Ils détruisirent pour l'exemple, voulant répandre le spectacle d'une vengeance éclatante qui retiendrait les malveillants. De Paris à Châlons, les volontaires jalonnèrent leur marche de scènes identiques auxquelles la population s'associa. Le 3 septembre à Reims et le 4 à Meaux, des suspects furent exécutés; on molesta des officiers municipaux; on épura les administrations.

D'ailleurs, si le peuple armé pour la défense de ses droits s'arrogea celui de se faire justice, il réclama souvent l'assistance des autorités et des formes légales. Les administrateurs locaux et la garde nationale, par leur imprévoyance, leur lâcheté ou leur impuissance, portèrent une grande part de responsabilité. Le district de Neuville-aux-Bois (Loiret) décrivait ainsi, le 18 septembre, cette situation : « L'anarchie est à son comble; on ne connaît plus d'autorité. Les administrations sont avilies et sans force pour se faire respecter... Les têtes sont montées à un point que nous ne pouvons vous exprimer. On ne menace plus que de tuer, que d'écraser les maisons, les livrer au pillage. On projette d'abattre tous les ex-châteaux... Enfin tous ces gens disent qu'ils ne veulent plus aucune administration, ni tribunaux, qu'ils ont la loi et qu'ils la feront exécuter[1]. » Désordonnée, incohérente, l'action révolutionnaire risquait, en menaçant la propriété, de compromettre la jeune République.

Portée à 288 membres hier encore presque inconnus, la Commune parisienne s'érigea en assemblée dictatoriale. Robespierre qu'on y élut, lui apporta son expérience et sa popularité; il sut utiliser les enthousiasmes et canaliser les élans. D'ailleurs parmi les plus fidèles soutiens du peuple, d'aucuns, tel Marat, doutaient de sa maturité politique. Pour orienter sa lutte, il devait se confier à des guides sûrs, patriotes convaincus et incorruptibles. Sous l'influence des leaders jacobins, se dessinèrent les traits d'une révolution démocratique où les solutions du « grand problème social » parurent moins effrayantes aux possédants.

Il appartenait à la République de déterminer elle-même sa nature et ses voies. Ses premiers soucis consistaient à préserver le peuple de l'arbitraire et à rétablir son autorité. La forme démocratique seule lui convenait, en apportant toutefois des palliatifs imposés par le chiffre de la population qui en proscrivait l'exercice direct. Ainsi se modifia la conception politique du rôle du souverain. « Guidé par des lois qui sont son ouvrage, il fait par lui-même tout ce qu'il peut bien faire, et par des délégués tout ce qu'il ne peut faire lui-même. » Où se situait la limite ? Où se terminait la tâche du peuple et commençait celle de ses représentants? Comment se réaliserait ce compromis entre le caractère collectif de la souveraineté et son aliénation partielle?

Par le biais du pouvoir constituant, la souveraineté du peuple dans son intégralité se transmit à ses mandataires. Sans doute la Convention nationale, convoquée dès le soir du 10 août, présentait-elle un caractère d'exception. Nouvelle Constituante, investie de pouvoirs illimités, selon la théorie de Sieyès, elle était « l'esprit et le bras de la nation ». Malgré l'institution du suffrage universel et la publicité des élections, l'avenir de la démocratie échappait ainsi

1. Cité par G. Lefebvre, *Études orléanaises*, t. II (21), p. 62.

à la prise directe de la rue. Son destin dépendait du petit nombre des citoyens qui détenaient désormais l'autorité et la force publiques. Comment, contre eux, exercer sa censure? Rapidement, les sans-culottes mesurèrent leur imprudence. Ils s'étaient dépouillés en faveur d'une assemblée que choisiraient un pays mal informé et une opinion divisée. En leur nom, elle allait administrer la France et construire une République qui risquait de ne pas être la leur.

Un appareil périmé.

L'armature administrative, édifiée en 1790 et désuète comme la Constitution, craquait de tous côtés, mais les hommes en place défendaient leurs prébendes. La Législative, qui en était solidaire, para au plus pressé. Le roi, chef de l'exécutif, « provisoirement » suspendu, elle en confia l'exercice à un Conseil également provisoire, adjoignant le 11 août à des ministres du 13 juin : Roland (Intérieur), Servan (Guerre) et Clavière (Finances), deux nouveaux venus : Lebrun (Relations extérieures) et Monge (Marine). La présence de Danton à la Justice devait rassurer la Commune et les sans-culottes. Ce dosage habile convenait aux modérés et permettait de maintenir la continuité gouvernementale. Il s'agissait toutefois de techniciens traditionnels, déjà compromis. Danton secoua leur torpeur et parut les dominer. En fait, la toute-puissante bureaucratie, héritée de l'Ancien Régime, disposa des ministères.

Machines compliquées, rapiécées, envahissantes, elles se révélaient inadaptées et inefficaces. A lui seul, Roland dirigeait l'équivalent d'une dizaine de nos départements ministériels et l'on ne comptait pas moins, à la Guerre, de 1 800 commis. Le nombre des affaires instruites s'accrut considérablement pendant cet interrègne. Les ministères devaient organiser la défense et les élections, préserver l'ordre, remplacer les fonctionnaires, faire face à une situation qui les dépassait. Anachronismes et lenteurs paraissaient d'autant plus insupportables que les pouvoirs populaires étaient plus dynamiques. Néanmoins, ceux-ci collaborèrent sans trop de heurts, durant ces quarante jours, au gouvernement du pays.

On se plaignait d'ailleurs davantage du personnel que de rouages ignorés. On dénonçait la carence des services publics, des communications et des transports, la mauvaise volonté de leurs employés.

Bon nombre, à l'Intérieur, provenaient du Contrôle général et de la direction du Commerce; quelques-uns demeuraient en fonctions depuis 1776. Ils ne dissimulaient pas leur attachement à la monarchie. Dans les Postes et Messageries, on regrettait le temps des calèches dorées et des pourboires, dans les Ponts et Chaussées, celui des pots-de-vin et des gratifications. Les anciennes habitudes et un asservissement prolongé déterminaient les attitudes politiques et retardaient les mutations nécessaires. Gaspillage, incurie, malveillance résultaient de cette opposition tenace.

Elle se manifestait aussi dans les administrations locales. Celles des départements surtout éveillaient défiances et réserves. On critiquait à la fois leur incivisme et leur personnel pléthorique. Conseils généraux et directoires s'étaient dotés chacun de quatre à six bureaux et d'une douzaine de commis. Cumuls de fonctions et népotisme étaient de pratique courante. A Sedan, le greffier des tribunaux de district et de commerce tenait les registres de la ville, d'une ville dominée par les manufacturiers, les nobles et les prêtres. Élus ou fonctionnaires s'autorisaient de leurs salaires modiques pour vaquer à leurs propres affaires au détriment de l'intérêt public. Un curé, procureur-syndic d'une localité poitevine, déplorait la négligence des hommes de loi, fermiers et propriétaires qui, n'étant presque jamais à leur poste, omettaient de publier et d'exécuter les mesures qu'ils réprouvaient. Les lois, hâtivement conçues, autorisaient des interprétations contradictoires; on soulevait, pour des peccadilles, maintes objections. Couthon constatait partout, le 22 septembre, des conflits entre les communes, que l'on estimait nécessaires, et les départements qui paraissaient nuisibles.

Du fait de la décentralisation, les uns et les autres avaient acquis une relative autonomie et leur autorité s'exerçait diversement, selon les attitudes majoritaires. « Gangrenés » ici, ils adoptaient ailleurs des positions jacobines. La faiblesse de l'exécutif, les déplacements de troupes et l'approche de l'ennemi créaient des situations confuses et embarrassantes. Les municipalités, proches de la population, accueillaient plus souvent ses initiatives. Dans l'Est, à Strasbourg, à Nancy, à Metz, à Sedan, dans la Marne, l'Indre et la Vendée, les sans-culottes, d'eux-mêmes, se substituèrent aux administrateurs défaillants. Des corps électoraux, réunis dans les chefs-lieux pour désigner les Conventionnels, renouvelèrent aussi les Conseils généraux, en totalité ou en partie, considérant l'abandon de poste comme une trahison.

Toutefois les compétences se raréfiaient lorsque le civisme devait guider les choix. Les sans-culottes instruits formaient dans les campagnes une minorité, alors que les places étaient nombreuses. On fut contraint d'y tolérer « des fripons et des sots ». Soutenue par les notables humiliés, une véritable caste de l'écritoire se pérennisa, fière de ses capacités et jalouse de ses fonctions. Elle tira profit de l'ignorance des humbles, les persuadant qu'on ne pouvait vivre sans roi et sans prêtres. « Le peuple veut la Révolution, mais il est retenu par l'apathie révoltante et l'intrigue d'une partie des riches, et aussi par le fanatisme. » Il convenait de l'instruire, de le protéger contre ses mauvais prophètes, de préserver l'unité et l'indivisibilité de la République.

Unité et indivisibilité.

Proclamée solennellement le 25 septembre, sur la proposition de Couthon, elle condamnait par avance les tendances régionalistes, les sécessions, les mouvements contre la capitale. C'était, non une simple formule, mais une arme que justifiaient les incertitudes de l'opinion. N'avait-on pas déjà répandu le bruit d'un éventuel transfert de l'Assemblée en province? L'administration de la Creuse proposa de former une ligue contre le 10 août, et le Var invita dix-neuf départements à examiner ensemble les mesures qui détruiraient sa pernicieuse influence. Contre l'oppression parisienne on invoquait le droit d'insurrection. Le péril était réel. Duperret dénonça aux Jacobins, le 17 septembre, un plan qui tendait à coaliser le Midi et à abandonner le Nord à ses propres forces. « Ceux qui osent dire que l'Assemblée, le centre de l'administration, ne doivent pas rester à Paris, sont des traîtres qu'il faut démasquer et punir. Paris a commencé la Révolution; il la maintiendra; il l'achèvera. »

Là encore, deux conceptions s'opposaient. On envisageait, d'une part, sur le modèle américain, une fédération d'unités provinciales, libres de leurs décisions dans le cadre local, et dépendantes de la capitale pour les seuls problèmes d'ordre national. Cette notion procédait de la décentralisation chère aux Constituants et de la défiance entretenue dans les campagnes contre les excès parisiens. Elle s'obstinait à méconnaître la réalité du mouvement démocratique et ses exigences. Par contre, la Commune et les Jacobins s'accordaient sur un fédéralisme dont Paris serait le centre, de sorte « qu'une seule impulsion se communiquât à tous les départements de la République et que la commotion, partant de la Convention comme de son foyer, électrisât à l'instant même et dans le même sens tous les esprits ». A cet effet, on associait étroitement les fédérés à la victoire populaire, on recevait pétitions et adresses de tout le pays à l'Hôtel de Ville où fonctionnait, depuis le 27 juillet, un bureau central de correspondance. Les patriotes provinciaux venant à Paris se présentaient aux Jacobins. L'unité nationale, fondement de la République, devait assurer sur tout son territoire l'exécution des lois qui, votées par l'Assemblée, n'en demeuraient pas moins l'ouvrage du peuple entier.

On dévolut ce rôle à des commissaires munis par la Commune, la Législative, la Convention et le Conseil exécutif, de pleins pouvoirs. Dès la fin d'août 1792, ils se rendirent à l'armée de la Moselle et parcoururent les départements du Nord et de l'Est, les plus menacés, puis l'intérieur. Une première fournée, préparée par Danton, comprit des journalistes tels Prudhomme et Carra, des militaires comme Westermann, Laclos, Parein, Ronsin, Jean Alexandre, des savants comme Giroud, d'ex-prêtres, tous patriotes éprouvés que l'on retrouvera dans les missions de l'an II, de même que des membres de la Commune et du Comité de surveillance du département de Paris, dont Clémence et Marchand. Anthoine, Billaud-Varenne, Bourdon (de l'Oise), Fabre d'Églantine, futurs Conventionnels, appartenaient à cette élite recrutée dans des horizons sociaux divers. Leur tempérament autoritaire, leur esprit de décision convenaient à l'urgence du danger. Leur zèle, ardent et désordonné, les entraîna à tout voir et à tout entreprendre.

Leur premier objectif consistait à lever des volontaires, mais ils durent aussi assurer leur subsistance, les équiper, passer des revues de chevaux. Pour procurer des armes ils enlevèrent celles des gardes nationaux et obligèrent les forgerons à fabriquer des piques. Pour ranimer l'esprit public ils firent procéder à des visites domiciliaires, arrêter les suspects et contrôler la poste. Des municipalités contestèrent leurs pouvoirs; certaines, en Haute-Saône, les emprisonnèrent. Toutefois beaucoup les aidèrent et les habitants secondèrent leurs efforts. A Orléans, les assemblées des sections se déclarèrent permanentes. Spontanément se créèrent des comités de surveillance et des clubs patriotiques. Les dons d'effets affluèrent; on déposa les cloches et l'argenterie des églises. Quelques commissaires, malgré tout, adoptèrent des attitudes extrêmes; à Bar-le-Duc, Gonchon se coiffa du bonnet rouge. On leur reprocha d'attenter aux propriétés, de prêcher la *loi agraire* et la violence, de réclamer des échafauds. Contre les ennemis de la patrie ils utilisèrent le style et les méthodes que la Terreur légalisera un an plus tard.

Grâce à eux, la révolution démocratique pénétra dans les campagnes. En Seine-et-Marne, Ronsin et Sébastien Lacroix engagèrent les électeurs à censurer leurs députés « s'ils ne répondaient pas à leur confiance ». Leur nombre s'accroissant, leurs pouvoirs chevauchèrent. Un décret du 14 septembre les limita, n'autorisant que les délégations des ministres et de l'Assemblée. Ils furent chargés de missions précises, notamment de l'approvisionnement des villes et des armées.

Contradictions économiques.

L'angoisse du pain quotidien, qui tenaillait les citadins, risquait de prolonger les troubles. Les sans-culottes réclamaient une réglementation, tandis que la bourgeoisie demeurait attachée au « libéralisme paisible ». Pour être efficace, l'intervention autoritaire de l'État devait s'exercer à la fois sur la production, la consommation et les prix. La Législative ne pouvait s'engager aussi loin, elle se borna au recensement de la récolte.

La moisson, moyenne mais inégale, n'étant pas entièrement battue, on engagea d'abord les municipalités à requérir de la main-d'œuvre, puis le 16, à réunir les déclarations des récoltants. Une partie des grains serait attribuée aux magasins militaires, l'autre permettrait de pourvoir aux urgences des marchés. On pensait éviter de la sorte les conflits entre armée et civils. De plus, pour nourrir les régions déficitaires et les grandes villes, on décréta le contrôle de la circulation et du commerce des céréales. Mais ces mesures se heurtaient à l'inertie des fermiers et à la complicité des paysans traditionnellement hostiles à l'intrusion de l'État et aux prétentions exorbitantes des citadins. Les renseignements souhaités ne parvinrent que tardivement, tandis que le long des grands passages les populations arrêtèrent blés et farines sans se soucier des besoins de leurs destinataires. Parfois même la garde nationale protégea les pillards.

Dans l'ensemble, les autorités locales résistèrent à une répartition nationale des denrées que les concentrations et les déplacements de troupes rendaient indispensable. Les gros producteurs et les négociants ne pouvaient admettre une limitation des profits que leur assuraient la rareté et l'inflation. La hausse de l'assignat, qui se poursuivait régulièrement sur le marché intérieur et les places étrangères, les favorisait. Les exportations qu'elle encourageait créaient une euphorie factice. La balance commerciale restait largement excédentaire tandis que, lentement, se ruinait le pays. Le mécanisme inflationniste échappait aux masses qui n'enregistraient que ses conséquences. Encore y découvraient-elles des motifs différents. En août 1792, le change de l'assignat s'établissait à 77 % de sa valeur nominale, et le numéraire servait encore, conjointement avec le papier-monnaie, à payer les salariés. La rareté des petites coupures gênait les entrepreneurs et l'afflux des billets de confiance, qui tentaient d'y remédier, conférait une plus forte prime au billon. A la campagne, la part du salaire en nature s'accrut pour les manouvriers, et les petits exploitants hésitèrent à vendre leurs produits.

Le menu peuple des villes dont le pouvoir d'achat se réduisait — quand le chômage ne le détruisait pas totalement — se refusait à supporter tout le poids de la hausse. Par rapport à l'année précédente elle atteignait environ 40 % pour le froment. Pendant la même période, le prix de la livre de pain blanc suivait la même progression, et le pain bis, nourriture du pauvre, augmentait de 33 %. Mais les marchés, quasi déserts, se vidaient totalement si l'on tentait de maximer les prix. Aussi, les municipalités s'engagèrent dans la voie d'une taxation unilatérale, celle du pain, qui donnait satisfaction au petit consommateur sans léser le producteur ou l'intermédiaire. A Paris, la Commune céda à perte ses farines aux boulangers pour maintenir le prix du pain à trois sous la livre. On utilisa des solutions identiques à Tours, à Orléans, à Bordeaux, à Rouen et à Grenoble. L'impôt par sous additionnels, l'emprunt ou des prélèvements sur les riches financèrent la différence. On souhaita restreindre aux indigents les distributions à moindre prix, tandis que la population entière et les environs voulaient en bénéficier. On songea à localiser la distribution à l'aide de cartes, à ne fabriquer qu'une seule espèce de pain, à utiliser les fours que des boulangers abandonnaient, à additionner le froment d'un surplus de seigle. Solutions bâtardes, elles ne pouvaient aboutir que dans le cadre d'un dirigisme concerté.

Lorsque les volontaires s'en mêlèrent, à Châlons, par exemple, ils n'hésitèrent pas à user de la contrainte pour garnir les marchés. Dès qu'ils disparurent, les grains se cachèrent à nouveau. La population, menacée de famine, engloba dans la même aversion producteurs et marchands, considérés comme agioteurs et accapareurs. On s'attaqua à leurs personnes, à leurs maisons, à leurs magasins. La crise des subsistances dévoila ainsi les rapports de forces qui agitaient la société. La Révolution démocratique coalisait contre elle les intérêts privés; les forces de la réaction augmentaient d'autant.

2. Chances et faiblesses de la réaction

Elles n'avaient cessé de croître depuis le printemps de 1792. Les compter avec rigueur ne peut se concevoir. On ne saurait les apprécier par les seuls préjugés de caste et une fidélité aveugle à l'ordre ancien. Il s'y mêla des ambitions déçues, des rivalités de personnes, des relations de famille et d'amitié, l'espoir de profits matériels et moraux, tout un contexte enfin qui nuance les formes de l'engagement contre-révolutionnaire, qui contribue à le renforcer ou à l'amoindrir. A côté d'une réaction organisée et combattante, qui bénéficie ouvertement d'appuis étrangers et de complicités intérieures, se développe sournoisement une résistance passive, incontrôlable. Elle s'accroche à la Révolution comme un boulet qui tend à paralyser sa marche, non par la force des armes, mais par le poids de son inertie.

Le conservatisme qui commande ces attitudes présente des degrés et résulte souvent de motifs peu conciliables. Une faible

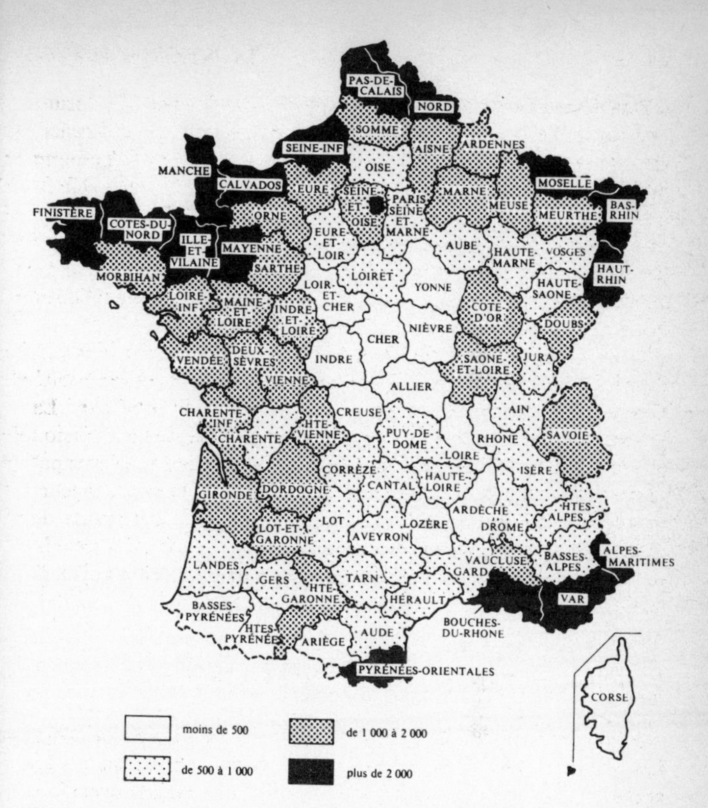

Fig. 1. *Répartition des émigrés par département d'origine.*

minorité demeure attachée à la société d'ordres et à ses privilèges. Un contingent plus nombreux, qui les combattit, en redoute le retour. Inséré dans la société de Quatre-vingt-neuf, il défend ses principes et ses conquêtes, dont la liberté et la propriété. D'autre part, noblesse et bourgeoisie n'ont pas, de la patrie, une conception identique. Elle se confond pour les uns avec le roi et la religion, pour les autres, avec des biens matériels. Leur position par rapport au 10 août diffère également. Les nobles le considèrent comme une occasion perdue, alors que les possédants et « tous ceux qui pensent, ne voient plus que l'abîme devant eux ».

L'aristocratie internationale. Les émigrés.

D'abord confondue avec l'absence, l'émigration trouva, dans la guerre, sa véritable signification : un crime capital. Pour avoir abandonné sa patrie, l'émigré cessa d'être citoyen; pour avoir pactisé avec l'étranger et osé combattre à ses côtés, il se condamna sans recours. C'était un traître; il ne méritait, avec ses complices, que la mort. La chute de la royauté et le bannissement des prêtres provoquèrent de nouveaux départs, notamment vers l'Angleterre et l'Espagne. On évalua leur effectif global à une centaine de mille dont les nobles composaient à peine le cinquième, bien que l'opinion leur accordât une place majoritaire.

Les plus grands noms de France se rencontraient en Belgique et le long du Rhin. Ils y étaient chez eux, clamant très fort leurs titres et leurs grades. N'appartenaient-ils pas à l'aristocratie internationale! Des habitudes communes, des genres de vie semblables, autant que la naissance, confirmaient leur solidarité. Esprit de caste ou conscience de classe? Sa réalité et la haute idée qu'ils en avaient les entraînaient à toutes les audaces. Ils étaient convaincus de représenter à eux seuls le pays entier, déniant à la roture la moindre parcelle d'autorité. Là où ils se transportaient était la patrie. « Les peuples peuvent être divisés par nations, être vraiment étrangers l'un à l'autre, mais la noblesse est une. Nulle nuance de climat, de langage, de mœurs ne peut la diviser. Elle existe partout sur les mêmes bases, sur le même pivot, par les mêmes privilèges, et quand ses bases sont attaquées dans un pays, elles le sont également dans un autre. »

La Révolution qui l'avait ruinée portait donc atteinte à la noblesse universelle. La guerre qu'elle avait imprudemment déclenchée ne concernait pas seulement la Prusse et l'Autriche, elle menaçait des structures et des traditions séculaires. « Ce n'était pas ici une guerre de commerce, de frontières, de prééminence, mais une guerre déclarée à tous éléments de la domination, de la royauté, de la religion, de la morale, de la hiérarchie des rangs, des privilèges et de la propriété. Tous les souverains, tous les nobles, tous les propriétaires ont le même intérêt de l'étouffer [1]. »

1. J. de Maistre, *Marie-Antoinette, archiduchesse d'Autriche, ou causes et tableau de la Révolution*, p. 15. Cité par M. Bouloiseau, dans *A.h.R.f.*,

A la fois contre les principes de Quatre-vingt-neuf, confirmés par le 10 août, et l'abolition de la royauté, l'aristocratie française appelait sa classe entière à la croisade. Unie, elle devait s'opposer à la contagion. « Par sa nature même la République était l'ennemie de tous les gouvernements; elle tendait à les détruire tous, en sorte que tous avaient intérêt à la détruire. » Les massacres de septembre émurent l'opinion étrangère. On racontait outre-Manche qu'à Paris les Jacobins mangeaient des pâtés de chair humaine. On les dépeignait comme des brigands, des impies, habités par le démon et capables de tous les crimes. Dans l'Empire, on proscrivait les journaux français, on surveillait les associations d'étudiants. Une véritable « jacobinophobie » s'emparait des classes dirigeantes et gagnait, par la propagande, la caricature et la peur, les masses populaires. Les sympathies des libéraux anglais pour la Révolution s'affaiblissaient au fur et à mesure qu'elle révélait ses tendances démocratiques. On prédisait aux souverains hésitants les pires malheurs. « Avant un siècle, il ne subsistera plus un gouvernement en Europe tel qu'il existe aujourd'hui. » La détention de Louis XVI faisait présager d'autres sacrilèges, le sort du premier gentilhomme du royaume étant lié à celui de sa fidèle noblesse. A tout prix il fallait défendre la monarchie française, confirmer ses origines divines et ses privilèges héréditaires. Une coalition générale seule rétablirait l'ancienne société en France et la paix en Europe.

Aucun compromis ne paraissait possible ni souhaitable; c'était tout ou rien. De ce côté du combat, on adoptait les attitudes des révolutionnaires, on usait de leurs moyens. « Il faut faire périr ce repaire d'assassins », tirer une vengeance exemplaire, répandre des flots de sang. L'esprit du manifeste de Brunswick se résumait déjà, selon Gouverneur Morris, dans cette formule : « Soyez tous contre moi car je suis contre vous tous, et faites bonne résistance car vous n'avez pas d'espoir [1]. » Violences verbales ou gasconnades que répercutait la rumeur publique, elles acculaient la Révolution à la victoire, seule issue qui lui demeurât ouverte. L'outrance de ces menaces constituait une grave erreur.

1958, n° 1, p. 66, et J. Jiru, « Casanova observateur de la Révolution française », *A.h.R.f.*, 1959, p. 237.

1. Cité par A. Sorel, *L'Europe et la Révolution française*, t. II (35), p. 310.

Les émigrés, il est vrai, ne doutaient pas de leur triomphe. Un pays désorganisé constituait la plus vulnérable des proies, et l'avance prussienne semblait leur donner raison. Jamais ils ne furent plus proches qu'après le 10 août de réaliser leurs projets. Le roi, prisonnier avec sa famille, la régence s'offrait au comte de Provence. On éliminerait aisément les d'Orléans que l'on rendait responsables de l'insurrection. Mal informés de la situation du pays, ils le croyaient préparé à les recevoir, en quoi ils se trompaient lourdement. Même confrontés avec elle, ils continuèrent à nier l'évidence. Interdits en France, ils refusaient malgré tout de s'intégrer aux populations qui les recueillaient. Récriminant sans cesse, exigeant toujours davantage, ils se rendaient importuns aux cours et aux souverains. Aucune déception ne leur fut épargnée. Ils souffraient de la défiance qui les entourait et de leur solitude, se consumaient dans l'inaction, le regret ou l'envie, mais n'abandonnaient pas leur morgue agressive.

Ces « enragés » de la contre-révolution et les princes qu'ils servaient entretenaient ainsi la permanence du complot aristocratique, mais tous les émigrés ne partageaient pas leur intransigeance et leur aveuglement. Des rivalités mesquines les affaiblissaient en même temps que se dessinaient des tendances plus conciliantes. Les politiques s'opposaient aux militaires. Gardes du corps et régiments étrangers licenciés, jeunes élèves d'artillerie et de marine, officiers et soldats que rejoignirent en septembre 1792, avec armes et bagages, des hussards de Bercheny et du Royal-Allemand, ils s'étaient rangés sous les bannières de Condé et de Mirabeau-Tonneau [1]. Dans les camps ils rongèrent longtemps leur frein avant qu'on les autorisât, en sous-ordre, à combattre. Ces contingents, mal soldés, ne constituaient qu'une minorité — une dizaine de mille peut-être — où l'on ne comptait pas que des gentilshommes. Toujours fin 1792, les roturiers qui, pour des raisons diverses, avaient fui la France, dépassaient la moitié du total de l'émigration recensée. Ils appartenaient à toutes les catégories sociales,

1. Ainsi surnommé à cause de son embonpoint et de son ivrognerie, il était frère cadet de l'orateur de la Constituante. Émigré, il leva une légion dont l'uniforme noir se décorait de têtes de mort. Son régiment fut intégré dans l'armée du prince de Condé cantonnée le long du Rhin, autour de Coblence.

de la soubrette et du laquais au propriétaire et au commerçant. Quant aux prélats et aux prêtres — le quart de l'ensemble — ils végétaient, en groupe ou isolés, se préparant, dans la médiocrité, à un long exil.

Par contre, à la veille du 10 août, une partie de la noblesse, effrayée par la menace du séquestre, regagna ses châteaux et ses domaines. En silence, elle se réinstalla dans ses habitudes, sans abandonner ses principes et ses espoirs. Une distribution des rôles s'accomplit; la contre-révolution s'adapta et tenta de s'organiser. La collusion des « ennemis extérieurs et intérieurs » s'imposa de plus en plus aux révolutionnaires.

La « cinquième colonne ».

Elle comprenait d'abord les familles des émigrés que l'on pénalisa le 12 septembre en imposant à chaque parent l'entretien de deux volontaires. Ils étaient connus et vulnérables. Toutefois on hésitait à les frapper dans leur personne malgré les présomptions qui pesaient sur eux; ils profitèrent de cette indulgence. Vieillards et femmes s'assignaient un premier rôle : la protection des biens patrimoniaux et leur gestion. L'argent des fermages, le produit des ventes d'arbres et de blé, des bijoux et de la vaisselle d'argent, s'acheminèrent vers l'étranger par des filières déjà tracées. Mais les contrôles accrus, les dénonciations, entraînaient des pertes sensibles. L'évasion du numéraire emprunta de plus en plus les voies bancaires.

Tant que la guerre demeura localisée, les changes ne subirent pas une baisse appréciable. Contre versements en espèces ou en assignats, on tira sur Hambourg, sur Kiel, sur Altona, des lettres de crédit. Elles dépassèrent bientôt les disponibilités des familles qui s'endettèrent. Pitt encouragea cette politique et fit vendre à Paris des effets sur Londres pour y attirer l'or français. Une arme favorite de la réaction consista à ruiner l'assignat, symbole révolutionnaire. On réduisit à l'intérieur sa garantie en retardant la vente des biens d'émigrés, tandis que le financement de la guerre exigea de nouvelles émissions. On tenta de le discréditer en inondant le pays de faux billets. Les opérations des contrefacteurs atteignirent bientôt une dangereuse ampleur. Des entreprises établies à

Chimay et dans les villes rhénanes écoulèrent leurs billets par Chambéry, Mulhouse et Strasbourg. Le long des frontières d'abord, les paysans boudèrent la monnaie de papier.

Une autre méthode consistait à désorienter l'opinion en l'abreuvant de nouvelles fantaisistes. Dès septembre, elles devenaient si nombreuses que Gorsas s'en plaignait dans son *Courrier*. La presse royaliste n'avait d'ailleurs pas totalement disparu. Ses principales feuilles supprimées, on retrouva leur style dans de petits périodiques. A coups de bons mots, d'épigrammes, de médisances, on ridiculisa les patriotes. Brissot et le duc d'Orléans eurent leur part, comme Marat et Robespierre. On pratiqua la politique du pire, exagérant les périls et l'imprévoyance des ministres, présentant des « motions incendiaires » à la tribune des Jacobins. Contre eux, la *Feuille du Matin* ne cessa ses sarcasmes qu'en avril 1793, puis fut sans doute diffusée sous le manteau comme tant de libelles hargneux ou vengeurs; leur portée n'en fut que plus grande. Des informateurs bénévoles ou appointés s'introduisirent dans les bureaux et les clubs. L'espionnage fut profitable tant qu'on discuta publiquement des opérations militaires, puis ragots et informations sérieuses se mêlèrent dans les « bulletins » royalistes. On a beaucoup insisté sur ceux du comte d'Antraigues. Plus que leur vraisemblance, il importe de retenir l'état d'esprit qu'ils reflètent et leurs répercussions à l'étranger.

La religion ne ménagea pas ses concours à la noblesse. Nombre de réfractaires, demeurés en France, s'engagèrent dans les réseaux royalistes, acceptèrent des missions, risquèrent leur vie pour la cause commune. Ils se dissimulèrent sous une fausse identité à Paris et dans les grandes villes, ou bien se groupèrent dans les régions isolées, montagneuses et boisées, où la population les protégea et les nourrit. Dans les Cévennes, en Bretagne, en Vendée, en Savoie, sur les confins pyrénéens, ils exercèrent clandestinement leur ministère, et « entretinrent le fanatisme ». Quant aux prêtres constitutionnels, astreints au « petit serment », ils le prêtèrent moins par conviction que par calcul. Leur rôle, publiquement admis, fut considérable, tant auprès des ruraux que des citadins. Par l'entremise des femmes, ils influencèrent les maris et instruisirent les enfants. Ils continuèrent à siéger dans les administrations, à participer aux séances des Sociétés populaires. Quelques-uns, distinguant foi religieuse et action révolutionnaire, furent de sincères patriotes. Le plus grand nombre adopta une attitude prudente mais réactionnaire, associant en privé la défense de la royauté au salut éternel, le temporel au spirituel. L'Église constitutionnelle, maintenue par la République, hiérarchisée, disciplinée, constitua la plus grande force persuasive de la contre-révolution intérieure.

Les défenseurs du trône et de l'autel se recrutèrent par suite dans toutes les couches de la société, aussi bien dans l'Ouest qu'ailleurs. Leurs effectifs fluctuèrent car la solidarité idéologique ne joua jamais pleinement. On ne se laissa entraîner dans la rébellion ouverte que lorsqu'une volonté supérieure parvint à s'imposer. Le rôle du chef fut primordial. Ainsi, le 22 août 1792, Baudry d'Asson, à la tête de 8 000 paysans vendéens, s'empara de Châtillon-sur-Sèvre; ainsi les royalistes du Dauphiné se soulevèrent. Néanmoins le terme de complot, qui suppose une préparation et des objectifs précis, ne s'applique qu'à des actions sporadiques dont celle du marquis de la Rouërie, en Bretagne, sans qu'il s'agisse, comme on l'a écrit, de « peccadilles ».

D'ailleurs, la résistance inorganisée, insaisissable, représenta une menace d'autant plus inquiétante qu'elle resta diffuse. Désireuse de manifester son zèle, elle prit des risques inutiles. Dans l'Yonne on se moqua publiquement des arbres de la Liberté; la nuit on les arracha. Les correspondances préservées témoignent d'une grande légèreté, d'une confiance pernicieuse. En clair on dévoile ses intentions, on remâche ses regrets. Les patriotes qui s'en saisissent au hasard des perquisitions acquièrent l'impression que l'ennemi guette partout : le danger devient général; il peut vous atteindre à n'importe quel moment et par n'importe quel moyen. L'« espionnite », la « conspiration de l'étranger » devaient inévitablement déclencher des actions préventives et des représailles; elles apparaissent comme des constantes dans la mentalité révolutionnaire.

L'aristocratie de l'argent.

Suffisait-il de lutter contre l'aristocratie de la naissance et le fanatisme? Un autre péril guettait la Révolution de l'égalité; il émanait de la bourgeoisie « conquérante ». Les patriotes, qui en avaient conscience, répudiaient la domination de l'argent et la suprématie des notables. Ils considéraient de plus en plus la fortune dénoncée par ses signes extérieurs comme une présomption d'attitude politique suspecte. Le terme de bourgeois, que les contemporains utilisaient moins couramment que nous, prend tout son sens par rapport à la Révolution démocratique.

La bourgeoisie d'affaires, le grand négoce, la banque, les armateurs entretenaient hors des frontières des relations comparables à celles de la noblesse qu'ils avaient longtemps imitée et enviée. Le capital international suivait leurs réactions, en Angleterre comme en Allemagne. La République les importuna dès qu'elle cessa d'être libérale. Leur règle d'or résidait dans le libre jeu de l'offre et de la demande. Leur fortune était déjà très mobilière et l'agiotage l'avait accrue. La patrie représentait pour eux plus un symbole qu'une réalité dans la mesure où la terre ne collait pas à leurs bottes. Par là, ils se différenciaient du gros propriétaire rural dont la richesse se fondait, comme celle des nobles, sur le foncier et la rente, plus que sur le profit capitaliste. La vente des biens du clergé leur procura une source exceptionnelle d'investissements, et le paiement par annuités, un agiotage légal. Quant à la bourgeoisie des talents, elle disposait à la fois d'une assise terrienne et d'une fonction. Son appartenance aux grands corps de l'État lui procura l'argent qui la rendit possédante. Elle avait escompté de la Révolution des places aussi lucratives que celles dont la monarchie l'avait dotée, et ne cacha pas ses déceptions.

Par suite, après le 10 août, les antagonismes sociaux se banalisèrent en opposant riches et pauvres, « l'aristocratie de l'argent et ce qu'on appelait jadis la canaille ». « Il existe dans la République, remarquait-on en mars 1793, à la tribune des Jacobins, deux partis distincts : le parti des sans-culottes et le parti des riches, des sybarites. Nous ne jouirons jamais de la tranquillité tant que ce dernier parti subsistera. Tous nos efforts doivent donc tendre à détruire le parti des riches égoïstes. Il faut encore une révolution... » Le terme de « riches » cristallisa les rancunes des pauvres; ils désignèrent ainsi ceux qui mangeaient à leur faim pendant que leur ventre restait vide.

Les problèmes économiques et sociaux découlaient donc « de l'appétit de puissance de la classe montante ». L'idée que la richesse menaçait du dedans la Révolution se répandit ainsi dès septembre 1792. Chabot proposa même d'assimiler les riches aux émigrés. « S'ils ne veulent pas partager les bienfaits de notre Révolution, ils cessent d'être membres de la grande famille; ils ne sont plus propriétaires. » Ils devaient aussi, en proportion de leurs moyens, participer aux charges de la nation. Les taxes révolutionnaires, calculées d'après le revenu, pouvaient amputer le capital, pour combattre l'aristocratie bourgeoise. « Si elle eût vécu, constatèrent plus tard Collot-d'Herbois et Fouché, elle eût produit bientôt l'aristocratie financière; celle-ci eût engendré l'aristocratie nobiliaire, car l'homme riche ne tarde pas à se regarder comme étant d'une pâte différente des autres hommes[1]. »

Les attitudes politiques de la bourgeoisie nantie appartenaient toutes au modérantisme, ce fléau. A Rennes où « fourmillaient les suppôts de l'Ancien Régime, les modérés paraissaient cent fois plus dangereux que les aristocrates décidés ». Une partie de la France rurale ne mettait point en doute leur patriotisme. D'eux-mêmes ils se séparèrent des Jacobins avec lesquels on continuait à les confondre. Le modérantisme connaissait d'ailleurs des degrés. D'aucuns redoutaient autant le retour de l'absolutisme qu'une révolution sociale. C'étaient les acheteurs de biens nationaux et tous ceux qui, de quelque manière, avaient profité de la Révolution. Ils demeuraient convaincus de leur civisme et s'en montraient jaloux. Un Rouennais s'offusquait du nom de sans-culotte qui créait des distinctions fâcheuses. « On s'est accoutumé à regarder les citoyens *sans culottes* comme les seuls amis de la liberté, de l'égalité et de la République, mais dans la classe des hommes aisés, des hommes *à culottes* enfin, combien ne comptons-nous pas de bons citoyens qui chérissent une révolution fondée sur l'égalité civile et politique[2]... » Ils ne s'engageaient pas au-delà. Pour eux, la défense de la patrie se confondait avec la sauvegarde des propriétés. Ils ne songeaient pas à fuir leur pays mais à lutter, armes en main, contre l'aristocratie avec le peuple, et contre lui par la force de leur inertie. Ceux qui pensaient ainsi au sein des communautés rurales liées à leurs notables par des

1. Supplément au *Recueil...*, d'Aulard (2), 2e vol., 26 brumaire an II.
2. Reproduit par Cl. Mazauric, *La Révolution à Rouen*, photocopie nº XII.

rapports traditionnels de clientèle étaient légion. Le poids de leur « indifférence » freina la démocratie.

D'autres patriotes de Quatre-vingt-neuf prenaient une position délibérément antijacobine. Ils accusaient Brissot et Petion, comme Marat et Robespierre, de former un parti, d'annexer le patriotisme, d'accaparer les places. Pour Du Pont de Nemours, les Jacobins sont « des gens... qui, dans la chose publique, ne voient que l'intérêt du parti auquel ils doivent ou dont ils espèrent des places, de l'autorité, de l'argent[1] ». Aux yeux des monarchiens, des « constitutionnaires », ils devenaient des factieux. Robespierre mesura la portée d'une telle menace que l'insurrection écarta, sans toutefois la détruire. Des complicités permirent à la bourgeoisie « des talents » de se réfugier en province ou de gagner l'étranger. Si elle disparut de la scène politique, si l'aristocratie la tint à l'écart, elle ne cessa d'œuvrer pour son propre compte en attendant son heure.

Le 10 août se définit donc, dans ses prolongements, par rapport aux résistances qu'il suscita. A l'opposition déjà prononcée de l'aristocratie et de l'Église, qui s'adapta aux circonstances, s'ajouta celle de la haute bourgeoisie et la somnolence, réelle ou feinte, d'une masse campagnarde inappréciable. Son caractère composite nuisit à son efficacité. Elle hésita et manœuvra au lieu de s'organiser et d'agir. Néanmoins, par sa seule présence, elle stimula la lutte révolutionnaire. Pour vaincre, le jacobinisme mobilisa sentiment national et aspirations égalitaires.

3. Le Jacobinisme

Tout ce qui est patriote doit se réunir aux Jacobins, tout ce qui n'est pas bon citoyen doit en sortir. L'unité nationale se rebâtit après le 10 août autour de la *Société des Amis de la liberté et de l'égalité*. La Commune l'associa à son action, et les Cordeliers la soutinrent. Chaque section parisienne s'honora de l'imiter. On la considéra, pendant les élections, comme le moteur de

1. Cité par M. Bouloiseau, *Bourgeoisie et Révolution: les Du Pont de Nemours, 1788-1799*, p. 71.

l'opinion. Toutes les « fortes résolutions » devaient émaner de sa tribune. Elle se comporta en assemblée souveraine, délibérant sur les plus graves problèmes. « Le sobriquet de Jacobin qui traînait après lui quelque chose de ridicule et de sinistre » devint un titre glorieux. Avant d'aller combattre, les volontaires réclamèrent ce brevet de civisme qui porterait l'effroi chez l'adversaire.

Le club parisien et les sociétés de province.

Le club parisien où désormais tous les citoyens pénétraient — sans distinction d'actifs et de passifs — était-il assuré de la sincérité de ses membres? Dès le 19 août on en réclama l'épuration. Les Brissotins l'abandonnèrent peu à peu pour se retrouver au club de la Réunion, et le nombre des sociétaires diminua, tandis que les tribunes se remplissaient. On dut en autoriser l'ouverture avant le début de la séance tant la foule se montrait impatiente. Elle intervenait dans les discussions qui se déroulaient dans le désordre et le bruit. Souvent aucun ordre du jour n'était préparé et le président l'improvisait. Des délégations défilaient, on prêtait des serments, on demandait des armes et des secours; les fédérés présentaient leurs doléances et les commissaires leurs observations.

Les débats, qui avaient lieu le soir, entre 17 et 22 heures, se perdaient en longs discours ou déviaient en règlements de comptes. Ni les orateurs, parmi lesquels on remarquait Chabot plus que Robespierre, ni les auditeurs ne semblaient préparés à leur nouvelle importance. L'appareil bureaucratique se révélait insuffisant. Le compte rendu des délibérations paraissait trop succinct ou erroné. On rechercha un journaliste sûr, on constitua de nouveaux comités, celui de correspondance étant débordé. On multiplia les contacts avec les sections. Puisque leurs assemblées débutaient à 20 heures, on engagea les Jacobins à s'y faire entendre. Celle de la Réunion arrêta qu'elle n'aurait de séance que les jours où les Jacobins « feraient relâche ».

Comme les Parisiens, les patriotes de province et de l'étranger rendaient visite au club de la rue Saint-Honoré. Il reçut les encouragements, les dons des Irlandais, et leurs demandes d'affiliation. Pour justifier le 10 août, une adresse fut rédigée à l'intention des

Anglais. Civils et militaires profitaient d'un séjour dans la capitale pour dénoncer, renseigner et prendre conseil. Toutefois les clubs affiliés demeuraient peu nombreux et divisés; souvent les modérés dominaient. Des sociétés républicaines, nouvellement constituées, obéissaient aux mots d'ordre jacobins avant d'être reconnues par la Société-mère. Elles subissaient les vexations des autorités locales, par exemple à Hyères et à Marseillan, près de Montpellier. Il ne fut pas rare, dans les villes, de compter deux clubs rivaux.

Les décisions adoptées par acclamations, ou à mainlevée, en présence du public, décourageaient l'opposition. On réclamait non la majorité, mais l'unanimité. Un désaccord s'interprétait comme un signe de faiblesse. Bien que « le filet aux mailles serrées », tel qu'on l'imagine, ne s'étendît que graduellement sur la France, le club parisien apparut dès cette époque comme un point de ralliement. Son recrutement, qui se modifia, connut dans les départements une évolution semblable. Moyenne et petite bourgeoisie y prirent l'avantage. Artisans et laboureurs voisinèrent avec des hommes de loi et des prêtres. La première terreur les rapprocha d'un peuple qui ne les rejetait pas. Les pauvres restèrent minoritaires, cependant l'idéal jacobin devint celui des sans-culottes.

L'idéologie jacobine.

Que représentait alors le jacobinisme? En temps de révolution, une idéologie se mesure à son efficacité. Née « de la passion d'avoir raison », elle comporte un ensemble d'images et de concepts, un matériel de persuasion, une dynamique passionnelle, car elle tend à convaincre et à entraîner. L'atmosphère de lutte qu'elle entretient doit procurer à la fois des raisons de vivre et de mourir. Son contenu est donc multiforme : spiritualiste et concret, individualiste et social. En utilisant tous ces mobiles, la bourgeoisie jacobine parvint à créer une expression commune qui plonge ses racines dans l'histoire romaine et la philosophie des Lumières. L'apport de Rousseau est évident, mais elle le simplifie et le matérialise. Elle puise sa grande force dans les dangers de la République et dans sa propre intransigeance.

C'est d'abord une mystique. Son caractère religieux se manifeste dans ses fondements et sa pratique. Elle emprunte au christianisme sa confiance en l'avenir et son désir de rénovation morale. Son dogmatisme résulte non d'un système, mais d'un minimum d'idées élémentaires, couramment admises et capables de motiver une action de masse. La haine de l'aristocratie et du despotisme, soigneusement alimentée, constitue son argument et son cheval de bataille. Robespierre y découvre, par contraste, la nécessité de proclamer la dignité humaine, inséparable de la liberté. Le despotisme corrompit les mœurs, et ce furent des hommes corrompus qui le soutinrent. Il associe consciences morale et civique, première notion de la vertu telle qu'il la prônera en l'an II. Il en appelle à la divinité pour enchaîner « les passions basses et cruelles », à la raison pour aider l'homme à dominer ses instincts et à choisir librement sa voie. Le vrai Républicain doit se respecter lui-même pour respecter les autres, il doit mériter sa qualité d'homme et de citoyen. « Les patriotes ne se comptent pas; ils se pèsent... Dans la balance de la justice, l'un d'eux doit valoir plus de cent mille aristocrates. »

Fort de ses droits retrouvés, le citoyen doit l'être de ses devoirs. Il a passé contrat avec la République, et s'est engagé vis-à-vis d'elle. Ainsi peut-il concevoir la vraie signification de la patrie. Elle cesse d'être « cet amour exclusif pour le coin de terre qui nous a vu naître » et s'étend au pays dont les lois traduisent la volonté générale. Patrie, liberté et vertu sont inséparables. « Où la vertu prospérera à l'ombre des lois, où l'égalité régnera entre les hommes, où le nom du maître sera ignoré, où l'homme sera ce que l'a fait la nature, libre et juste, là sera la patrie d'un Français [1]. » Le sentiment « d'un amour éternel et inépuisable pour sa patrie » suffit par suite à attacher le patriote à la Révolution. Support et moteur de la religion jacobine, le patriotisme atteint sa plénitude dans une société sans barrières. Trop longtemps il ne fut qu'un attachement aveugle à un roi et à des prêtres; au-delà d'eux existe l'intérêt national. Plus de « messieurs », rien que des citoyens dont le tutoiement convient à leur commune condition.

La nation, qui se bornait avant 1789 aux seuls propriétaires, n'admet aujourd'hui que les patriotes dont la solidarité doit jouer contre ses ennemis. Elle exige un désintéressement total, puisque

1. Cité par A. Mathiez, *Ann. révol.*, 1921, p. 419.

son but est le bonheur de tous. « Les hommes individuellement pris ne sont rien! » Le patriote n'existe pas hors de la nation identifiée à la patrie; il lui doit tout et se réalise en fonction des sacrifices qu'elle lui demande. Quand il s'agit d'elle « il n'est ni frères, ni sœurs, ni père, ni mère; les Jacobins immolent tout à leur pays ». Une sorte de néo-stoïcisme les entraîne « au-devant du destin que l'on doit subir ». Dans une société où s'est substituée « la morale à l'égoïsme, la probité à l'honneur, les principes aux usages », l'unité nationale se nourrit de la confiance publique. « Frères et amis » n'est pas une simple formule, mais un signe de ralliement et une profession de foi.

Cependant, si naguère le patriotisme divisait les États et les dressait les uns contre les autres, il appelle désormais les peuples à l'union. « Tous forment une immense famille à laquelle la nature donna la terre pour domaine et pour séjour. » Tous s'y intègrent, quelle que soit leur race ou leur couleur, car ils doivent former un front commun contre leurs oppresseurs. La solidarité nationale garantit la fraternité universelle et la France montre le chemin. En dépit des arrêtés qui, dans l'Est, le condamnent à la déportation, le peuple juif a conquis sa place. On applaudit dans les régions méridionales à l'entente entre protestants et catholiques et les Jacobins acceptent la « dédicace » d'une compagnie de volontaires noirs. La trilogie « Liberté, Égalité, Fraternité », que Momoro proposa dès 1791, s'inscrira bientôt aux frontons des édifices publics.

Les aspirations égalitaires.

« Un État est bien près de sa ruine toutes les fois qu'on y voit l'extrême indigence assise à côté de l'extrême opulence[1]. » Cette prédiction de Leclerc traduisait fidèlement l'attitude des patriotes devant le problème social. C'était celle des libéraux du XVIIIe siècle, des Jacobins et des sans-culottes; ce sera celle des socialistes du XIXe. La République ne se concevait pas « dans un pays où une classe d'individus peuvent dévorer la subsistance de plusieurs millions d'hommes ». Robespierre, après Rousseau, condamnait

1. Cité par A. Soboul, *Les Sans-culottes parisiens* (5), p. 471.

l'inégalité au nom de principes moraux, regardant l'opulence « comme le prix du crime ». La lutte pour l'égalité sociale se confondait avec la destruction des aristocraties, des monopoles, des privilèges. Mais la révolution démocratique exigeait davantage : elle tendait vers l'égalité des biens; elle menaçait le principe même de la propriété et sa répartition.

Il importait à l'État républicain d'éviter un bouleversement des structures qui eût entraîné sa ruine. Petits bourgeois, paysans, artisans et boutiquiers en étaient conscients; ils acceptèrent des compromis habilement présentés. Puisqu'une égalité parfaite était chimérique, puisque subsisteraient toujours des riches et des pauvres, il convenait de rendre possible leur coexistence. La notion du droit social selon laquelle la communauté, garante des droits des individus, pouvait régler leur exercice, conférait au gouvernement celui d'intervenir dans la distribution des richesses et des produits. Le bonheur public dépendait de la loi. A l'égalité des chances qui permettait au citoyen, dans un certain délai, de développer librement ses facultés, on juxtaposait celle des jouissances, plus immédiate. Pour l'atteindre il suffisait de détruire « l'extrême disproportion des fortunes ». Le nom de l'égalité aurait acquis un sens lorsque disparaîtraient « les intervalles immenses de bonheur qui séparent l'homme de l'homme ». On en appela à la compréhension et au civisme des riches pour que s'opère « une révolution douce et paisible... ». Saint-Just proclama cette espérance à la face de l'humanité. « Que l'Europe apprenne donc que vous ne voulez plus un malheureux ni un oppresseur sur le territoire français; que cet exemple fructifie sur la terre; qu'il y propage l'amour des vertus et du bonheur. Le bonheur est une idée neuve en Europe. »

En même temps, on réhabilita la condition du pauvre, le distinguant du mendiant et du paresseux. Dans un pays libre, la pauvreté est respectable. Pauvre, le travailleur qui n'obtient que son nécessaire alors qu'il « procure l'or du riche »; indigent, celui qui ne parvient pas à vivre de son travail. La société leur doit assistance et protection, comme aux familles des défenseurs de la patrie sous forme de secours et de pensions, mais on hésita à inscrire dans la loi des obligations plus générales.

Les Jacobins déclarèrent propriété commune ce qu'on nomme

aujourd'hui le « minimum vital », et envisagèrent de faire subsister les pauvres aux dépens des riches. Ces audaces risquaient de provoquer des interprétations fâcheuses; on leur préféra un principe : le droit à l'existence et au travail, qui devint la revendication essentielle. Saint-Just, dans ses *Institutions républicaines*, et Robespierre mirent l'accent sur cette première loi sociale, toutes les autres lui étant subordonnées. « Il faut manger à n'importe quel prix » confirmera Hébert. Le peuple n'exige pas des richesses, mais il estime que, dans une République, « les citoyens doivent pouvoir vivre avec leur travail ». Qu'on fasse donc « des lois bienfaisantes qui tendent à rapprocher le prix des denrées de celui de l'industrie du pauvre ».

En fait, ni les Jacobins ni les sans-culottes n'entendaient proscrire la propriété individuelle. Ils la considéraient au contraire comme un facteur d'émancipation, de cohésion nationale et une garantie de l'impôt. Robespierre la défendit. « C'est pour vivre d'abord que l'on a des propriétés. Il n'est pas vrai que la propriété puisse jamais être en opposition avec la subsistance des hommes. » Elle constituait, selon Billaud-Varenne, « le pivot des associations civiles ». A ce titre elle ne saurait échapper aux contraintes exigées par les circonstances. S'agissant de la terre, l'État pouvait déterminer un maximum tant à sa possession qu'à son exploitation. Loin d'y être hostile, la paysannerie le souhaitait depuis longtemps. Fin août 1792 elle formula ses exigences : limiter à 150 arpents l'étendue des fermes et répartir le surplus entre les indigents, de même que les biens nationaux. On lui concéda la vente par petits lots de ceux des émigrés et le partage des communaux. Quant à la liberté du commerce qui convenait « aux temps ordinaires », elle devait cesser dans les moments de crise où « la cupidité homicide » risquait d'en abuser. Là encore il suffisait de préserver le peuple contre « le brigandage du monopoleur ».

Dans leur essence, principes et droits demeuraient saufs bien qu'au nom de la société on y portât des entraves que l'on estimait provisoires. Il fallait « oser faire tout le bien possible » en respectant la forme traditionnelle de la propriété privément acquise à prix d'argent. La conception jacobine de la démocratie, que partageait la grande majorité du peuple, s'arrêtait à une communauté de petits producteurs indépendants de plus en plus nombreux — paysans, artisans et marchands — entre lesquels « l'État, par ses lois, assurerait une égalité approximative ». Trotski pouvait donc, de ce point de vue, définir le jacobinisme comme « le degré maximal du radicalisme qui puisse être fourni par la société bourgeoise ». Tel quel, utilisant ce miroir aux alouettes que ne cessa d'être pour les travailleurs l'espoir d'accéder à la propriété, il est indissolublement lié à la mentalité révolutionnaire.

La mentalité révolutionnaire.

Mentalités jacobine, terroriste et sans-culotte, qui sont celles des patriotes, se confondent généralement. C'est le jacobinisme qui façonne l'esprit public, forme la conscience collective et oriente la lutte révolutionnaire en fonction des réalités économiques et sociales. Il fournit aux mouvements leurs cadres et leurs objectifs, à la pensée ses types : celui de l'aristocrate et du riche égoïste, au costume ses signes : la cocarde tricolore et le bonnet rouge, à la foule ses cris d'adhésion enthousiaste : Vive la Nation et Vive la République. La patrie possède ses autels; ses prêtres sont jacobins. Son culte dispense une force contagieuse. La propagande s'ajoute à la vertu de l'exemple pour créer une volonté commune et « mettre les masses en condition ». On écoute plus qu'on ne lit, on agit plus qu'on n'écrit. Le discours prend la forme d'un sermon. Les sociétés jacobines deviennent des foyers d'éducation civique. La rude logique populaire, inhabile aux subtilités de la politique, recherche des explications simples, souvent répétées. De la phraséologie révolutionnaire, elle retient les verbes d'action : surveiller, poursuivre et punir, les formules saisissantes « Guerre aux châteaux, paix aux chaumières », « Vivre libre ou mourir », « Plutôt la mort que l'esclavage ». Elle adopte la *Marseillaise*[1], la *Carmagnole*, et le *Ça ira*, chants de marche et de victoire. Le secret de la Révolution est dans l'activité créatrice des masses. « Celui qui n'est pas révolutionnaire... est un zéro. »

1. Les premiers volontaires qui la chantèrent furent ceux d'un bataillon de Rhône-et-Loire, en avril 1792. On l'entendit à Montpellier le 17 juin et le 20 à Marseille d'où les fédérés la répandirent à Paris en juillet (J. Chailley, « La Marseillaise et ses transformations jusqu'à nos jours », dans *Actes du Congrès des Sociétés savantes*, Lyon, 1964, t. I).

En même temps qu'évolue la mentalité collective, les attitudes individuelles se modifient. Dans ce sens, la République jacobine « détermina » le révolutionnaire. On a interprété cette mutation comme un retour à l'animalité, un débordement des instincts. Il existe dans une société humaine des faibles qui, pour se donner le change, abandonnent toute retenue, et des forts qui demeurent maîtres d'eux-mêmes. Mais le jacobinisme réprouve les excès, condamne ce qui corrompt et avilit. Si, malgré tout, dans la Révolution, le meilleur côtoie le pire, c'est parce qu'ils sont inhérents à la nature de l'homme. D'autre part, l'action révolutionnaire concerne la population active. Dans une vie dont la durée est brève, on devient très tôt adulte; à seize ans on se considère comme un homme. Dès son jeune âge, la nouvelle génération se pénètre de ses prochaines responsabilités. La fougue de l'engagement, la promptitude de l'enthousiasme et du découragement résultent de comportements juvéniles qui persistent bien au-delà de l'adolescence.

D'ailleurs, révolutionner suppose innover, rompre avec des traditions, des coutumes, des habitudes. L'homme révolutionnaire, contestant la société qui l'entoure, s'y trouve minoritaire. Pour imposer ses vues, il usera de contrainte. « C'est, disait Marat, par la violence qu'on doit établir la liberté, et le moment est venu d'organiser momentanément le despotisme de la liberté. » Son attitude se radicalise au fur et à mesure que se renforcent les résistances. Ses sentiments deviennent plus exclusifs et s'exaspèrent en dépit de ses propres inclinations. Néanmoins le jacobinisme comporte des éléments affectifs qui tempèrent la rudesse des apparences : la générosité, la pitié, et une certaine tendresse vis-à-vis des plus misérables. L'espérance en un monde meilleur et la fierté d'y contribuer, puis de lui appartenir, exaltent l'imagination autant que la volonté.

L'homme privé peut ne pas ressembler à l'homme public qui accepte des devoirs civiques dont le premier consiste à rester vigilant. Dénoncer n'est pas un plaisir sadique, mais une obligation. Le silence qui dissimule un péril est coupable et la calomnie ne l'est pas moins. Pourtant, si l'on méprisa le mouchard appointé, si l'on n'accorda aux bavardages des femmes qu'une attention relative, on rapporta à des attitudes politiques des propos échappés à l'impatience, et des rivalités personnelles. On emprisonna pour des racontars, on condamna aux fers pour des fautes vénielles. Persuadés de l'importance de leur mission, les patriotes s'attribuèrent un pouvoir discrétionnaire et se dispersèrent souvent en activités stériles. On surprit aisément leur bonne foi, on abusa de leur crédulité et de leur ignorance. Malgré tout, les mécontents s'exprimèrent plus librement qu'on ne le pense. Le terroriste utilisa aussi la menace et l'invective comme un épouvantail et un bouclier.

Il chercha à effrayer autant qu'à réprimer. R. Cobb constate une « démagogie de la violence », une surenchère au niveau subalterne de l'exécution qui conduit à la forfanterie et à la déraison, qui frise l'inconscience et le ridicule. Des fiers-à-bras et des hâbleurs, loin de leur domicile, assurèrent ainsi, à moindres frais, leur réputation de patriotes, surtout lorsqu'elle n'était pas sans tache. Dans la nation armée, on joua du sabre et du pistolet pour paraître féroce. On vit des dépositaires de l'autorité — civils et militaires — s'entourer d'un imposant cortège et s'accompagner de la guillotine. On rapporte qu'en septembre 1792 des commissaires de la Commune affichèrent dans le Nord des proclamations sanguinaires. « Dressez des échafauds; que les remparts soient hérissés de potences; que quiconque n'est pas de notre avis y soit immolé à l'instant. » Quelques mois plus tôt on avait proposé de noyer les prêtres avec les dragueuses du port de Brest. On entendit d'autres motions comparables qui demeurèrent sans suite et l'on reprocha à Leclerc d'avoir désespéré les Lyonnais par ses folles prédications.

Bien qu'il ne se confonde pas avec une minorité « d'égorgeurs et de brigands » dont la légende s'est emparée, le révolutionnaire ne fut pas un saint. Il se laissa entraîner à des cruautés inutiles, à des brutalités gratuites. On utilisa d'ailleurs dans l'autre camp des procédés identiques. Tuer pour ne pas être tué traduit une des monstrueuses réalités de la guerre qui ne saurait rien absoudre. La majorité demeure fort éloignée du portrait idéal que traça Saint-Just : « Un homme révolutionnaire est inflexible mais il est sensé, il est frugal, il est simple sans afficher le luxe de la fausse modestie; il est l'irréconciliable ennemi de tout mensonge, de toute indulgence, de toute affectation. »

En vérité, il existe un puritanisme jacobin si l'on s'en tient aux écrits et aux déclarations publiques. Le langage du *Père Duchesne* choquait les sociétaires de la rue Saint-Honoré. On condamnait le jeu, la prostitution, la coquetterie, le luxe, le célibat; on pourchassait les images et les livres obscènes. Ils appartenaient à l'arsenal de l'aristocratie, comme l'humour et « le bel esprit ».

Par contre, l'ivrognerie bénéficia d'une grande indulgence populaire; on ferma les yeux sur « une bonne ribote ». La consommation de vin et d'alcool, considérable, pesa très certainement sur la mentalité terroriste. On accusa les « massacreurs » de septembre d'agir dans l'excitation de l'ivresse. Les caves de leurs victimes les tentèrent parfois, comme celles des émigrés où puisèrent impunément les gardiens de séquestre. Au même titre que son pain, le volontaire exigea sa ration d'eau-de-vie; elle l'aida à surmonter ses fatigues et ses peurs.

La guerre, devenue nationale et révolutionnaire, permit enfin à l'individu de s'affirmer vis-à-vis de lui-même et d'autrui. Alors qu'elle « semblait devoir consommer notre ruine », elle nous sauva, car « elle tint le peuple éveillé, ardent, inexorable ». Extérieure à la Révolution, elle renforça cependant l'emprise jacobine et l'antagonisme entre riches et pauvres, entre possédants et « bras nus ».

4. Valmy

Présentée par Isnard et la bourgeoisie brissotine comme l'expansionnisme irrésistible de la Liberté, la guerre exalta l'imagination populaire. « La nation française crut toujours que le livre éternel de la nature et de la raison était une propagande infaillible et plus puissante que ses orateurs et ses pamphlets. » La Révolution communiquait au peuple une force nouvelle qui le rendait invincible. « L'étendard de la Liberté est celui de la victoire. » Toute frémissante de sa récente délivrance, la France s'élançait à la libération de l'Europe et de l'humanité. Ces couleurs éblouissantes masquaient une coupable impréparation militaire et l'on interpréta les premières défaites comme des trahisons contre le peuple. L'invasion le contraignit à s'emparer de la guerre. « Allons, s'écriait Robespierre dès la fin de juillet 1792, il faut que le peuple soutienne le poids du monde; il faut qu'il soit parmi les peuples ce qu'Hercule fut parmi les héros. » L'enjeu cessa d'être idéologique; il atteignit une dimension sociale imprévue. Au clan des souverains se rallia la bourgeoisie conservatrice.

L'armée nouvelle.

De tous les grands corps de l'État, l'armée avait subi la plus profonde mutation et la moins spectaculaire. Elle n'était plus une société bloquée; elle cessa au 10 août d'être l'armée royale. Devint-elle, du même coup, celle de la démocratie?

L'émigration des cadres et l'intégration des volontaires de 1791 modifièrent profondément les structures et l'esprit de la troupe combattante. Au milieu de 1792 ses effectifs atteignaient environ 300 000 hommes qui appartenaient pour les deux tiers à la ligne. Le dixième à peine des bas officiers et des soldats avait participé aux campagnes de l'Ancien Régime. La grande majorité, formée d'éléments jeunes, s'était enrôlée depuis 1789. Attirés par les primes qui dépassaient le salaire moyen annuel d'un manouvrier nourri et logé, petits paysans, compagnons et chômeurs se laissaient aisément convaincre par les « sergents recruteurs ». Ils appréciaient la certitude de manger à leur faim, et la misère favorisa les enrôlements. On se montra aussi moins intraitable sur la taille, et l'âge légal s'abaissa à seize ans.

Des raisons familiales, autant que la conjoncture économique et l'absence de biens, motivèrent les engagements. Toute la France y était plus ou moins présente. Les paysans devenaient nettement majoritaires sans atteindre la proportion générale des ruraux dans le pays. Quant aux citadins pauvres, employés de boutiques et apprentis, ils maintenaient leurs positions, tandis que les régiments étrangers diminuaient sensiblement.

La cavalerie, qui demeurait l'arme noble, comprenait davantage de gentilshommes. Elle traitait avec quelque dédain l'infanterie, la « piétaille », dont l'encadrement était plus roturier, bien que ses grades supérieurs comptassent encore de nombreux ci-devants. Ils ne cessaient de considérer la carrière des armes comme une profession privilégiée. Avant d'être citoyens ils restaient militaires. La pratique de leur métier, leur entraînement acquis sous la monarchie étaient précieux. Un certain nombre avaient lentement gravi les échelons. Plus de la moitié des capitaines dépassaient la quarantaine. La majorité venait des villes et une bonne partie de la capitale. On y dénombrait une forte proportion d'hommes de loi, de médecins, de précepteurs, de prêtres qui préféraient l'uniforme à la soutane. Nobles et bourgeois savaient gré à la Révolution de faciliter leur avancement, mais la solidarité de l'épaulette jouait contre le recrutement populaire.

Le volontaire, réputé sans expérience, conservait à leurs yeux sa qualité de civil. Il s'intégrait mal et préservait son individualité, se rapprochant de ses parents, de ses amis. Sans prévenir, il n'hésitait pas à changer d'unité, à s'absenter, puis à rejoindre. Le contrôle des effectifs échappait partiellement aux quartiers-maîtres. On insista sur ses rivalités avec la ligne, sans attacher à ce flottement une suffisante attention. Il atténua l'esprit de corps et souligna l'origine bâtarde de l'armée.

Les volontaires de 92.

L'armée n'avait pas achevé sa crise de croissance lorsque lui parvinrent les levées de 1792 qui la portèrent à près de 400 000 hommes. Le contingent, fixé par décret du 12 juillet, comprenait un complément des troupes de ligne et 42 bataillons de volontaires, qui furent surtout des requis. Chaque département devait en effet fournir son nombre d'hommes qu'il répartissait entre les cantons. La Mayenne se trouvait ainsi taxée à 1100. La saison aidant, car on était en pleine moisson, les ruraux montrèrent peu d'enthousiasme. On distribua des gratifications qui décidèrent les plus pauvres, puis on désigna le reste par tirage au sort ou par élection. Celui qui cherchait à s'y soustraire risquait la mort au même titre qu'un contre-révolutionnaire. Les possédants résistèrent à cette ponction de main-d'œuvre. On enrôla des débiles mentaux, des sujets malades et trop petits dont il fallut ensuite se défaire. Beaucoup, mariés et chargés d'enfants, s'inquiétaient du sort de leurs familles qui parfois les suivirent.

La tiédeur de l'opinion et ses réticences ne furent cependant pas générales. Dans les régions que menaçait directement l'invasion, des villages entiers répondirent à l'appel. On signala, le 14 septembre aux Jacobins, qu'un curé s'était mis à la tête de quinze de ses paroissiens. A Paris, 15 000 volontaires s'inscrivirent en une seule semaine; la commune de Saint-Denis offrit 400 de ses habitants. Dans les grandes villes, les municipalités, les Sociétés populaires encouragèrent les départs; on les célébra pompeusement avec le concours de la population. Dans l'ensemble, manouvriers et domestiques, enfants de familles nombreuses représentaient la paysannerie, et les citadins provenaient d'un niveau social plus bas qu'en 1791, tant pour les soldats que pour les cadres qui sortaient de la garde nationale. Commis, employés, artisans fournissaient près de la moitié des capitaines où l'on comptait davantage de ruraux.

Leur patriotisme compensait dans une large mesure leur manque d'instruction militaire. C'étaient « des hommes de bonne volonté, courageux et ardents ». Ils se précipitaient d'emblée vers les frontières, sans uniforme et sans armes, conduits par des chefs qu'ils venaient eux-mêmes d'élire mais qui ne savaient où et comment les diriger. De Châlons, le 9 septembre, Billaud-Varenne décrivait leur avance comme « un camp prolongé depuis la place de Grève jusqu'aux armées ». Délaissant les charrettes qu'on leur proposait, ils marchaient en chantant : « Veillons au salut de l'Empire », et criaient en traversant les villages : « Vive la Nation! Vivent les sans-culottes! » Leur temps ne comptait pas, ni leur fatigue. S'ils encombraient les routes et gênaient le déplacement des troupes organisées, ils communiquaient l'impression d'une levée massive et résolue. L'ordre, la discipline ne semblaient pas les concerner. Les Parisiens se montraient les plus turbulents. On dénonça les compagnies franches, remplies de mauvais sujets, patrons de tripots et suspects, qui utilisaient ce procédé pour fuir la capitale et la prison. Pour subsister, ils n'hésitaient pas à piller. Certains s'abandonnèrent « à des excès indignes des soldats d'un peuple libre ».

Des légions se constituèrent aussi, isolément. D'abord des compagnies de chasseurs nationaux recrutées parmi les gardes parisiens, des bataillons belges, bataves, liégeois, complétés de volontaires français et de compatriotes déserteurs de l'armée autrichienne. Des Suisses des anciens régiments royaux s'y engagèrent pour une campagne. Des généraux levèrent pour leur propre compte en province. On s'efforça de conserver son autonomie et le droit d'élire ses chefs. Cette tendance anarchique menaçait l'unité de l'armée et l'on appréhendait les intrigues de quelques ambitieux. Quant aux fédérés qui avaient participé au 10 août, certains, tels les Marseillais et les Brestois, regagnèrent leurs foyers, tandis que les autres se groupaient au camp de Soissons.

Les contingents destinés aux troupes de ligne s'y intégrèrent assez vite et leur instruction commença. Les premières tentatives d'embrigadement et d'amalgame [1] datent de cette époque. Hormis un accroissement de l'effectif des régiments, l'armée régulière ne subit pas de changement notable; seul son esprit se modifia. Elle noua des contacts plus étroits avec la société civile, se mêla aux manifestations patriotiques. Les Jacobins de Paris lui adressèrent des journaux. Bien qu'elle se défiât des positions extrémistes des volontaires de 92, leur présence favorisa cette évolution. On réclama partout des chefs patriotes, le droit d'épurer les officiers et de choisir ceux qui inspiraient confiance. La trahison de Lafayette accrut les suspicions à l'égard des nobles. On proposa, le 29 août, de renouveler entièrement l'état-major, mais le pouvoir exécutif conserva la liberté de désigner les officiers supérieurs en ne tenant compte que de leurs talents militaires.

Aussi la tactique n'évolua pas brusquement. On préféra le déploiement en ligne aux colonnes massives protégées par des tirailleurs et l'artillerie. La cavalerie parut longtemps insuffisante. On hésita à employer la force du nombre et l'élan patriotique dans des attaques frontales. Mais le combat de masse s'imposa bientôt et transforma le visage de la guerre. Autant que le courage de nos troupes, il désorienta l'ennemi.

L'intendance et les transports.

Tandis que l'armée devenait celle du peuple, ses services annexes étaient dépassés par le nombre. Habitués aux camps, aux maga-

1. Voir J. P. Bertaud, *Valmy* (40), p. 213-215 et ci-après, chap. V. L'amalgame mêle lignards et volontaires au sein des bataillons, tandis que l'embrigadement réunit dans une demi-brigade un bataillon de ligne et deux de volontaires.

sins, aux garnisons, ils ne pouvaient faire face aux déplacements continuels. On manquait de commissaires des Guerres et d'étapiers, de boulangeries ambulantes. Les officiers ne disposaient d'aucun ordre de marche. Ils enlevaient les chevaux de labour, confisquaient les armes. Le Conseil exécutif autorisa, le 4 septembre, les achats de gré à gré, la réquisition des transports. On dut renvoyer des volontaires qui, vêtus d'un pantalon et d'un sarrau de toile, couchaient à même le sol, sous la pluie. On manquait de tout, d'argent, d'armes et de munitions. La ligne même en était dépourvue. Les 22 000 hommes de Dumouriez ne possédaient de cartouches que pour deux heures. Les fusils cessaient de tirer lorsque les gachettes se rouillaient et que lubrifiant et pierres s'épuisaient. La baïonnette devenait alors, par obligation, la seule arme offensive, comme la pique emmanchée de bois dont on commençait à doter les nouveaux arrivants.

Ce sentiment d'abandon provoquait des réactions collectives incontrôlables. Venues pour combattre, les recrues impatientes, manifestaient leur déception, se révoltaient contre l'incapacité, découvraient partout la traîtrise. Qu'une averse endommageât la poudre ou la nourriture, on en rendait les administrations responsables. Le coup de feu qui ratait résultait d'une malfaçon. Les ornières, qui rendaient les routes impraticables, provenaient de la carence des Ponts et Chaussées. On se défiait de ses propres courriers qui correspondaient avec l'ennemi et lui portaient notre or. Les allées et venues incessantes contribuaient à répandre de fausses nouvelles.

Bien que les populations aient traditionnellement mal auguré de l'arrivée des troupes, elles suppléèrent aux défaillances des autorités. Grâce à elles, les vivres ne firent jamais longtemps et complètement défaut. A l'approche de l'ennemi, elles menèrent leur propre combat. « Leur enthousiasme insensé et surtout leur exaspération contre nous dépassent la mesure et les moyens permis », constataient les Prussiens le 20 août. A leur approche on se réfugiait dans les bois; on dressait des embuscades; on traqua les convois isolés, les traînards. Soldats et civils servaient une cause commune : celle de la patrie et de la Révolution.

Victoire ou simple canonnade.

Au milieu de cet élan magnifique et désordonné, on ignorait, le 11 septembre, la position exacte des régiments de ligne, tandis qu'on imaginait partout Autrichiens et Prussiens. Neuf jours plus tard, dans le petit matin, les troupes de Dumouriez et de Kellermann, trempées de pluie, pataugeant dans la boue de l'Argonne, prenaient position sur les hauteurs de Valmy. Leur objectif : couper à l'ennemi la route de Châlons et de Paris; leur tactique : improvisée, sur un terrain mal repéré. Les chefs de corps, livrés à leurs initiatives, surent en user, créant des diversions, occupant des buttes, dont celle du moulin, plaçant à point nommé leur artillerie de campagne.

On conserva le souvenir d'une canonnade « très nourrie » qui dura quatre heures, de l'impeccable manœuvre prussienne, de la résistance inattendue des volontaires français. L'explosion d'un convoi de poudre risqua de provoquer une panique que Kellermann évita, puis il attaqua de front, tandis que, sur sa droite, Stengel contenait l'adversaire. A la fin du jour, le généralissime duc de Brunswick et son roi firent cesser le combat; leurs troupes bivouaquèrent sur le plateau de la Lune. On estima les pertes à quelque cinq cents officiers et soldats, à une centaine de chevaux, dont celui de Kellermann, tué sous lui. Pour un prix raisonnable, sur le plan militaire, Valmy avait produit le résultat escompté. Dumouriez pouvait l'exploiter; il hésita à tirer parti du repli prussien et préféra négocier. « Nous avons heureusement marché trois jours sans que l'ennemi se soit donné la peine de nous suivre, sans quoi tous les équipages eussent été abandonnés », écrivait un officier de Brunswick. Son armée repassa la frontière sans autre attaque que celle de la dysenterie.

De ce fait, la journée n'acquit pas aussitôt cette valeur symbolique que lui conférèrent Goethe et la littérature. Le danger écarté, les combattants se félicitèrent d'y avoir échappé, puis en conçurent un orgueil que partagèrent l'Assemblée et la population. Première victoire de la jeune République, elle ébranla l'optimisme de la réaction et ranima la confiance des patriotes. Pendant quinze heures, une armée dont on se gaussait avait tenu en échec l'armée la mieux entraînée du monde. Des jeunes gens — les deux tiers avaient moins de 25 ans — paysans et tisserands en chômage, qui recevaient le baptême du feu, avaient, comme de vieux briscards, dominé leur peur. Malgré l'importance des effectifs engagés — près de cent mille hommes — ils avaient su rester unis et disciplinés. L'armée du peuple en révolution fournissait donc les preuves de son efficacité; elle en révélait aussi les secrets. Néanmoins, la fougue, le courage, l'abnégation des volontaires s'appuyaient à Valmy sur des structures héritées de l'Ancien Régime. Les cadres comptaient des manœuvriers traditionnels. La solidarité nationale se confondait avec l'esprit de corps. Dans le combat, le citoyen-soldat ne devenait, pour un temps, plus qu'un soldat contraint par l'obéissance aux ordres. Cet impératif ne pouvait s'appliquer à la « démocratie en armes », masse inorganisée et anarchique par essence. On retiendra, avec les autres, cette leçon en l'an II.

L'enthousiasme de la victoire coïncidait avec les premières séances de la Convention. Le soulagement et la détente succédèrent à la terreur. La « légalité » révolutionnaire s'abandonna à la Constitution promise. On fixa dans des camps les volontaires qui continuaient à se réunir; on les pourvut tant bien que mal d'uniformes, d'administration, de drapeau. Ils rentrèrent dans le rang.

2
Le divorce des bourgeoisies

La rivalité Gironde-Montagne, qui accapara la scène politique, continue sous cet aspect à retenir l'attention. Vis-à-vis de personnages et d'attitudes jugés selon des options présentes, on adopte des positions sentimentales qui relèvent des querelles de partis. On est pour ou contre, sans nuances. On loue la générosité des uns que l'on refuse aux autres, catégoriquement et sans preuves. Les polémiques Aulard-Mathiez, qui ne se bornent pas à Danton, ont encouragé ce sectarisme. Derrière les joutes oratoires et les débats passionnés, disparaît par suite le contexte socio-économique qui affecte les masses. La guerre même, présente et pesante, ne sert plus que de toile de fond. Les valeurs réelles sont à ce point diffuses que la période girondine de la Convention reste encore très obscure.

On n'a tenté, à son propos, aucune analyse comparable à celles que suscita le mouvement populaire. Les forces qui agissent sur la bourgeoisie en place revêtent, par comparaison, un caractère improvisé. Il surprend notamment l'étranger auquel le terme de bourgeois est inhabituel. L'historien américain Taylor observe ainsi que la Révolution cesse d'être bourgeoise dans la mesure où l'on assimile le bourgeois au capitaliste, et R. Palmer propose de lui substituer un vocable dont les coordonnées sociales sont plus visibles. Ne saurait-il donc exister, dans un même milieu, des prises de conscience opposées qui s'écartent du mental collectif? Des hommes « de pointe » et le troupeau ?

De multiples biographies nous renseignent sur l'origine, l'éducation, la profession des Conventionnels; néanmoins le déroulement des consultations populaires, plus ou moins perturbées par les événements, n'a jusqu'alors bénéficié d'aucune étude de sociologie électorale. Que sait-on des rapports entre les élus et les assemblées primaires, de leur composition, de la participation des ex-citoyens passifs, de l'abstention d'une tranche de l'électorat et de ses motifs? Le renouvellement, en novembre 1792, des corps administratif et judiciaire pose les mêmes problèmes, et les résultats locaux, vaguement explorés, demeurent très fragmentaires.

Une certitude s'impose toutefois : dans l'épreuve du suffrage universel, les conservateurs sociaux sont gagnants et la politique de la Gironde s'appuie sur ce mouvement majoritaire. Plus prononcé en province, il agit néanmoins dans la capitale. L'option patriotique sur laquelle se sont comptés les électeurs n'exclut pas, dans l'esprit des élus, la liberté d'appliquer aux circonstances des solutions personnelles. Par suite, le divorce s'établit à propos d'épreuves concrètes : le procès du roi, la coalition européenne, la Vendée, la vie chère. Le tempérament des « ambitieuses marionnettes » entre lesquelles on tend à circonscrire la lutte ne saurait expliquer ces passions. L'enjeu dépasse la conquête du pouvoir. Le peuple, qui juge ses représentants selon leurs actes, s'en remet aux plus audacieux. La chute de la Gironde signifie l'effacement temporaire de la bourgeoisie conservatrice et l'avènement d'une « équipe » gouvernementale bénéficiant d'un large soutien populaire.

On jugera donc aux solutions que les uns et les autres proposent, ou qu'ils acceptent, la distance qui les sépare. Non seulement les notables qui soutinrent pendant près d'une année, depuis juin 1792, le pouvoir girondin, se montrèrent incapables de résoudre des problèmes économiques permanents, mais ils laissèrent se détériorer une situation qui n'admettait plus désormais de demi-mesures. En ce sens, l'opposition sociale prépara inconsciemment les voies de la rigueur.

La révolution démocratique proposait au peuple victorieux des solutions d'autorité. Pour désigner des mandataires à son image, le système des élections, fondement du libéralisme politique, se révélait dépassé. L'invasion ennemie et la carence des administrateurs autorisaient des mesures d'exception que le pays eût acceptées, mais les décrets des 11 et 12 août maintinrent des formes anciennes. Le suffrage universel devint, de ce fait, un cadeau symbolique. Point n'était besoin de campagne électorale, l'unanimité des patriotes paraissant acquise. Ils déterminèrent leurs choix en fonction de qualités civiques et d'attitudes politiques qui avaient prévalu dans des circonstances antérieures à l'insurrection. La confusion ainsi répandue desservit les sans-culottes.

Comme il fallait s'y attendre, les modérés reprirent de l'aplomb et, soutenus par Roland, sacrifièrent les revendications égalitaires. Le peuple « souverain », victime de son inexpérience, se livra à ses notables. La Convention ne représenta globalement ni l'esprit du 10 août, ni la volonté populaire, mais la société bourgeoise dans sa diversité. Aussitôt réunie, elle se déchira.

1. La Convention « nationale » et les rivalités politiques

Prise de court, la Législative tenta de compenser les inconvénients d'un électorat élargi par la sélection du scrutin à deux degrés. Désormais le droit de voter appartenait aux Français de plus de vingt et un ans, domiciliés et vivant de leur travail, y compris les domestiques. D'un coup, trois à quatre millions de « passifs » acquéraient une citoyenneté à laquelle ils ne semblaient pas préparés. Combien l'apprécièrent à sa valeur, combien en usèrent? Les plus ardents d'entre eux, partis aux armées, ne pouvaient entraîner la masse. Une proportion infime se rendit à partir du 26 août dans les assemblées primaires, à peine le dixième du corps électoral — 700 000 sur 7 millions — chiffre proche des votants de la monarchie censitaire. Pour la première fois cependant le menu peuple s'y manifesta sans qu'il soit possible d'évaluer sa proportion réelle.

Électeurs et députés.

La « classe des travailleurs » qui prit la parole dans les sections urbaines s'abstint souvent dans les campagnes. L'impression générale qu'on enregistra, et que rapporte Jaurès, fut celle d'une domination bourgeoise. Elle se révéla d'abord dans la désignation des électeurs. Agés de plus de 25 ans, leur nombre dépendait, comme en 1791, de la population du département. En Haute-Marne on en compta 405, et 540 dans la Marne. Selon les chefs-lieux, les assemblées électorales réunirent, après le 2 septembre, de 300 à 600 membres. La nomination des députés appartint donc à une minorité dérisoire, mais décidée à sauver la Révolution et à fonder la République.

Qui la composait? Bourgeoisie des fonctions, professions libérales, propriétaires et fermiers, entrepreneurs s'imposèrent aux artisans et aux paysans intimidés et pressés. Dans l'intérieur, les opérations furent plus lentes; on jaugea les mérites, on pesa critiques et éloges, on exigea la majorité absolue et des scrutins secrets. Parfois les votes se prolongèrent au-delà du 20 septembre. Mais dans le Nord et l'Est, les nouvelles alarmantes, l'afflux des volontaires, la crainte de la famine écourtèrent les élections. Les assemblées se déclarèrent permanentes, puis fondirent pendant les derniers jours. Censure des candidats, vote à haute voix, majorité relative contribuèrent à éloigner nobles, prêtres et riches. On suivit les mots d'ordre diffusés dès le 22 août par les Jacobins. Le patriotisme éprouvé s'assortit du « triple ascendant d'un talent recommandable, d'une âme forte et d'une vie sans reproche ». Peu de sans-culottes s'estimèrent assez instruits pour briguer un mandat, assez compétents pour l'exercer.

Dans la capitale, la situation fut identique. Son assemblée, qui ne dépassa pas 525 votants, siégea au club de la rue Saint-Honoré pour s'entourer d'une plus large audience. Premier élu, Robespierre s'employa à orienter les suffrages qu'on exprima verbalement, sous le contrôle des tribunes. Chabot soutint la candidature de Marat, qui fut adoptée, de même que celle du duc d'Orléans, tandis qu'on élimina Kersaint, les Feuillants, les clients de Brissot, qui triomphèrent en province.

Il était de rigueur de prévoir 1 suppléant pour 3 députés, 8 pour 24 à Paris, presque tous Jacobins. En fin de compte, 1 080 noms sortirent du scrutin dont 780 furent appelés à siéger, nombre que les élections multiples réduisirent à 749. Carra, tant décrié par la Commune, recueillit la majorité dans 7 départements, Condorcet dans 5, Dubois-Crancé et Thomas Paine dans 4, Sieyès et Brissot dans 3. Sur le plan national le corps électoral fit preuve d'une remarquable stabilité et confirma ses précédentes options.

Plus du tiers des Conventionnels, hommes de loi, notaires, avoués, anciens procureurs, remplissaient déjà des fonctions publiques. Beaucoup avaient appartenu à la Constituante et à la Législative. On y rencontrait des nobles, dont Philippe-Égalité[1] et Lepeletier de Saint-Fargeau, une cinquantaine d'ecclésiastiques, dont 17 évêques constitutionnels et 3 pasteurs protestants. Si Saint-Just atteignait à peine 25 ans, la plupart étaient d'âge mûr, chargés de famille et de biens; le doyen, un Auvergnat, Rudel, avait 73 ans. Plusieurs, parmi les bourgeois, étaient riches, tels Cambon et Oudot qui disposaient en 1780 d'une centaine de milliers de livres. Oratoriens et jésuites les avaient initiés à la langue et à la culture latines; ils revivaient sans efforts les jours heureux de la République romaine.

En dépit du suffrage universel, la représentation nationale compta seulement deux ouvriers, le Rémois Armonville et Noël Pointe, armurier stéphanois. La propagande jacobine n'obtint pas les résultats escomptés. Le 5 octobre, 113 élus seulement s'étaient inscrits au club parisien et les Sociétés de province s'inquiétaient. Couthon rappela à l'ordre les « faux frères », insistant sur la nécessité de s'unir. La conquête du pouvoir par des voies légales constituait l'objectif essentiel; elle exigeait l'appui des forces populaires. Les Jacobins n'étaient pas « de doux illuminés » et le jacobinisme un idéal romantique. Déjà les patriotes guignaient les places et ne s'en cachaient pas. Des « gens subtils, très ambitieux », en disposaient. « Ils ne voulaient la République que parce qu'ils avaient le soutien de l'opinion et qu'ils comptaient sur elle pour se perpétuer dans leur influence. » Entre Girondins et Montagnards, l'enjeu ainsi fixé, tout compromis devenait impensable. A droite et à gauche, dans la salle du Manège, ils prirent aussitôt position d'adversaires. Leur combat ne pouvait cesser que par l'élimination totale de l'une des tendances.

Girondins et Montagnards.

Les uns et les autres appartenaient aux mêmes catégories professionnelles, partageaient une semblable éducation, avaient des habitudes de vie et de pensée très proches. Chez ces « frères

1. Louis Philippe Joseph, duc d'Orléans, provoqua lui-même, en 1791, un arrêté de la Commune de Paris qui attribuait à perpétuité le nom d'*Égalité* à sa famille.

ennemis » la probité, le courage, le désintéressement, l'autorité et la persévérance étaient également représentés. Leurs moyens s'accordaient. Le sang ne les effrayait pas s'il était utilement répandu. On voulut à toute force les constituer en partis politiques et leur supposer une discipline de vote, tandis qu'ils se bornèrent à suivre leur conscience. Quelle que soit l'étiquette dont on les affubla, les Conventionnels furent farouchement individualistes. Leurs discordances se manifestèrent dans des attitudes plus que dans des impératifs doctrinaux.

Patriotes, républicains, révolutionnaires, ils ne divergèrent d'opinion que progressivement. Leurs positions réciproques s'étaient d'abord affirmées à propos de la déclaration de guerre. *Le Courrier extraordinaire* du 4 avril 1792 constatait en effet que « M. Robespierre avait quelques ennemis parmi les Jacobins; MM. Isnard, Guadet et Basire semblaient descendre de ce sommet de la Montagne et aller à mi-côte ». Bien qu'ils aient conservé en commun la haine de l'aristocratie et l'amour de la Liberté, des rancunes personnelles contribuèrent à aigrir leurs rapports. Querelles de prestige entre Danton et Roland, rivalités d'influences avec Robespierre furent exploitées par Manon Roland[1], femme intelligente, affirmée et possessive. Elle manœuvra « Barbaroux qu'on crut l'objet de son amour, Buzot qu'elle aimait et Louvet, confident de cette passion ». Chez elle, chez Valazé, fréquenta le clan rolandiste, chez Condorcet les « philosophes » et les libéraux étrangers, autour de Brissot, évoluèrent les correspondants du *Patriote français*.

Toutefois on ne saurait trop insister sur la politique de classe à laquelle leur support électoral entraîna les Girondins. « Observez si ce n'est pas à eux que se rallient les riches... Enfin, ils sont les honnêtes gens, les gens comme il faut de la République; nous sommes les sans-culottes et la canaille. » Robespierre s'identifiait sans effort à ce peuple que Vergniaud considérait comme « une race moutonnière » destinée à être conduite. Avec leurs commettants, ils se divisèrent, après le 10 août, sur le contenu de la démocratie. « Je pense que M. Brissot est républicain, constatait le journaliste et député Robert, mais qu'il n'est pas républicain

1. Marie Jeanne Phlipon qui épousa le ministre Roland de la Platière.

comme les Jacobins. Il y a république et république. » La sienne, par référence à la « libre Amérique » admettait « un roi électif » et « l'aristocratie des propriétés ».

Pour consolider leur influence, les Girondins ne redoutaient pas la monarchie. Ils correspondaient avec les amis de d'Antraigues et invoquaient la Liberté pour mieux dissimuler leurs desseins. Les plans qu'ils élaboraient dans le privé reflétaient leur désir de renforcer l'exécutif. Ils voulaient une République des notables, un gouvernement énergique et le libéralisme économique. Leur notion du crédit et de la fortune publics résidait, comme pour Calonne, dans les apparences. Ils prétendaient maintenir la valeur d'un assignat qui finançait leur guerre ruineuse, tandis que les *Révolutions de Paris* dénonçaient les bénéfices scandaleux des fournisseurs aux armées, protégés par Servan, « véritables vampires qui réduiraient en peu de temps la République française au rachitisme ».

Sans appartenir directement au gros négoce, ils soutenaient ses vues, celles des armateurs, des manufacturiers, des « manieurs d'argent », non par politique car ils n'en avaient pas de cohérente, mais par conservatisme et, peut-être, à cause de certaines affinités avec les physiocrates. Ils considéraient la richesse foncière et le capital commercial comme les seuls facteurs de consolidation sociale, s'accrochant, comme à une bouée, au principe de la propriété, et n'admettant de confiscation que pour celles des ennemis déclarés de la nation, telle que l'absolutisme la pratiquait. Toute restriction autoritaire, même justifiée, même exigée, leur répugnait, car elle pouvait déclencher un engrenage désastreux.

Couthon partagea un moment cette crainte lorsqu'il déplorait la présence à la Convention « de gens à principes exagérés dont les moyens faibles tendaient à l'anarchie ». Chabot estimait à une cinquantaine le nombre de ces « enragés » parmi lesquels il se rangeait, avec Marat. Les Girondins, utilisant la *loi agraire* comme un épouvantail, rallièrent la bourgeoisie possédante et parlèrent en son nom. Les Montagnards, quant à eux, s'identifièrent aux Jacobins et au jacobinisme. Leur clientèle s'étendait aux artisans ruraux et aux petits exploitants. Pour améliorer la condition du pauvre et du consommateur, ils n'hésitaient pas à disputer les droits du producteur et du capitaliste. Capables d'opportunisme et d'audace, réalistes sans témérité, ils ne prêtaient attention qu'aux initiatives compatibles avec l'intérêt national. Ces défenseurs de la cause populaire restaient des bourgeois et se gardaient des extrêmes. S'ils dominaient le club parisien et la Commune, ils ne représentaient pas que la capitale; dans leur majorité c'étaient des provinciaux, comme les Girondins.

On a surestimé l'antagonisme Paris-province qui servit d'instrument de propagande et de combat. Réduire la capitale de la Révolution à son 83e d'influence symbolisa la résistance des départements à la centralisation. Si la Gironde souhaita soustraire la nouvelle Assemblée à une ville dominée par « les agitateurs et les flatteurs du peuple », elle n'encouragea pas, dès cette époque, un fédéralisme agressif qui eût desservi ses ambitions politiques. Plus précisément, la « lutte des partis » présenta un double visage : celui de la haine dans l'assouvissement des vengeances particulières, celui de l'aveuglement dans la défense des intérêts de classe.

Luttes parlementaires et propagande.

Après « trois jours de trêve », la rivalité Gironde-Montagne éclata dans toute sa démesure, à la fois dans l'Assemblée et dans le pays. Le pouvoir constituant offrait d'immenses moyens au parti majoritaire. Mais chaque camp disposait d'un nombre de députés approximativement égal. Il fallait donc convaincre les indécis de la Plaine (ou du Marais), ces centristes de la Convention. Leurs options politiques et sociales les rapprochaient des Girondins et ils votèrent d'abord avec eux, leur assurant la présidence des débats. Le prestige de leurs orateurs, dont Vergniaud, et les succès militaires de Dumouriez les flattaient. Ils consentirent à la liquidation des pouvoirs spéciaux hérités du 10 août. La Commune perdit son Comité de surveillance et les commissaires de l'exécutif furent rappelés. On supprima le tribunal extraordinaire qui avait omis de condamner les défenseurs des Tuileries. Néanmoins l'engagement du centre demeura conditionnel.

Il permit toutefois à la Gironde de s'emparer des Comités de l'Assemblée. Condorcet domina celui de Constitution, et Brissot le Comité diplomatique. Seul le Comité de sûreté générale vint déclarer aux Jacobins, par la voix d'Hérault de Séchelles, « qu'il ne voulait agir qu'avec eux et dans leur sens ». Déjà, il est vrai, les calomnies des Girondins et leurs attaques maladroites indisposaient la Convention et les sans-culottes. Ne réclamèrent-ils pas à Danton, qui ne leur était pas hostile, le compte de ses dépenses secrètes, l'accusant d'avoir profité du vol du Garde-meubles? Louvet déploya de vains efforts pour convaincre Robespierre de projets dictatoriaux « si absurdes que ceux mêmes qui n'y voulaient pas voir clair furent réduits au silence ». A travers la députation parisienne on entendait condamner l'insurrection du 10 août.

Au lieu d'assainir le climat politique, ces premières semaines accentuèrent le désarroi de l'opinion. Grâce à Roland, les journaux girondins disposaient de talents, d'expérience et d'argent. Ils reprenaient les méthodes et les arguments des pamphlétaires royalistes, associaient dans la même dérision « Marat septembriseur » et « Robespierre dictateur ». Manon Roland apportait à cette « formation de l'esprit public » une ardeur passionnée, rédigeant les proclamations de son mari. Leur poison circulait en franchise, pénétrait les Sociétés populaires avec l'appui des fonctionnaires. Pour réagir, la Société-mère manquait de moyens financiers; elle réclama des clubs affiliés une cotisation supplémentaire pour les frais de correspondance et la diffusion des adresses. Afin de « passer la vérité en contrebande », Robespierre lança, au milieu d'octobre, les *Lettres à ses commettans.*

Peu à peu, la Plaine se lassa des grandiloquences et des violences verbales dont elle paraissait complice. Plusieurs de ses membres, non des moindres, Cambon, Carnot, Barère, optèrent pour la Montagne. La garde départementale dont les Girondins voulaient entourer la Convention fut ajournée. Ils devinrent « les intrigants » et « les factieux » de la République. Des ministres se séparèrent de Roland qu'on radia des Jacobins avec Louvet, Lanthenas et Girey-Dupré, rédacteur du *Patriote français.* La mairie parisienne finalement échappa à Petion. Au modéré Chambon, on adjoignit Chaumette et Hébert, le « Père Duchesne ». L'opinion, dans la capitale, avait jugé les Girondins, et les sans-culottes supportaient mal la cherté des denrées. Dans les campagnes, les exploitants aisés s'inquiétaient de leurs reculades et de leurs contradictions.

Toutefois, la guerre sembla leur donner raison et l'évacuation du territoire maintint quelque temps la confiance. Les cortèges d'étrangers qui défilaient à l'Assemblée portaient l'adhésion des peuples sujets. On imaginait une République française entourée de nations sœurs, affranchies par elle et éperdues de reconnaissance. La Savoie accueillit Montesquiou en libérateur le 24 septembre et le 29, Anselme pénétra dans Nice. La Rhénanie s'ouvrit à Custine et les Autrichiens abandonnèrent le siège de Lille. Dumouriez les bouscula le 6 novembre et occupa toute la Belgique. Victoire obtenue par le nombre et les assauts répétés, sans manœuvres savantes, Jemappes apparut à la Convention qui, trois jours plus tard apprit la nouvelle, comme un heureux présage. L'armée de la Révolution tenait les promesses de Valmy.

2. Les épreuves de force

A mesure que la Gironde sentait le pouvoir lui échapper, elle raidit ses attitudes et se rapprocha davantage des puissances d'argent qui considéraient la guerre comme une source de profit. Pour tous les modérés, d'autre part, la situation intérieure et extérieure dépendait du sort qu'on réserverait au roi. Ne risquait-on pas de soulever la France rurale? « L'épargner eût évité bien des malheurs à la République. » Celle-ci pouvait-elle néanmoins se fonder sans que le roi disparût? Pouvait-on, en l'absolvant, condamner le 10 août et renier le jacobinisme? « Louis doit mourir parce qu'il faut que la patrie vive. » L'enjeu dépassait donc de très loin la sauvegarde d'une dynastie et du principe constitutionnel. Il posait aux députés, aux citoyens, à tous les catholiques, un douloureux débat de conscience. L'acharnement, la logique et l'assurance d'une minorité emportèrent la décision.

Ce fut, par suite, dans le processus révolutionnaire, une étape essentielle. L'exécution de Capet engagea la responsabilité de la nation entière, qui se rendit complice de la brutale rupture avec le passé et d'un conflit démesuré avec l'Europe dont elle dut assumer toutes les conséquences.

Le procès du roi et l'exécution « sacrilège ».

Jacobins, patriotes et fédérés étaient persuadés de la culpabilité de Louis XVI. Le peuple trahi demandait justice. A Strasbourg on avait voilé son portrait et le club de Mont-de-Marsan réclamait, dès le 27 août, la punition du « traître couronné, criminel et parjure ». Pour la Commune qui en assumait la garde, c'était l'otage de la nation. L'insurrection avait ouvert son procès; « son jugement, c'est la chute de sa puissance; sa peine, c'est celle qu'exige la liberté du peuple. »

La collusion du roi avec l'étranger et la contre-révolution, dévoilée par les papiers de la Liste civile, la commission des 24 constituée pour examiner les charges, temporisa pendant un long mois. Le rapport de Valazé, présenté le 6 novembre, convainquit les Montagnards et l'opinion que les problèmes juridiques soulevés, ceux de l'inviolabilité royale et de l'incompétence de l'Assemblée, dissimulaient une volonté arrêtée de sauver le roi par tous les moyens. Roland commit l'imprudence de faire ouvrir seul l'armoire de fer des Tuileries [1], et l'occasion fut belle pour prétendre qu'il avait subtilisé des papiers compromettants. Ceux qui restaient suffisaient d'ailleurs à accabler Dumouriez et les chefs girondins. Cette fois, Jacques Roux aux Gravilliers, puis les 48 sections parisiennes, exigèrent que Louis XVI fût jugé par la Convention. Elle s'y résolut le 3 décembre à la suite d'un mémorable discours de Robespierre. Il reflétait les sentiments des sans-culottes qui lui firent un cortège triomphal jusqu'au club de la rue Saint-Honoré où l'accueillit une formidable ovation. Sans désemparer, les débats se poursuivirent jusqu'au 7 janvier, marqués de péripéties multiples. On prévoyait des incidents dont on rendrait les Jacobins responsables.

La procédure devait donc être rapide. « Les peuples ne jugent pas comme les cours judiciaires; ils lancent la foudre; ils ne condamnent pas les rois, ils les replongent dans le néant. » Malgré tout, le procès s'entoura des précautions légales. Le roi comparut; on l'interrogea; on entendit ses défenseurs [2]. Il fallait qu'un tel acte parût, à la face du monde, imposant et solennel; il fallait aussi

1. Dans cette armoire secrète, ménagée dans le mur d'un couloir par le serrurier Gamain et Louis XVI, le roi conservait notamment sa correspondance avec les souverains et ses frères émigrés.

2. Louis XVI avait d'abord choisi Target qui se récusa; puis Tronchet accepta sans enthousiasme et Malesherbes se proposa. On lui adjoignit le comte de Sèze.

qu'on calmât les scrupules de députés qui, contre leur gré, allaient s'ériger en juges.

La Convention ne pouvait aussi demeurer insensible aux pressions qui s'exerçaient sur elle. Une profusion de brochures circulaient qui dépeignaient les malheurs de la famille royale, la grandeur d'âme, la patience et la dignité du roi. Les prêtres, dans l'Est, liaient ouvertement sa cause à celle de la religion. Partout, en province, des mouvements de sympathie poussaient à la clémence. On reprenait l'idée d'une force armée qui protégerait l'Assemblée contre les agitateurs. Au théâtre, à Bordeaux, les spectateurs réclamèrent la grâce de *Monsieur Veto*. A Rouen, place de la Rougemare, le public signa une adresse dans ce sens. Des rassemblements eurent lieu dans l'Ardèche, en Vendée, en Bretagne, dont on exagéra l'importance. Bien qu'elle craignît de s'engager aux côtés des royalistes, une partie de la population s'apitoya sur celui qui représentait encore une certaine notion de la France éternelle.

On a beaucoup insisté sur les tentatives des cours étrangères, dont celles du chargé d'affaires d'Espagne, Ocariz, pour acheter les votes des députés. Le bruit qui en courut alerta l'opinion. Il semble cependant plus assuré que ses millions servirent à préparer un vaste soulèvement dans les campagnes méridionales où la réaction paraissait très puissante. Pitt aurait, d'après les déclarations de Talon sous le Consulat, refusé à Danton l'aide de Londres, où l'on demeurait d'ailleurs persuadé que la condamnation du roi déclencherait la guerre civile.

La contre-offensive jacobine, surtout limitée à la capitale, fut néanmoins payante. Les discours de Robespierre et de Saint-Just, les articles d'Hébert et de Marat, convainquirent les sans-culottes de la nécessité d'un verdict exemplaire. « La clémence est un crime quand elle compromet le salut du peuple. » On menaça de représailles les opposants. Sans aucun doute les intimidations des sectionnaires, comme les manœuvres royalistes, agirent sur le comportement des députés. Le poids de l'opinion parisienne, plus direct et plus sensible, entraîna les hésitants. Michelet insiste sur l'attitude hostile des tribunes à l'Assemblée et la résolution farouche des Jacobins. « Le sang du 10 août se remit à bouillonner. » On sentit proche l'insurrection populaire. Les fédérés, à Paris, se réunirent aux délégués des sections. La Montagne obtint avec elles ce contact décisif que les Girondins n'avaient pas voulu tenter.

Cependant les débats s'éternisaient. On luttait pied à pied. Pourquoi ne pas bannir tous les Bourbons? Convoquerait-on les assemblées primaires? L'appel au peuple et le scrutin secret risquaient de modifier l'issue du procès. Par un vote public et explicite, chaque Conventionnel dut prendre ses responsabilités vis-à-vis du pays et de lui-même. Les tentatives d'obstruction girondines parurent infantiles[1] auprès des engagements qu'ils s'imposaient. Commencés le 15 janvier, les premiers appels nominaux atterrèrent les modérés. Louis, reconnu coupable à la quasi-unanimité se vit refuser, grâce à Barère qui entraîna la Plaine, par 424 voix contre 287, l'appel devant le peuple. Puis chacun se prononça sur la peine, étalant sa gêne et son angoisse, ou affirmant sa conviction, au cours de 24 longues et pénibles heures. 387 députés optèrent pour une mort à laquelle 334 mirent des conditions, dont le sursis. Le 19 janvier, une majorité indiscutable de 70 voix décida de l'exécution immédiate; elle eut lieu le 21.

« Condamner un homme à mort, voilà de tous les sacrifices que j'ai faits à ma patrie le seul qui mérite d'être compté », avoua Roger Ducos, reflétant l'opinion de nombreux collègues. Certains estimèrent que cette inutile cruauté flétrissait la Révolution. Remords, désir de justification *a posteriori*, sentiment d'avoir enfreint la loi divine affectèrent plus ou moins les régicides. Tous se sentirent désormais solidaires. « Celui qui a conduit à l'échafaud le tyran des Français doit avoir pour ennemis tous ceux qui soupirent en secret pour un roi. » Le « meurtre » royal les rapprocha, et Lepeletier de Saint-Fargeau, « victime expiatoire », fut sanctifié par les Jacobins.

Dans le pays profondément secoué, la douleur se dissimula et fit place à la résignation. Des femmes portèrent le deuil en privé, mais on s'afficha en de rares occasions, à Lyon et à Orléans, par exemple. A Paris, des instituteurs proposèrent à leurs élèves des textes édifiants sur la mort du roi. Le calme relatif de la province

1. Dans des *Notes* inédites, Romme raconte que « le côté droit s'arrangea pour occuper sur les bancs le plus grand espace, obligeant les députés de la Montagne à se mouvoir difficilement ».

rassura les notables. Quant aux émigrés, ils se défiaient de Philippe-Égalité qu'ils imaginaient sur les marches du trône; cependant un roi-martyr pouvait les aider. Ils préparèrent sa légende, diffusèrent son testament, apitoyèrent sur son sort les souverains étrangers. Ils tentèrent enfin de dissocier le peuple français et ses mandataires, seuls coupables de « l'assassinat sacrilège ».

Les Montagnards même redoutaient l'avenir. Désormais, sans défaillance, ils devaient aller de l'avant et tout braver pour fonder enfin la République. « Nous voilà lancés, les chemins sont rompus derrière nous », écrivait le Conventionnel Lebas. Bientôt les patriotes refusèrent leur confiance aux « appelants[1] » qui comptaient presque tous les Girondins justement soupçonnés de provoquer l'Europe. C'était la position de Brissot : « Nous ne pouvons être tranquilles que lorsque l'Europe et toute l'Europe sera en feu. » La guerre avec l'Angleterre, prévisible dès novembre pour d'autres motifs que la sauvegarde de la patrie, se transforma en réalité.

La coalition européenne et la « grande levée ».

La conquête de la Belgique se poursuivit en même temps que le procès du roi et l'action populaire, déclenchant le jeu subtil de la diplomatie girondine. Elle dominait le récent Comité de défense générale. Les libérations successives, annoncées à grand fracas, répandaient l'idée que les portes des villes s'ouvraient au nom des Droits de l'Homme. De fait, sur la rive droite du Rhin, on abolit le régime féodal, alors qu'on maintint l'ancien système fiscal. L'évêché de Bâle, devenu République de Rauracie, se plaça sous protection française[2]. Genève révisa sa Constitution. Il ne fut question que d'affranchissement, d'autonomie, d'indépendance, alors que la liberté promise ne pouvait qu'être française, alors que l'occupation armée devait financer la guerre.

La Révolution sembla adopter d'abord les objectifs traditionnels et les vieux rêves de la monarchie, poursuivant sa lutte contre

1. Les députés qui avaient voté l'appel au peuple furent exclus des Jacobins le 1er mars.

2. Ce fut à partir du 23 mars 1793 le département du Mont-Terrible; voir J. Surratteau, *Le département du Mont-Terrible sous le régime du Directoire*, Paris, 1965, in-8°.

l'Autriche et ses guerres coloniales. Elle y ajouta toutefois un objectif nouveau : la conquête des frontières « naturelles ». Custine projetait de reculer jusqu'au Rhin le territoire national et Dumouriez voulait continuer son avance vers le nord. Dès le 26 octobre, il écrivait à Kellermann : « Le Rhin doit être la seule borne de notre campagne depuis Genève jusqu'à la Hollande, et peut-être jusqu'à la mer. » C'était aussi l'idée du ministre Lebrun et de Danton. Politique récente, conçue par les Girondins, les Montagnards ne la répudiaient pas.

Néanmoins, ils entendaient observer les principes de Quatre-vingt-neuf, consulter les populations, proposer au lieu d'imposer. Ils prévoyaient des résistances aux contributions qu'exigeaient la présence des troupes et leur entretien. Prosélytisme et fiscalité ne pouvaient aller de pair. « Les missionnaires armés ne sont aimés de personne. »

On n'ignorait d'ailleurs pas combien s'était refroidi le zèle des peuples conquis, et la Belgique en administrait la preuve. Sa bourgeoisie abandonnait les Sociétés jacobines que Dumouriez avait encouragées. Les habitants hésitaient entre leur désir de liberté et leur crainte de retomber sous le joug autrichien. L'aliénation des biens d'Église, la suppression de la dîme et des droits seigneuriaux ne les contentèrent pas. L'arrivée de nos commissaires les irrita; la réunion des assemblées provinciales se fit sous la protection de nos baïonnettes. Une minorité y participa et demeura isolée.

L'extension du conflit convenait aux Girondins non seulement pour des motifs idéologiques, mais pour occuper la masse des sans-culottes. Ils n'en faisaient pas mystère. Roland aurait déclaré : « Il faut faire marcher les milliers d'hommes que nous avons sous les armes aussi loin que les porteront leurs jambes, ou bien ils viendront nous couper la gorge[1]. » Bien qu'ils soient avisés de l'indigence de notre marine, ils soufflèrent sur le feu; le 1er février, Brissot proposa de rompre avec l'Angleterre et le stathouder de Hollande. La Convention n'y mit aucun obstacle, de même que pour l'Espagne et les États italiens. En mars 1793, la République divisée semblait à la merci d'une coalition quasi générale.

Chaque État avait heureusement ses propres faiblesses; la

1. Cité par A. Sorel (35), III, p. 155 et 279.

Prusse, l'Autriche et la Russie se disputaient la Pologne. Leurs buts n'étaient pas identiques : guerre de classe pour l'aristocratie européenne, reconquête pour les souverains dépossédés, suprématie économique et coloniale pour le cabinet de Londres. Ce fut lui qui organisa à Anvers, en avril, la lutte commune sur terre et sur les océans. Par suite, elle ruina les espoirs du négoce et de l'armement français, privant le pays des apports extérieurs de subsistance. Même la pêche devint hasardeuse. Réduite à ses seules ressources, la France fut contrainte de les réglementer et de centraliser son administration en dépit de l'opposition girondine.

La défense nationale posait à l'armée et au pays les mêmes problèmes qu'en août 1792. L'expérience n'avait pas servi; on souffrait toujours de la dualité du recrutement que l'amalgame, voté le 21 février, ne supprima pas; d'une intendance déficiente et des réticences du haut commandement. Mais l'urgence revenait à l'accroissement des effectifs. Les volontaires de 1791, engagés pour une campagne rentrèrent dans leurs foyers après Jemappes, malgré les efforts de la Convention. Elle décréta, le 24 février, une levée de 300 000 hommes, puis une autre de troupes à cheval le 16 avril, sans en fixer les modalités, faisant confiance aux autorités locales. En pleine crise, les résultats risquaient d'être désastreux. Les représentants envoyés en mission, à raison de deux par département, puis d'autres près des armées, selon une méthode éprouvée, évitèrent le pire. Les Montagnards qu'on choisit s'assurèrent le concours des Sociétés jacobines et des gardes nationaux. Ils parvinrent à limiter les abus du tirage au sort que la plupart des municipalités adoptèrent; ils réduisirent les rassemblements et les longues attentes. Le 6 mai, la Convention accrut leurs pouvoirs.

Des résistances se manifestèrent. Les volontaires furent rares. Néanmoins, le civisme et le chômage permirent, ici et là, de dépasser le contingent. Dans les Landes, « les citoyennes électrisèrent leurs maris ». A Ruffec, on proposa 96 requis au lieu de 32, à Bouchemaine, près d'Angers, 18 au lieu de 4. Les paysans ardennais partirent parfois sans ensemencer leurs terres. On préleva sur les riches le montant des primes et de l'étape [1] qui procura « beau-

1. Droit accordé aux recrues et aux soldats de s'approvisionner dans les dépôts militaires situés sur leur passage moyennant une somme faible et égale pour tous.

coup de soldats ». Fin juin 1793, on pouvait, comme prévu, compter plus de 500 000 hommes sous les armes.

Si des troubles éclatèrent dans les régions de Clermont-Ferrand, de Montauban, en Côte-d'Or, dans l'Yonne et la Saône-et-Loire, ils présentèrent un caractère spontané et cessèrent avec l'arrestation de quelques meneurs. Préventivement on emprisonna les suspects. Par contre on ne leur accorda pas, dans l'Ouest, une suffisante attention; les mouvements, prémédités et organisés, se transformèrent en guerre civile.

La Vendée.

La rébellion vendéenne couvait depuis longtemps. Mais les tribunaux criminels firent preuve d'une extrême indulgence et les préparatifs continuèrent, aidés par les prêtres. La religion, la fidélité au roi solidarisèrent des rancunes paysannes contre les citadins qui avaient acquis « leurs » biens nationaux, et composaient les autorités issues de la Révolution qui se révélaient impuissantes à procurer aux chômeurs du textile les moyens de subsister. La Vendée, que l'esprit de clocher, les anciennes coutumes, les croyances vivaces, rendaient imperméable au jacobinisme, « était mûre pour l'agitation ». Le recrutement lui servit de prétexte d'autant qu'il rappelait le tirage de la milice.

Dans les premiers jours de mars 1793, le tocsin sonna à la fois au clocher de 7 à 800 paroisses. Selon Choudieu, les nobles surprirent la confiance des métayers dont la condition était misérable. Bonchamp, d'Elbée, Lescure, Charette, La Rochejaquelein, puis Cathelineau « aussi pieux que borné », commandèrent cette « armée catholique et royale » qui ne fut jamais permanente. En Bretagne et en Poitou les représentants parvinrent à maintenir l'ordre, tandis que les paysans vendéens s'enrôlèrent par communes entières suivis de leurs femmes qui les encourageaient et les empêchaient de fuir. Des gardes-chasses, des braconniers les encadraient. On accueillit des déserteurs étrangers auxquels la Convention avait maladroitement accordé une pension. Leurs armes improvisées se complétèrent bientôt des dépouilles républicaines. Le 12 mars, ils occupaient les Mauges, le Bocage, le Marais jusqu'à Clisson, et l'île de Noirmoutier où l'Angleterre pouvait les joindre, mais la coalition ne répondit pas à leurs appels, laissant échapper une de ses chances majeures.

Les rebelles n'utilisèrent pas, dès l'abord, les avantages tactiques offerts par le pays. Par dizaines de milliers ils se ruèrent sur les villes. Ce mouvement de masse surprit les garnisons par sa soudaineté et son ampleur. Après Cholet, il atteignit la vallée du Thouet à Parthenay, puis celle de la Loire à Saumur, le 9 juin. Les patriotes, qualifiés de « patauds » et fort malmenés, se résignèrent en apparence. Seule une minorité collabora ouvertement. D'ailleurs, dans ces zones marginales, nombre de familles étaient divisées à tel point que leurs membres combattaient les uns contre les autres. Des égarés, des indécis pouvaient encore basculer dans le camp des patriotes, du moins le croyait-on.

La Convention, qui le souhaitait, hésita. Tallien dénonça le soulèvement et l'inertie des ministres le 24 mars aux Jacobins qui exigèrent d'être mieux renseignés. Les deux armées : celles de Canclaux et de Biron, qu'on y envoya, ne s'organisèrent qu'en mai. L'annonce de leur arrivée obligea les Vendéens à abandonner Chemillé, Noirmoutier, puis Saumur. Ils échouèrent devant Nantes, le 29 juin, mais leurs forces n'étaient pas entamées. Contre eux la République engagea une lutte épuisante.

En même temps, aux frontières, la coalition enregistra ses premiers succès. Cobourg s'empara d'Aix-la-Chapelle le 2 mars, puis de Liège. Dumouriez, vaincu à Neerwinden, abandonna la Belgique et passa à l'ennemi le 5 avril, provoquant un sursaut patriotique comparable à celui qui suivit la trahison de Lafayette. Les Girondins, compromis avec lui, se discréditèrent un peu plus. L'opinion les condamna, non pour avoir provoqué la guerre, « mais pour n'avoir pas su la faire ».

La vie chère.

Tandis que Custine reculait sur le Rhin, et que l'ennemi, au nord et à l'est, envahissait le territoire national, la situation économique, préoccupante depuis septembre, se dégrada davantage, ajoutant au désarroi des esprits. A la fin de l'hiver les grains cessèrent totalement de circuler et les prix varièrent du simple au double d'une région à l'autre. Malgré les conseils prodigués par Saint-Just, on continua à émettre massivement des assignats qui tombèrent, en février 1793, à 50 % de leur valeur nominale, lorsqu'ils n'étaient pas refusés. La dépréciation du signe provoquait la hausse des prix, et une conduite spéculative des producteurs qui créaient « une disette factice ». La rareté des denrées affectait inégalement le riche et le pauvre qui, ne pouvant acquérir son nécessaire, se voyait acculé à descendre dans la rue. Par contre, les possesseurs de biens de consommation accroissaient leurs profits. La survie de la Révolution dépendait donc de l'arrêt de l'inflation. « Les mêmes moyens qui tendent à la famine, tendront à la corruption du droit public. »

Les sans-culottes rendaient également responsables de la cherté les fournisseurs aux armées qui pratiquaient des achats concurrentiels. Les besoins n'avaient pas crû notablement, mais les concentrations d'hommes obligeaient à concentrer les produits, à traiter d'importants marchés, à effectuer des transports volumineux. Dans la France rurale l'usage voulait que l'on fît cuire chez soi le pain de la famille avec son propre blé. Paysans et soldats étaient privilégiés par rapport aux citadins que le gouvernement continuait à abandonner aux initiatives locales. Au Havre, le manque de travail s'ajoutait à l'afflux des étrangers et à la crainte d'un débarquement anglais. Jamais le pain n'avait atteint un tel prix : près de 5 sous par livre de bis et de 10 pour celle de blanc. Il était à 8 sous à Clermont-Ferrand où les employés du district ne gagnaient que 25 l. par mois. A Grenoble, où l'on se montrait comme sous l'Ancien Régime friand de gruau et de « grèche », sorte de brioche, la nouvelle municipalité adopta « un plan de bienfaisance » financé par les riches. Ailleurs on tergiversa, parant au plus pressé avec des moyens réduits. Au lieu de se calmer, l'agitation se propagea dans les campagnes.

En Beauce, fin 1792, des bandes d'ouvriers et de bûcherons, parties de la forêt de Vibraye, s'étaient répandues vers Chartres, Châteaudun, la Ferté-Bernard, puis vers la Loire, jusqu'à Beaugency, proclamant sur leur passage la taxe du blé. Petits bourgeois et artisans les soutinrent et la garde nationale parfois les protégea. Ce vaste mouvement qui répondait à une revendication essentielle des salariés : le droit à la vie par le travail, ne distinguait pas entre

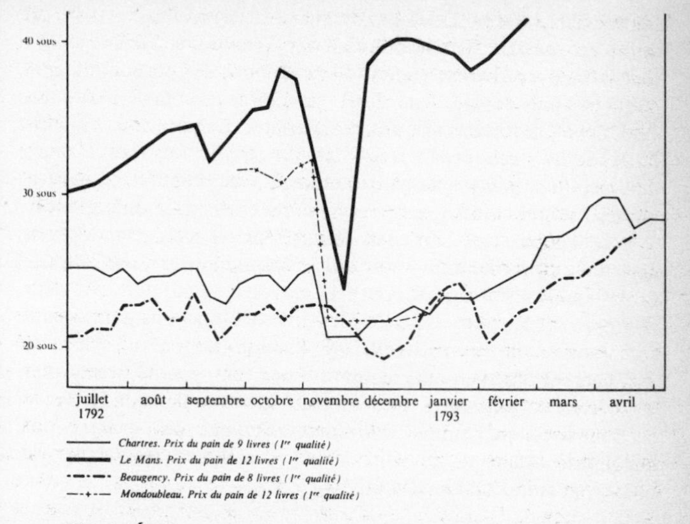

Fig. 2. *Évolution du prix du pain en Beauce et sur ses confins.*

les catégories de producteurs. Le petit exploitant ne fut pas plus épargné que le gros. Dans ces régions céréalières, traditionnellement pourvues, l'ouvrier de la petite industrie locale, notamment de la verrerie, et l'artisan de village non possédant prirent conscience que leur sort se séparait de celui du paysan.

A Paris, la Commune maintint le pain à 3 sous la livre malgré d'énormes sacrifices que la Convention hésita à partager. On procéda de même à Rouen et à Bordeaux. Puis les denrées coloniales disparurent des épiceries et Pitt fit arraisonner les cargaisons de grains. Les réquisitions de bois pour la marine portèrent à Brest, en un mois, le prix de la corde[1] pour le chauffage domestique, de 22 à 36 livres. On dévasta les forêts, on pilla les boutiques. Le 24 février, des blanchisseuses parisiennes dénoncèrent à l'Assemblée le prix exorbitant du savon, puis, le lendemain, des groupes d'hommes et de femmes se portèrent des quartiers du centre vers

1. Mesure ancienne qui équivaut généralement à quatre stères.

la périphérie. On taxa très bas, le sucre, la chandelle, le savon, ou l'on s'en empara. Ces désordres reparus le 26 aux Halles, et vite réprimés, témoignèrent encore de la volonté des consommateurs d'établir, par autorité, un juste prix. On rencontra parmi les émeutiers à la fois des salariés, des artisans, des gens aisés ou leurs domestiques, des provocateurs et des profiteurs. Les femmes qualifièrent la police et la garde nationale « de canailles, de muscadins, de coquins d'accapareurs » et crièrent « A bas la baïonnette ».

Les Jacobins, embarrassés, accusèrent la contre-révolution, insistant sur l'abstention « des braves sans-culottes », des « honorables indigents » du faubourg Saint-Antoine et marquant leur désapprobation pour les débordements féminins. Ils paraissaient sous-estimer la portée réelle de l'action populaire, mais ne manquèrent pas d'en tenir compte. Les Montagnards firent voter le 11 avril le cours forcé de l'assignat, et le 4 mai, selon les vœux sectionnaires, la fixation d'un prix maximal des grains dans chaque département. Les Girondins y demeurant opposés, la vie chère, par suite, hâta leur chute.

3. L'été tragique

Huit longs mois s'étaient épuisés en débats « scandaleux » qui discréditaient la représentation nationale. La France attendait sa Constitution; elle récolta la guerre civile, l'invasion et une crise si profonde qu'elle ébranlait ses structures. « Partout l'on est fatigué de la Révolution, les riches la détestent, les pauvres manquent de pain et on leur persuade que c'est à nous qu'ils doivent s'en prendre. » Était-ce donc cela la République? L'opinion était de plus en plus nerveuse et les affrontements devenaient plus redoutables. Petion appelait à l'aide les bourgeois nantis : « Vos propriétés sont menacées et vous fermez les yeux sur ce danger... Vous voyez tous les hommes riches et paisibles quitter Paris... Parisiens, sortez enfin de votre léthargie et faites rentrer ces insectes vénéneux [les anarchistes] dans leurs repaires. » A l'inverse, Robespierre déplorait que le peuple « n'ait pas encore recueilli le fruit de ses travaux. Il est encore persécuté par les riches, et les riches sont encore ce qu'ils furent toujours, c'est-à-dire durs et impitoyables ». Dans les Sociétés populaires on assistait à des séances confuses, perturbées par des motions contradictoires, des querelles mesquines, des démissions. Comme pendant l'été de Quatre-vingt-neuf, la peur sociale attisait les haines; la méfiance devenait générale.

Les Jacobins proposaient deux attitudes, le sacrifice ou la lutte à outrance. « Nous saurons mourir, nous mourrons tous », prêchait Robespierre tandis que Marat rédigeait ce fulgurant appel : « Amis, nous sommes trahis. Aux armes! Aux armes!... Aux armes, Républicains! Volez à Paris, c'est là le rendez-vous de la France. » Le « délire patriotique » n'était plus de mise. Il fallait vaincre et, pour ce faire, ne plus lésiner sur les moyens. Tandis que la Gironde lâchait pied, les Montagnards, plus réalistes, acceptèrent de « se compromettre » avec les sans-culottes. « Il faut que le peuple sauve la Convention, et la Convention sauvera le peuple à son tour. »

La chute de la Gironde.

Ses positions demeuraient solides dans les administrations et en province. A cause d'elle l'Assemblée tempéra la rigueur de mesures que les autorités locales feignirent d'ignorer. A nul autre moment, si ce n'est dans l'automne de 1792, le gouvernement fut moins écouté et plus mal obéi. Les ministres, à peine renouvelés, s'entouraient d'intrigants. Les Comités tergiversaient. Avec Beurnonville, les bureaux de la guerre s'endormaient. « Nous voyons, remarquaient les Jacobins, que plus nous avançons et moins on s'occupe à mettre les individus à leur véritable place. » Ils proposèrent des décrets que la Convention adopta plusieurs mois après.

Toutefois l'autorité passa insensiblement entre les mains des cent quinze Montagnards délégués près des départements et des armées. La Gironde qui, par ce biais, avait cru se débarrasser d'eux, perdit de l'influence dans l'intérieur, et le nombre des adresses antibrissotines s'accrut dès la fin de mars. Leurs initiatives furent généralement heureuses et leur efficacité reconnue. Où ils passèrent, les comités de surveillance, créés le 21 mars, se peuplèrent de sans-culottes. Les rebelles pris les armes à la main, condamnés par la loi du 19 mars, furent exécutés et leurs biens saisis, comme ceux des émigrés, frappés le 28 de « mort civile ». On tira de leur torpeur les tribunaux criminels qu'on doubla de Commissions extraordinaires. On « révolutionna les esprits ».

La chasse aux suspects, nobles, prêtres et accapareurs, reprit quelque peu. Le Tribunal révolutionnaire, institué le 10 mars, prononça sans appel sur les crimes politiques. Le choix de ses cinq juges et de ses douze jurés appartenait à la Convention comme celui des neuf membres du premier Comité de salut public qui, à partir du 6 avril, coordonna l'action gouvernementale et diffusa les mots d'ordre jacobins. Malgré les difficultés rencontrées au niveau de l'exécution, malgré une tâche mal définie, le Comité obtint une information directe, habitua chacun à ses responsabilités, distingua les hommes de caractère. La souveraineté nationale se trouva ainsi sauvegardée par les délégations de pouvoirs qui préparaient l'an II et « le despotisme de la liberté ».

La Plaine s'était peu à peu convaincue de cette nécessité. Cependant elle rêvait encore, avec Danton, de rapprocher les extrêmes afin d'éviter un éclatement prévisible de l'Assemblée. Les Girondins s'acharnèrent contre Marat qui fut acquitté le 24 avril, tandis que la Montagne adopta les vœux des sans-culottes. Sur le plan parlementaire s'engagea le dernier acte. Il avait débuté le 3 avril par une attaque contre Brissot, complice de Dumouriez. Robespierre, qui soutint l'accusation jusqu'au dénouement, exhorta en même temps la Convention à s'occuper « sans relâche des moyens... de soulager la misère du peuple ». Les délégations des clubs et des sections parisiennes rappelaient sans cesse la portée sociale du conflit. Il joua cette carte en proposant une Déclaration des Droits très démocratique et des restrictions à la propriété que le *Patriote français* tourna en dérision, qualifiant l'impôt progressif « d'absurde et de ruineux pour l'industrie ».

Dans les cités du négoce, à Bordeaux, à Marseille et à Lyon, les Girondins lièrent leur cause à celle de la contre-révolution, emprisonnèrent les Jacobins et s'emparèrent des autorités. Mais à Paris, les volontaires levés pour combattre la Vendée exigèrent l'élimination de tout le côté droit de l'Assemblée. « Si la Convention ne marche pas, nous ferons marcher la Convention. » Les Cordeliers et les Femmes révolutionnaires, avec Claire Lacombe, renchérirent le 19 mai. La capitale ne pouvait abandonner sa

Commune mise en cause par Guadet, ni Hébert qu'on arrêta le 24 avec d'autres militants populaires. On pouvait, comme au 10 août, redouter un coup d'État de droite. Dès lors, le Comité de l'Évêché, où se réunissaient les délégués des sections, prépara l'insurrection.

Le 26, Robespierre y convia tous les patriotes, puis proposa à l'Assemblée le décret d'accusation contre les chefs girondins nommément désignés. « S'il n'est pas rendu, nous le rendrons nous-mêmes », avait menacé Marat. Une première manifestation, le 31, manqua de conviction. On décida le lendemain de cerner les Tuileries [1] et, le dimanche 2 juin, les sections obtinrent satisfaction. Sans effusion de sang, 29 députés et 2 ministres Clavière et Lebrun — Roland ayant démissionné dès le 22 janvier — furent décrétés d'arrestation; mais on se borna à les consigner chez eux et plusieurs s'enfuirent.

Ainsi la Montagne appliquait au régime représentatif le scrutin épuratoire. Elle s'assurait la majorité à la Convention, mais devait compter avec le mouvement fédéraliste et contraindre les timorés « à s'élever au niveau des circonstances critiques ». L'un de ces « gens de bien », Jean d'Yzez, député des Basses-Pyrénées, constatait en juin : « Je connais les reproches sans nombre que l'on fait aux patriotes excessifs, mais je crois que le modérantisme nous fait infiniment plus de mal. On ne réfléchit pas assez qu'il faut extirper les habitudes d'un grand nombre de siècles et qu'on ne peut aller trop avant pour atteindre l'extrémité de ces vieilles rancunes qui s'étendent jusqu'aux enfers. » Seule désormais, elle allait porter devant le pays et devant l'Europe, les responsabilités de sa victoire.

La Constitution de l'an I, ou de 1793.

Dans la conjoncture présente, le vote de la Constitution représentait à la fois une obligation et un danger. Les lenteurs de l'Assemblée s'interprétaient comme une faute et un aveu d'impuissance. Fallait-il donc tant de palabres pour établir le régime républicain? On alla jusqu'à le supposer impraticable. En fait, deux conceptions s'affrontaient, et deux modes de gouvernement

1. Depuis le 10 mai, la Convention avait transporté ses séances dans la salle des Machines où elle demeura jusqu'à la fin de la session.

radicalement opposés. Les formes juridiques masquaient, là encore, des préoccupations sociales contradictoires. L'interminable projet, que Condorcet présenta le 15 février, n'instituait pas seulement une « royauté de ministres, » il dressait l'un contre l'autre exécutif et législatif, tous deux issus du suffrage universel. Démocratique en apparence, il s'agrémentait d'un découpage subtil des circonscriptions qui neutralisait les sans-culottes des villes, et maintenait aux départements des pouvoirs fondamentaux. D'autre part, les Girondins souhaitaient aboutir vite pour provoquer des élections qui les eussent renforcés.

A l'inverse, les Jacobins multipliaient leurs appels à la prudence. Ils estimaient qu'un tel acte, exigeant la sanction populaire, devait attendre la fin de la guerre et le retour des recrues. Eux-mêmes formèrent un Comité qui examina des projets, accueillit des suggestions. Ils s'accordaient sur un point que Saint-Just formula le 24 avril. « Une Constitution faible en ce moment peut entraîner de grands malheurs et de nouvelles révolutions funestes à la liberté. Il faut un ouvrage durable. » Condamnant l'importance accordée à la « puissance exécutrice », il lui substitua un Conseil souverain dont les ministres ne seraient que des commis. Le cumul des pouvoirs lui paraissait inévitable, mais il convenait de l'attribuer au peuple. Peut-être estimait-il déjà que la République n'assurerait le bonheur commun qu'en se confondant avec une société politiquement constituée en parti unique.

Les articles de la Déclaration des Droits, qu'on discutait depuis le 15 avril, opposèrent âprement les défenseurs des droits individuels à ceux de la société. Elle réaffirma solennellement l'indivisibilité de la nation et les grands principes : liberté de la presse, égalité, résistance à l'oppression. Elle dépassa très nettement les termes de Quatre-vingt-neuf, y adjoignant le droit à l'assistance, au travail, à l'instruction et à l'insurrection. Aucun homme ne pouvait contraindre d'autres individus. Toute tyrannie politique ou sociale se trouvait abolie. « Il ne peut exister qu'un engagement de soins et de reconnaissance entre l'homme qui travaille et celui qui l'emploie » (art. 18). Bien qu'on n'ait pas suivi Robespierre dans les limites sociales qu'il proposait à la propriété, ce texte fut considéré comme la charte du jacobinisme; bien que les Montagnards aient refusé de se laisser entraîner plus avant dans la voie de la démocratie, il devint le bréviaire de tous les démocrates.

La Gironde éliminée, la Convention parut soudain pressée de faire adopter l'acte constitutionnel. Préparé notamment par Saint-Just et Couthon, présenté par Hérault de Séchelles, il fut examiné à partir du 6 juin et voté le 24 dans son intégralité. Hostile au libéralisme et au régime parlementaire, il conférait tous les pouvoirs à une assemblée unique, émanation du peuple qui exerçait aussi son contrôle législatif par voie de *référendum* et jugerait, à l'expiration de leur mandat, la conduite de ses mandataires. Un compromis s'établissait entre la tendance populaire à la démocratie directe et la conception bourgeoise du régime représentatif. En fait, les assemblées primaires n'étaient appelées à se prononcer que sur certaines lois et, en premier lieu, sur la Constitution même.

Elle recueillit en province et aux armées une adhésion quasi générale. Les résultats, proclamés le 10 août 1793, n'indiquèrent qu'une infime proportion de « non » : 17 000, moins du centième des voix exprimées. La population française s'engageait ainsi vis-à-vis de la République jacobine, une et indivisible. Néanmoins, on ne songea pas un instant à instituer le gouvernement qu'elle préconisait. Les circonstances s'y opposaient et, conservé dans une arche en bois de cèdre, l'acte constitutionnel, ajourné jusqu'à la paix, inspira symboliquement les décisions de l'Assemblée qui se pérennisa et cautionna la politique montagnarde.

Fédéralisme et contre-révolution.

Une tâche immense l'attendait. Frappée par la ponction brutale qu'elle avait subie, la Convention parut d'abord désorientée. 76 députés protestèrent courageusement contre le 31 mai[1]. D'autres, comme Grégoire, manifestèrent leur désapprobation. Les Jacobins « divaguèrent d'objets en objets » sans arrêter leur attention sur les grands problèmes, puis se ressaisirent. Robespierre se plaignit de sa fatigue et envisagea de démissionner. On n'écartait pas l'éventualité d'une contre-offensive des Girondins.

1. Dès le 6 juin on en compta 52, puis 19 le 19 juin, et 5 autres. On les appelle improprement « les 73 ».

Leur chute, connue entre le 5 et le 15 juin en province, fit sursauter les administrations départementales. Le Jura réclama la réunion à Bourges des députés suppléants, et Montpellier la convocation des assemblées primaires. Par leur correspondance s'accrédita l'idée d'une opposition massive, alors que les administrés ne furent que partiellement concernés. La bourgeoisie modérée se rallia à un fédéralisme politique pour sauvegarder ses avantages sociaux. Là où les représentants en mission furent bien entourés, là où les armées veillaient, quelques destitutions enrayèrent ses entreprises. Toutes méritent d'être remplacées, constatait Dartigoeyte dans le Sud-Ouest. « Il ne faut pas que les ennemis de l'Égalité continuent à accaparer les places. » Les villes du Gers, où « la basoche et les clercs de procureurs » regrettaient la Gironde, firent silence sur le civisme des campagnes.

L'opposition au gouvernement fut donc entretenue par ses propres fonctionnaires. On exagéra chaque acte isolé : ici un cri hostile et là un geste inconsidéré. La Convention et les Jacobins enregistrèrent ces alarmes. Les sans-culottes conclurent à un vaste complot contre la République. Même dans la trentaine de départements fidèles à la Convention, des Sociétés populaires s'étaient laissé circonvenir par leurs bureaux. Celle de Rouen, par exemple, rompit avec Paris. Auch, Agen, Pau et Tarbes s'unirent pour défendre la « légalité ». Mais elles se ravisèrent vite et l'on estima, fin juin, à huit cents celles qui avaient « adhéré au 31 mai ». Leur nombre s'accrut dans la suite. Elles exercèrent une action décisive dans la lutte contre la réaction provinciale.

Le fédéralisme se distinguait des rébellions fomentées et encadrées par la contre-révolution, mais tous deux attaquaient dans le dos une France débordée sur ses frontières. Ils trahissaient la nation et la République. Le premier, issu des mouvements sectionnaires suscités fin mai dans les grandes villes, fut redoutable en Normandie et dans le Sud-Est. Pour reconquérir le pouvoir il usa des méthodes jacobines, l'épuration des autorités, l'arrestation des patriotes et leur jugement par des tribunaux « populaires », les levées d'hommes et les taxes révolutionnaires. Au nom du droit de résister à l'oppression parisienne, il refusa d'obéir aux décrets et chassa ou emprisonna les délégués de la Convention, mais en aucun cas ce ne fut une manifestation spontanée des

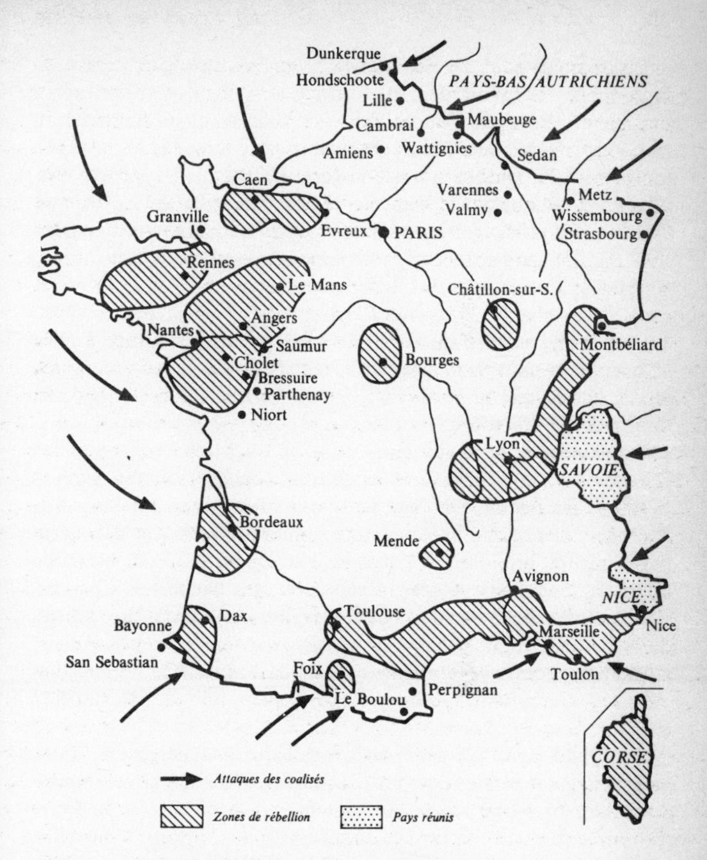

Fig. 3. *La République assiégée (juillet-août 1793).*

masses. De plus, son recrutement disparate le rendit vulnérable. Des partisans de l'Ancien Régime et du clergé réfractaire côtoyaient les antijacobins. Contre Paris on rassembla des troupes, et l'on fit appel à l'étranger, sauf à Caen où s'étaient réfugiés Buzot, Petion et Barbaroux.

L'assemblée centrale des six départements normands s'assura le concours de Wimpffen, un instant jacobin, qui commandait l'armée des Côtes de Cherbourg. Mais les campagnes ne suivirent pas; l'Orne et la Seine-Inférieure refusèrent leur aide et les insurgés furent pris de panique près de la forêt de Bizy, à l'approche des bataillons républicains. Dans la région marseillaise, les fédéralistes avaient saisi l'autorité dans les villes qui servirent d'épicentres, mais les paysans ne s'y joignirent pas également [1], et l'intervention de Carteaux en fut facilitée; il s'empara d'Aix le 21 août, et de Marseille le 25, avant l'arrivée des Anglais, puis investit Toulon que l'escadre de l'amiral Hood protégeait. Grâce à elle, le port, non sans mal, parvint à tenir jusqu'à la mi-décembre, tandis que Lyon, où le royaliste Précy réclama l'aide des Sardes, tomba dès le 8 octobre.

On demeurait persuadé que l'invasion du Midi serait générale. L'ennemi n'avait épargné ni les fausses nouvelles, ni son argent. Il fallut, de Bayonne à Nice, disperser des forces. Le long des Pyrénées les Espagnols comptaient nombre d'amis. On découvrit des conspirations dans l'Ariège, à Perpignan, à Cette, et Paoli ouvrit la Corse aux Anglais. En Lozère, les bandes de Charrier s'emparèrent de Mende et de Marvejols, abattirent les arbres de la Liberté, firent chanter la messe, exécutèrent les prisonniers au nom du comte de Provence, régent de France. De « nouvelles Vendées » naquirent, tandis que la première, loin de disparaître, résistait victorieusement.

Confondu avec les complots royalistes, le fédéralisme, antinational et antipatriotique, fut considéré comme un crime impardonnable. Si Robespierre et Saint-Just protégèrent les députés protestataires, une répression impitoyable ensanglanta Marseille « Ville-sans-nom », et Toulon « Port-de-la-Montagne ». Après la prise de Lyon, on fusilla, dans la plaine des Brotteaux, près de 2 000 rebelles. Un nombre identique fut, il est vrai, épargné, et Robert Lindet, en Normandie, montra de l'humanité. D'une manière générale, la Convention voulut frapper les chefs et l'opinion; elle ne put éviter les excès locaux « qui éloignèrent de leurs

1. Voir M. Vovelle, dans *Atlas historique de Provence*, cartes p. 70-71 et p. 155-157.

foyers... des gens dont les talents pouvaient concourir au salut de la chose publique ». Sous ce chef d'accusation, on atteignit des riches et des innocents, néanmoins on brisa les cadres girondins. Dans la mesure du possible on y plaça des Jacobins. Par suite le fédéralisme renforça en province leur domination. La petite bourgeoisie de l'atelier et de la boutique s'empara des administrations et des comités de surveillance.

L'opinion demeurait cependant passive dans sa majorité. En Tarentaise on constatait que « l'esprit public restait au plus haut degré de glace ». Les auberges fermées, l'armée vivait sur ses seules rations. Dans le Bas-Rhin, « un tiers à peine des habitants était pour la Révolution ». Pris entre deux feux, l'avance ennemie les effrayait comme son recul; les patriotes s'enfuyaient à son approche; les « collaborateurs » gagnaient l'étranger si la République était victorieuse. En Anjou, la population penchait naturellement pour la Vendée. D'où qu'elle vînt, la correspondance des représentants confirmait cette indifférence coupable. Il importait « d'éclairer le peuple sur ses véritables intérêts ». Ce fut le rôle des Sociétés populaires épurées ou nouvellement constituées. Le 22 août, le club parisien réclama la mort pour quiconque parlerait de les supprimer. Les sans-culottes, traumatisés par l'assassinat de Marat, second « martyr de la Liberté », l'invasion et la disette, exigèrent un engagement inconditionnel de la population. Quiconque ne se déclarait pas pour la République était contre elle.

Les périls extrêmes qui risquaient de l'anéantir justifiaient cette intransigeance. La Convention paraissait dépassée. Danton négociait. Au lieu de combattre, les généraux se querellaient; la confiance abandonnait l'armée. A la fin de juillet, les Prussiens s'emparaient de Mayence et les Autrichiens assiégeaient Maubeuge. La Savoie envahie, les Sardes menaçaient Nice; les Espagnols, Bayonne et le Roussillon. La carence du pouvoir était manifeste; on renouvela le Comité de salut public. La crise des subsistances, qui se prolongeait, le décida à accéder aux vœux des sans-culottes. L'avant-garde populaire força la main aux Montagnards et, de ce fait, les contraignit à rompre définitivement avec la bourgeoisie libérale.

4. Le mouvement populaire et les Enragés

Le mouvement populaire, antérieur à 1789, obéit à sa propre gravitation. Le 10 août, puis le 2 juin lui confirmèrent que, pour vaincre, il suffisait d'oser : sa force résidait dans le nombre et l'unité d'action. Les dangers de la patrie le relancèrent et il se rallia au jacobinisme, mais demeura sur ses gardes et reprit l'initiative dès que s'aggravèrent les conditions d'existence des travailleurs. L'insatisfaction des besoins élémentaires, la misère et l'injustice le mobilisèrent plus efficacement que les querelles de partis. Les mécontents de tous bords tentèrent vainement de l'exploiter; ils n'aboutirent, entre juin et septembre, qu'à créer la confusion.

Force anonyme et latente, elle ne sourd pas seulement du bas de l'échelle sociale comme ceux qu'elle effrayait voulurent le faire croire; elle n'est ni ignorante, ni stupide. La mentalité collective résulte de la concertation de ceux qui réfléchissent, et d'une lente imprégnation. Mentalité précapitaliste elle s'affirme selon le degré d'aisance ou de pauvreté. « C'est à Paris surtout que le pauvre est trop pauvre[1]. » C'est un phénomène urbain, qui s'exprime rarement en termes de classe, tant ses composantes sont hétérogènes. Les jeunes y prennent une part importante et lui communiquent leur ardeur passionnée. Confrontées à des difficultés quotidiennes, les femmes se répandent en propos acerbes dans les files d'attente, puis au foyer, secouent la lassitude des hommes. Directement ou indirectement elles participent aux pulsions sociales.

On a réduit les rapports entre le mouvement populaire et son avant-garde, à ceux de l'instinct et de la connaissance. En vérité la revendication était fondée avant que les militants n'en prissent livraison. Ils ne la révèlent pas, mais l'utilisent et la propulsent. Leur contact avec les masses reste fragile; un rien suffit à le rompre. Ils servent d'intermédiaires entre elles et le pouvoir politique.

1. Chaumette, au nom de la Commune, à la Convention, 27 février 1793.

L'avant-garde. Militants et militantes.

On accorde aux Enragés une attention particulière. Leur enthousiasme, ou leur ambition, les mirent en vedette. Ils se firent entendre aux Jacobins et aux Cordeliers avant le 10 août, puis à la Commune et à la Convention, où leurs sections les déléguèrent. C'est à ce niveau, baignés dans le peuple, qu'il convient d'apprécier leur action. Auprès de ceux que l'on connaît il en est beaucoup d'autres, inconnus, qui partagèrent leurs sentiments et répandirent leur influence. « Une micro-élite, à l'échelle du quartier » les épaule dans l'ombre. Isolés de la population souffrante des cités et de ses problèmes, Jacques Roux, Varlet et Leclerc à Paris, Chalier à Lyon, Taboureau à Orléans, perdent leur consistance. Ils n'existent que grâce à cet environnement. Le « génie créateur » appartient à la mentalité collective; il leur a suffi de la comprendre et de l'exploiter.

Portant la parole, ils le firent selon leur caractère qui était emporté, selon leur esprit généreux, mais conservèrent de leurs origines bourgeoises et de leur instruction soignée des formes de pensée traditionnelles. Doués de bon sens, de sens social et de talent, ils manquèrent néanmoins d'envergure et se bornèrent pour le présent à des solutions de circonstance. On ne saurait, à leur propos, parler de parti, de programme ou de système. Cependant tous, à un moment donné, surent adopter des attitudes communes et, de ce fait, servirent courageusement la démocratie sectionnaire, s'identifiant à elle. Prêtre de l'Angoumois, Jacques Roux découvrit Paris à la quarantaine. Aigri et déçu, il s'installa dans la section des Gravilliers comme dans « une place forte » et consacra au mouvement populaire sa violence et son imagination. « Mon sang est vif » avouait-il. Dépassant Marat, son héros, il réclamait des otages, des chaînes, des têtes, des échafauds. Le terme d' « enragé » lui convenait, comme ceux d'exagéré, d'extrémiste ou d'anarchiste qu'on applique à ses amis.

Il savait cependant user de persuasion. Confesseur des pauvres, il atteignait les maris en endoctrinant les femmes. Mineures légales, privées des droits civiques, rejetées de la souveraineté nationale, celles-ci eurent, malgré tout, leurs militantes qui se réunirent en Sociétés patriotiques. Déjà le 17 août 1792, les Fédérés avaient proposé leur intégration dans le corps électoral devant les Jacobins qui ne donnèrent pas suite. Les « Républicaines révolutionnaires » siégèrent près d'eux, dans la bibliothèque, sous la présidence de Claire Lacombe, jeune et belle actrice, douée d'un réel talent oratoire. D'autres clubs féminins se formèrent en province, à Porrentruy par exemple, qui ne se bornèrent pas à faire de la charpie. Pauline Léon épousa Leclerc et elles suivirent les Enragés, stigmatisant l'aristocratie mercantile, surveillant les marchés, s'épurant elles-mêmes, et donnant le fouet à Théroigne de Méricourt, cette aventurière. Les hommes considérèrent leur activité brouillonne avec quelque dédain, mais les redoutèrent.

Cette contagion de la violence se manifesta surtout après l'exécution du roi. Jacques Roux, qui l'avait accompagné sur l'échafaud, s'en glorifiait et comparait les crimes de Capet à ceux des accapareurs. « Il y a de la lâcheté à tolérer ceux qui s'approprient les produits de la terre et de l'industrie... qui soumettent à des calculs usuraires les larmes et l'appauvrissement du pauvre. » Les Girondins rejetant la réglementation, les Enragés se déchaînèrent contre eux et mêlèrent à la lutte politique le problème crucial des subsistances, puis ils employèrent la même méthode contre les Montagnards, jugés trop timorés. Le 25 juin, au nom des Cordeliers, Jacques Roux les apostropha avec véhémence : « Non, non, vous ne laisserez pas votre ouvrage imparfait... Vous ne terminerez pas enfin votre carrière dans l'ignominie. »

Qu'était-ce donc que la Constitution? « Rien qu'une jolie femme, mais borgne » si elle ne frappait de mort les affameurs du peuple. De ce réflexe traditionnel des ventres creux, Jacques Roux fit sa marotte : « Actuellement il a toujours ce mot à la bouche. » On le rendit donc responsable des pillages de savon du port Saint-Nicolas et de la désunion des patriotes. Les Cordeliers le chassèrent avec Leclerc à la fin de juin; la Commune les désavoua; on les traita de factieux; ils attentaient à la dignité de la représentation nationale!

Cependant en six mois les Enragés avaient, dans la capitale, conquis les sympathies de la rue. La section de l'Observatoire décida, entre autres, d'entendre deux fois par semaine un des discours de Jacques Roux. On s'arracha leurs journaux et leurs brochures. Le *Père Duchesne*, leur « écho sonore », accrut son tirage. Pour les Jacobins ils risquaient de devenir des rivaux dans l'opinion; ils constituaient pour les Montagnards une menace permanente.

La démocratie sans-culotte.

Les militants sectionnaires n'adoptaient pas leurs excès sans réticences. Hébert même conseillait la prudence. « Ne cueillez pas le fruit avant qu'il soit mûr. » Marat assassiné, Jacques Roux, son *Ombre*, montra plus de réserve, tandis que Leclerc, « véritable » *Ami du Peuple*, poussait toujours à l'insurrection. Le mouvement taxateur, unanime quant au principe, se séparait sur les moyens et leurs répercussions. Un des nombreux mérites de la thèse d'A. Soboul consiste à suivre, depuis le 2 juin, la progression du pouvoir sans-culotte. Il n'assura pas d'un coup sa domination sur la capitale et pendant deux mois les modérés la lui disputèrent.

Dans les assemblées générales qui réunissaient moins du dixième des ayants droit, dans les comités civils et révolutionnaires, la proportion des salariés ne dépassait pas le quart du personnel qui, dans sa grande majorité, appartenait à l'artisanat, au bureau, à la boutique. Beaucoup pensaient jacobin et suivaient les séances du club. Le problème des salaires dérivait de la cherté, le droit de propriété se fondait sur le travail, et ses limites sur la nécessité. Le jacobinisme, dans ses options sociales, reflétait très largement les attitudes populaires. Toutefois il servait le gouvernement représentatif et hésitait à condamner le capital commercial auquel les sections marquaient leur hostilité. Elles applaudissaient volontiers Jacques Roux lorsqu'il s'élevait contre « le despotisme sénatorial, aussi terrible que le sceptre des rois, puisqu'il tend à enchaîner le peuple sans qu'il s'en doute[1] ». Tout naturellement, elles tendaient à la démocratie directe qui supposait la censure et la révocabilité de leurs mandataires. La Convention disposait provisoirement d'une autorité qui appartenait au peuple. Leclerc l'exhortait, le 21 août 1793, à reprendre sa place : « Préposés du souverain, descendez des gradins, ils appartiennent au peuple; occupez la

1. Discours sur le jugement de Louis le dernier... (*B. N.*, Lb^{40} 2 014).

plaine de l'amphithéâtre. » Tendance anarchique, qui contrariait les efforts de consolidation gouvernementale.

Peu à peu aussi s'accrédita l'idée que les moyens de production et les produits appartenaient à la République. Le possesseur n'était que dépositaire et le cultivateur ne pouvait librement disposer que d'un surplus; pour l'essentiel il devait rendre compte. Le profit était réduit, le surprofit éliminé. Convenait-il cependant de s'aliéner les boutiquiers, les entrepreneurs et surtout les petits paysans sans avoir satisfait leurs justes espérances : la suppression totale des droits féodaux et l'interdiction du cumul des fermes? Convenait-il de borner la revendication sociale à de « chétives marchandises » et aux citadins?

Clubs parisiens et Sociétés populaires confirment dans leurs débats un vif désir de maintenir l'unité et de s'assurer la plus vaste audience. Très tôt souvent ils soutiennent des motions lancées par les militants sectionnaires et les développent, qu'il s'agisse de l'arrestation des suspects, des lenteurs de la justice, du procès des Girondins, de Custine et de la reine, de l'armée révolutionnaire et de la levée en masse. La province devance parfois la capitale et marque des points. L'esprit de la Révolution se nourrit d'audace et d'obstination. La propagande terroriste, qu'on ne peut dissocier du péril extérieur, commença dès juillet alors que les fédérés des départements affluaient dans Paris pour commémorer le 10 août. Ils se joignirent aux Jacobins que la violence gagna. On y proposa d'armer de faux les citoyens, d'épurer tous les commis des ministères, de placer devant les troupes au combat une ligne de suspects enchaînés... Le mouvement gagna une ampleur nationale avant d'atteindre la Convention et de passer dans la loi. Une fois de plus le problème des subsistances renforça cette résolution et contraignit la bourgeoisie montagnarde à dominer ses craintes avant qu'il ne soit trop tard.

La bataille du pain.

« Il faut que le peuple ait du pain, car où il n'y a pas de pain, il n'y a plus de lois, plus de liberté, plus de République. » Engagée dans une guerre totale, la Révolution utilisa l'assignat pour financer les dépenses. L'inflation devint galopante. Malgré son cours forcé puis la fermeture de la Bourse, on négociait le louis à cent livres papier, qui tombaient dans l'Est et la Savoie au quart du nominal, très au-dessous du cours officiel établi en août à 39 %. Par contre coup les prix des étoffes et de la viande doublèrent presque en trois mois, tandis que les salaires demeuraient stables. L'inquiétude du pain devint le drame journalier des populations citadines, à cause de sa rareté autant que de son prix. Il atteignait 12 sous la livre dans la Nièvre, 16 à Clermont, 18 à Limoges et Guéret, 20 dans les Pyrénées-Orientales.

Le premier « maximum » sur lequel on comptait, loin d'éclaircir l'horizon, provoquait, entre les communes et les districts, de véritables petites guerres économiques. D'abord les aires d'approvisionnement des marchés ne coïncidaient pas avec les divisions administratives, et surtout les prix, fixés par département, comportaient des différences inacceptables, plus fortes d'ailleurs sur les qualités inférieures que le peuple consommait. On conçoit aisément que les grains aient déserté les lieux qui offraient un moindre prix. Des régions en furent privées tandis que d'autres étaient pourvues au-delà de leur suffisance, et se préservaient jalousement. Les représentants en mission s'accordaient plus encore qu'au printemps sur le caractère factice de la disette dont seules souffraient les villes et les zones frontières. « Le pauvre n'a pas de pain et les grains ne manquent pas, mais ils sont resserrés. » Ainsi se justifiait l'acharnement des Enragés contre les accapareurs que le décret du 26 juillet menaça de mort.

Il parut bientôt aussi inopérant que la taxation. Ces mesures provoquaient une multitude de réclamations à la fois des propriétaires, des administrateurs et de la population. Pour nourrir l'armée et les citadins, on traitait de gré à gré au-dessus du maximum, mais la crainte gagnait les vendeurs. Ne valait-il pas mieux payer le pain cher que d'en être privé? La capitale qui avait épuisé ses réserves ressemblait à une ville assiégée. Plusieurs boulangers fermèrent boutique. On plaça des sentinelles pour surveiller des distributions que la soudure, la sécheresse et la rébellion normande rendaient aléatoires. On en rendit responsable Garin, chef de l'administration parisienne des subsistances. La section du Gros-Caillou confectionna des cartes de rationnement adaptées à une répartition des consommateurs par boulangerie, système qui existait déjà dans plusieurs villes de province. Néanmoins il fallait attendre la nouvelle récolte pour recourir aux réquisitions qui s'imposaient.

Des troubles éclatèrent de nouveau à Montargis, dans le district de Gonesse, à Jagny, dans l'Oise et la Somme où le prolétariat agricole était nombreux. A Nesle, dans la région de Péronne, on proposa, au début de septembre, de lever des légions d'ouvriers organisées en compagnies « pour assurer le ravitaillement en grains », et l'emploi d'hommes, femmes et enfants salariés à un taux raisonnable pour accélérer les battages. L'immense majorité des fédérés réclama la suppression du « maximum », tandis que s'imposait son extension à toutes les denrées de première nécessité. « Il faut taxer tout si vous voulez que le laboureur puisse vivre et, bien mieux, il faut prohiber le numéraire. » La Société populaire de Saint-Florentin fit chorus le 13 août, demandant aussi la péréquation des salaires.

La Convention hésitait entre deux moyens : maximer le pain à trois sous la livre dans toute la République et combler la différence avec le prix d'achat des grains par un impôt sur les riches, ou créer des greniers d'abondance, analogues aux magasins militaires, qu'on remplirait par des réquisitions et des contributions en nature. Le Lyonnais Lange avait imaginé cette dernière solution sous une autorité populaire et nationale. Barère fit adopter, le 9 août, la création d'un grenier par district et de fours publics. Un arrêté de la Commune, du 15 août, fixa, dans les zones d'approvisionnement traditionnelles, les fournitures de grains pour Paris à quatre quintaux par charrue et y dépêcha des commissaires. Les résultats tardèrent et le Comité de salut public consentit des avances de fonds. Au début de septembre, dans les villes, la disette devint quasi générale.

La bourrasque de septembre.

Depuis la fin d'août, les « mouches » de la police parisienne rapportaient des bruits alarmants. Il fallait parfois sept heures d'attente avant de se procurer du pain. On risquait au premier samedi de septembre, le 4, de n'en plus trouver. Hébert aiguisait sa plume contre les marchands. « Les mangeurs de chair humaine ont armé leurs valets et leurs courtauds de boutique contre la sans-culotterie... ils ouvrent en ce moment les ports de Toulon et de Brest aux Anglais. » La nouvelle, fausse pour Brest, fut connue des Jacobins en même temps que les premiers troubles qui semblèrent partir des ateliers d'armes et gagnèrent la place de Grève. Derrière les ouvriers, conduits par de jeunes militants, comme le typo Tiger, on sentait les récriminations des femmes.

« Ce ne sont pas des promesses qu'il nous faut; c'est du pain et tout de suite », réclama la foule qui envahit la salle où délibérait la Commune. Rendez-vous fut pris pour le lendemain à la Convention. Au mouvement prolétaire des sections, Chaumette et Hébert apportèrent leur soutien. Les Jacobins le cautionnèrent sans publicité et parvinrent, avec Robespierre, à le faire dévier. Les sectionnaires s'en prirent aux suspects. « Les ennemis du peuple provoquent depuis longtemps sa vengeance. Le peuple est debout, ses ennemis périront... » Un peu rassurée, la Convention accueillit, le 6, les pétitionnaires. « Guerre aux tyrans », « Guerre aux aristocrates », « Guerre aux accapareurs », slogans jacobins, ralliaient une fois de plus les sans-culottes autour de l'Assemblée. L'unité si nécessaire était préservée.

Mais on put craindre un instant que les militants, débordés par leurs troupes, ne fussent entraînés irrésistiblement dans une insurrection politique à laquelle ils ne s'étaient pas préparés. Ils s'avisèrent que le pouvoir exigeait des hommes rompus aux habitudes parlementaires et qu'après tout la Montagne était un moindre mal, à la condition toutefois qu'elle devînt « un volcan dont les laves brûlantes détruisent à jamais l'espoir du méchant et calcinent les cœurs ». Que la Convention s'identifie avec le peuple et seconde ses efforts; qu'elle « change de tactique! ». « Agissez et ne parlez plus », dira de même Royer aux Jacobins. « Il faut mettre la Terreur à l'ordre du jour. »

Convenait-il toutefois de souscrire aux violences des Enragés? Dès le 5 août, Robespierre avait dénoncé « ces hommes nouveaux, patriotes d'un jour qui veulent perdre dans le peuple ses plus anciens amis ». Même aux Gravilliers, l'action de Jacques Roux rencontrait des opposants. Hébert l'avait dénoncé aux Jacobins. On l'arrêta et ses papiers démontrèrent qu'il comptait sur les femmes et la levée en masse pour étendre l'insurrection en province. Son journal, et celui de Leclerc, qui conservaient leur audience, réclamaient la Constitution. Les « Républicaines révolutionnaires » fulminaient contre les filles publiques et les femmes d'émigrés. Avec les sections, elles insistaient pour que le port de la cocarde tricolore devînt obligatoire[1]. Avec les Cordeliers, elles harcelaient la Convention sous les plus divers prétextes. Varlet réclamait contre le décret du 9 août qui supprimait la permanence des assemblées sectionnaires et l'indemnité de 40 sous accordée à leurs membres comme une aumône. On l'emprisonna aussi, puis Claire Lacombe.

Les grandes mesures.

Imposée par la guerre et les sections parisiennes, une législation « révolutionnaire » se constitua sur les bases d'un nouveau contrat social. Les modérés de la Plaine et la province consentirent progressivement à se plier « à la force des choses ». L'opinion générale accepta les raisons jacobines.

Septembre, qui pouvait tourner à son désavantage, consolida la majorité montagnarde. Le 6, elle décida de recruter parmi les sans-culottes une armée révolutionnaire de 6 000 hommes et 1 200 canonniers qui veilleraient au ravitaillement. L'idée cheminait depuis l'hiver; on la formula aux Jacobins le 18 mars, et Robespierre s'en fit l'écho. On l'exprima presque en même temps à Lyon, à Montpellier, puis à Châteauroux et à Bellac. En fait, les enrôlements commencèrent à Paris au début de juin, lorsque s'organisèrent les fédéralistes. Nombre de Sociétés populaires conçurent des projets régionaux. Dans le Midi ou au Havre, on s'efforça de les réaliser dès cette époque. R. Cobb dénombre plus de cinquante détachements levés ici et là, de façon anarchique. L'armée parisienne, formée le 9 septembre selon le plan de Carnot, rendit l'initiative à la Convention. Le maintien de l'unité de la République interdisait les improvisations.

La levée en masse, « réquisition permanente de tous les Français de 18 à 60 ans » ne constituait pas davantage une revendication

1. La Commune le décida le 20 septembre, puis, le lendemain, la Convention décréta des sanctions contre les femmes qui s'y refuseraient.

nouvelle. S'engager dans cette voie et envoyer aux frontières, ainsi qu'Hébert l'imaginait, des légions de sans-culottes mal encadrés, mal armés, mal vêtus, eût été une folie contre laquelle s'éleva Robespierre le 29 mars. « On vous a proposé de sortir tous ensemble. Mais notre armée est plus nombreuse qu'il ne faut... Repoussez toute idée d'éloigner de cette cité et vos armes et vos citoyens ... » Pendant plusieurs mois, il n'en démordit pas, bien que la mobilisation générale des patriotes s'inscrivît dans la mentalité collective. Juillet la relança irrésistiblement. Les Jacobins, la Commune, les Fédérés convainquirent, le 16, la Convention, et le Comité de salut public fixa le 23, dans des termes inoubliables, les modalités d'une application progressive, les jeunes jusqu'à 25 ans partant les premiers.

Cet engagement d'un peuple entier impliquait la nationalisation de l'économie. Le *maximum* général des prix et des salaires, adopté dans son principe le 4 septembre, provoqua bien des discussions et des mesures partielles qui s'échelonnèrent du 11 au 29 septembre. A celui des grains, on ajouta celui des combustibles. Pour vaincre les résistances des producteurs et des commerçants, la réaction punitive s'étendit sur eux comme sur quiconque oserait entraver désormais la marche de la Révolution. Il fallait, dans l'esprit des masses, intensifier les moyens répressifs pour anéantir les forces d'opposition, non seulement sur le plan politique mais dans tous les domaines. Leclerc, qui se faisait leur interprète, apostrophait ainsi la Commune : « Pourquoi mettez-vous tant de lenteur à vous défaire de vos ennemis? Pourquoi craignez-vous de répandre quelques gouttes de sang? »

Le 5 septembre, la Convention reconnut la nécessité de la Terreur, se réservant de l'organiser. Ce fut l'objet de la loi du 17 contre les suspects dont elle confia le soin aux comités de surveillance. Désormais l'indulgence n'était plus de saison; hésiter signifiait reculer. « C'est la faiblesse pour les traîtres qui nous perd. »

Toutefois le gouvernement montagnard employa un mois entier et de subtiles manœuvres pour s'imposer aux sans-culottes et à l'Assemblée. On contestait au Comité de salut public sa prééminence et des pouvoirs renforcés. On tenta même, le 25, d'y introduire des éléments douteux, dont Briez, et d'effrayer la province en brandissant, comme à l'automne de 1792 et au printemps de 1793, la menace du raz de marée populaire.

Il était réel et si fort que la bourgeoisie révolutionnaire, redoutant un point de non-retour, rassembla ses contingents jacobins. Elle les invita à liquider les séquelles girondines et fédéralistes, à éliminer les modérés des administrations, à constituer les nouveaux cadres de l'État. Représentants et Sociétés populaires dressèrent des listes de candidats patriotes dans lesquelles on choisit les agents d'exécution. Le club parisien développa sa propagande et sa correspondance; à partir du 8 septembre, le *Moniteur universel* lui ouvrit ses colonnes. L'unité d'opinion, moteur de l'action gouvernementale, dépendait de sa force de persuasion. On proposa même de massacrer tous les citoyens qui n'adhéreraient pas au jacobinisme. « Je pense, écrivit Dubouchet, que nous n'aurons la paix et l'harmonie dans l'intérieur, que lorsque nous aurons mis à l'ombre tous les honnêtes gens. »

Ainsi, avec mépris, qualifiait-on les « bourgeois », responsables des dangers intérieurs. N'avaient-ils pas « tout disposé pour mettre le peuple sous leur joug et faire périr les défenseurs de la République sur l'échafaud »? En s'isolant du peuple, ils abandonnaient le parti de la Révolution. En revanche, Montagnards et Jacobins, qui lui demeuraient fidèles, se défendaient d'être des leurs. Ils se réclamaient de la grande famille des malheureux. Robespierre s'honorait de lui appartenir.

« Pour vaincre le bourgeois, il faut rallier le peuple. » En suivant cette voie, la République jacobine prenait un risque grave. Son peuple, socialement divisé, ne pouvait durablement associer ses destins. Une dictature temporaire l'y contraignit au nom des périls communs. La France se transforma en une gigantesque entreprise nationale.

3
Le gouvernement révolutionnaire

Son histoire coïncide avec celle de l'an II et du pays en guerre. Par suite, le déroulement événementiel, l'évolution des institutions dissimulent souvent, dans les manuels, les aspects économiques et sociaux. Ils ne furent pas délaissés. Toutefois, lorsqu'on y porta attention, on adopta sur la dictature, la lutte des classes, le dirigisme ou la répression terroriste, des positions doctrinales qui sclérosèrent le débat. D'autre part, on s'attarda sur des *Mémoires* où les rescapés de la Terreur avaient exhalé leurs rancunes et que les descendants exploitèrent, accréditant des légendes tenaces.

Il convient de dépolitiser ces problèmes et de lever l'hypothèque passionnelle qui les affecte. Pour une durée si brève, aucune période ne dispose d'une telle bibliographie et d'une documentation aussi abondante. Les dossiers administratifs, tardivement ouverts, révèlent peu à peu leurs richesses. Témoignages directs des contemporains, c'est à eux qu'on se réfère désormais. Par le biais du mouvement populaire on a pu cerner les réalités parisiennes, par celui des armées révolutionnaires apparut la diversité provinciale. Le bilan de la République cessa d'être résolument négatif. Face au compte des vies gâchées ou sacrifiées on dresse celui des individus qui parvinrent à mieux vivre.

Gouvernants et artisans de l'an II avaient en effet promis le bonheur social; ils s'y employèrent en utilisant les cadres, les moyens, les idées du temps. Souvent ils anticipèrent, souvent le poids des résistances ralentit leur action, toujours ils s'acharnèrent. L'impression générale qu'ils nous ont communiquée oblige à constater que les impératifs économiques dominent dans leur esprit toute la lutte révolutionnaire. Le salut public, objectif du gouvernement, exige que le peuple levé pour sa défense soit nourri et armé.

Nous considérons, comme eux, que leur devoir primordial consista dans l'organisation et la sauvegarde d'une entreprise dont les dimensions n'avaient encore jamais été atteintes. L'État, gestionnaire de la société France, dut mobiliser l'intégralité des ressources nationales en hommes et en produits. Avant la lettre, il créa une concentration économique à la fois verticale et horizontale, s'efforçant de régler les moindres détails de l'exécution. Il puisa dans les cadres jacobins ses techniciens, ses contrôleurs, ses agents à tous les niveaux, les soumettant à une stricte observance des ordres. Il se fit commanditaire, fournisseur et client.

L'État patron distribua salaires, primes, secours, pensions à une masse énorme qu'il convient d'apprécier globalement, puis d'analyser. Peut-être un million de civils, un et demi de militaires ou para-militaires vécurent grâce à lui, associant leur intérêt au patriotisme et au civisme. Ce fut la véritable clientèle de la République jacobine et une autre de ses contradictions. Les rapports entre l'État et les particuliers se transformèrent en rapports patron-salariés. Au nom du peuple, le gouvernement révolutionnaire devint son oppresseur, le patriote asservit le patriote au nom d'un intérêt général qu'il ne comprenait pas toujours.

Le gouvernement de la France, provisoire depuis le 10 août, devait, après le vote de la Constitution et sa ratification populaire, prendre un cours normal. Il fut cependant, le 10 octobre 1793, déclaré « révolutionnaire jusqu'à la paix » et dura, en droit sinon en fait, autant que la Convention, jusqu'en brumaire an IV. C'est une œuvre de démocrates sincères, épris de liberté, de justice et d'ordre. Ils lui assignèrent une double mission qu'ils croyaient brève : l'élimination des ennemis de l'intérieur et la conduite de la guerre extérieure jusqu'à la victoire totale.

Rien ne limita son autorité. Au pouvoir constituant qui englobe tous les pouvoirs, le gouvernement révolutionnaire associa le dynamisme de la Révolution qui leur conféra l'efficacité. Il les détenait du peuple qu'il représentait. En son nom, il légiféra et exécuta; avec un esprit nouveau et des moyens exceptionnels, il administra le pays. Contre le gré de ses auteurs qu'outrageait le seul rappel de la « magistrature romaine », ce fut un régime dictatorial. Il s'appuya « sur la plus sainte des lois, le salut public; le plus irréfragable de tous les titres, la nécessité ». Une minorité résolue, montagnarde et sans-culotte, l'imposa à la masse réticente aussi longtemps que l'état d'urgence demeura en vigueur dans la République aux abois. Elle adopta les idéaux jacobins, magnifia l'élan patriotique, réfléchit dans le mental collectif ses enthousiasmes et ses appréhensions; elle accepta et répandit les contraintes économiques en utilisant la Terreur. Puis ses militants, devenus fonctionnaires, furent tentés d'excéder leurs pouvoirs. Devant les résistances, la dictature se radicalisa.

« Plus la tempête est forte, plus la main qui tient le gouvernail doit être vigoureuse et soutenue. » Elle s'appesantit sur les individus en voulant trop régenter les choses. Force au service de la Révolution, dirigée contre les adversaires de la République, elle frappa aussi, sur sa droite et sa gauche, les patriotes qui contestaient ses exigences. Les purges de ventôse et de germinal qui assurèrent l'emprise jacobine devinrent, par contrecoup, funestes à la Révolution; le reflux commença.

1. Le « centre de l'impulsion »

« Un mouvement conduit par les masses, qui les portait spontanément à la démocratie directe, et un gouvernement fort s'appuyant sur la petite bourgeoisie », paraissaient incompatibles. Les improvisations de 1793 — celles de septembre surtout — restaient inopérantes tant qu'une volonté unique ne parvenait à les coordonner. « L'unité est notre maxime fondamentale; l'unité est notre défense antifédéraliste; l'unité est notre salut. » Billaud-Varenne, Saint-Just et Robespierre fournirent à la dictature révolutionnaire ses fondements théoriques.

Leur conception reposait sur la suprématie de la Convention dont il fallait à tout prix préserver l'existence et assurer la pérennité. Avec l'aide des sans-culottes, la Montagne avait assuré sa majorité parlementaire et ses positions politiques. Le décret du 14 frimaire an II (4 décembre 1793) compléta et codifia les institutions existantes. La centralisation, opérée autour de l'Assemblée, se répercuta, depuis Paris, à travers le pays et ses armées, grâce aux représentants en mission.

Le gouvernement d'assemblée.

« La Convention gouverne seule et doit seule gouverner. » Elle symbolisait la continuité révolutionnaire et l'unité nationale. Souveraine, elle l'était en corps et dans chacune de ses sections. Tous ses membres étaient solidaires et leur responsabilité collective. Vis-à-vis de leurs commettants, ils demeuraient assujettis et encouraient leur censure. « Un peuple digne de sa liberté n'idolâtre point ses représentants; il les surveille et respecte en eux sa propre dignité. » Robespierre partageait cette conviction avec la majorité de ses collègues.

L'Assemblée conservait-elle en l'an II sa représentativité? Du début de 1793 au début de 1794, elle enregistra trente-cinq démissions et une centaine de décès. Ne voulant recourir aux élections partielles, elle se compléta à l'aide des suppléants dont le civisme fut soigneusement examiné. Ils ne modifièrent ni sa composition sociale, ni ses tendances politiques. Effacés souvent, ils ne furent pas moins pénétrés de leur rôle exceptionnel et ne s'y dérobèrent pas. Collot-d'Herbois jugeait ainsi les députés : « Ils ne se ressemblent pas exactement; la nature ne jette pas deux hommes dans le même moule, mais tous ceux qui siègent veulent et espèrent le bien. »

Pendant l'hiver de 1793, les débats parlementaires, qui se déroulaient chaque jour de 10 à 16 heures, réunirent pour les renouvellements bi-hebdomadaires du bureau un maximum de 250 votants, moins du tiers de l'effectif. On en déduisit qu'ils manquèrent d'animation et que la Convention se borna à enregistrer les décrets. C'est méconnaître la nature du travail législatif et la multiplicité des affaires. A la cadence journalière de plusieurs centaines, pétitions et adresses, extravagantes dans leur diversité, lui parvenaient directement, car on s'adressait « au bon Dieu plutôt qu'à ses saints ». Une division des tâches s'imposait. D'une part, la décision qui lui appartenait ne cessa d'engendrer des discussions révélées par les journalistes; de l'autre, la réflexion fut l'apanage de spécialistes répartis dans les Comités.

On en comptait dix-neuf. Ils préparèrent projets et rapports, les élaborèrent parfois en commun, se résignant à les modifier ou les abandonnant. Les détails d'administration et la paperasse les débordèrent. Dans une large mesure, ils se substituèrent aux ministres. On a dit que les députés de la Plaine s'y réfugièrent, s'appliquant dans les textes à modérer l'élan révolutionnaire, alors que seule la routine des bureaux mérita ce reproche. La conscience avec laquelle ils poursuivirent une tâche obscure et mal connue doit, par contre, leur valoir notre hommage. Camille Desmoulins constata en frimaire : « Tous ont été si occupés et emportés par le tourbillon des affaires... que le temps leur a manqué pour lire, je dirais presque pour méditer. » Le rôle éminent des deux Comités « de gouvernement » contribue d'ailleurs à les faire oublier.

Le « grand » Comité de salut public.

L'équipe qui assuma, pendant l'an II, la conduite de la Révolution se constitua entre le 10 juillet et le 20 septembre. Elle comprit onze membres, après l'élimination du bel Hérault de Séchelles [1], et occupa la scène pendant dix mois. Robespierre lui apporta son expérience et son sens politique; Barère, sa plume alerte; Jeanbon Saint-André, Carnot, Lindet, les deux Prieur, leurs connaissances spéciales et leur méthode; Couthon, Saint-Just, Collot-d'Herbois, Billaud-Varenne, leur fougue et leur audace. Tous appartenaient à la petite bourgeoisie d'Ancien Régime, travailleuse et économe. Le doyen n'atteignait pas 48 ans et le benjamin en avait 26. Leur personnalité accusée, leurs tempéraments, le surmenage engendrèrent des heurts. Leurs divergences d'opinion furent réelles. Lindet, Carnot, conservateurs sociaux, refusèrent de s'inscrire aux Jacobins, tandis que Billaud et Collot inclinaient vers la sans-culotterie. Mais ils reléguèrent au second plan leurs préoccupations sentimentales, familiales ou professionnelles, pour consacrer tous leurs instants au service de la patrie.

1. Ancien avocat général au Parlement de Paris, apparenté aux Polignac et aux Contades, protégé de la reine, il fut arrêté le 18 mars 1794 (27 ventôse) et exécuté le 5 avril avec les Dantonistes (ci-après, p. 131).

On demeure confondu par leur puissance de travail et leur extraordinaire activité. Le matin, dès sept heures, ils lisaient les premières dépêches, traitaient en particulier des détails de tous ordres. L'après-midi, plusieurs se rendaient à la Convention, puis le soir, aux Jacobins. Vers huit heures, ils se réunissaient et leurs discussions se prolongeaient très avant dans la nuit. Gagnés par le sommeil, ils prenaient parfois un repos furtif sur des lits de camp dressés dans la salle même. Entre eux aucune intimité réelle. Aucun loisir, aucune détente. Ils répugnaient « aux brillants accessoires » qui accompagnent ordinairement la puissance et se contentaient de leurs appointements de députés, dix-huit livres assignats par jour. S'ils dînaient au restaurant voisin, c'était à huit sols [1].

La multiplicité des affaires, plus de cinq cents par jour, leur interdisait de les examiner toutes en commun. Enregistrées, elles étaient réparties entre les services dont le nombre des employés passa, dans les trois mois d'hiver, de 67 à 252. Ceux qui les dirigeaient, « les gens d'examen », Carnot à la Guerre, Prieur (de la Côte-d'Or) aux Armes et Poudres, Lindet aux Approvisionnements, portaient, pour les dispositions particulières, une responsabilité plus grande, mais, par essence, le pouvoir de décision fut collégial et les arrêtés exigèrent au moins trois signatures. Les « gens de la haute main » — Robespierre, Saint-Just et Couthon — auxquels incombaient les grandes affaires, ne se distinguaient pas des « révolutionnaires » Billaud et Collot, chargés de la correspondance. Leurs actions concertées ou isolées participèrent de la même rigueur doctrinale. Jusqu'à Thermidor, la solidarité institutionnelle fut respectée et le secret des débats rigoureusement préservé.

En principe, le Comité resta « fermé et inaccessible » aux démarches personnelles, mais réclama sans cesse l'aval de la Convention, s'abritant derrière elle. « C'est une portion, un résumé de vous-mêmes, on ne peut l'accuser injustement sans vous attaquer tous », déclara Barère aux députés qui, chaque mois, confirmèrent ses pouvoirs. Jusqu'aux premières victoires de l'automne de 1793

1. « Révélations... », publiées par G. Bouchard, *Prieur de la Côte-d'Or* (87), p. 433-457 et reproduites par M. Bouloiseau, *Le Comité de salut public*, p. 41 (84).

il risqua son existence, ainsi qu'un ministère parlementaire. Comme celles des autres Comités, ses initiatives furent diffusées, commentées et discutées avant d'être décrétées; il ne lui suffisait pas de les présenter pour que l'Assemblée s'inclinât. Couthon, Barère, Collot, plus souvent que Robespierre, défendirent devant elle la politique d'un gouvernement qui refusait ce nom. « Nous sommes le bras qu'elle fait agir. »

Même limitée à l'exécution, son influence fut considérable. Il commanda aux ministres qui, chaque soir, prenaient ses ordres. Cantonnés aux détails d'administration, hommes consciencieux, probes, mais opportunistes, comme Bouchotte à la Guerre ou Monge à la Marine, ils acceptèrent sa tutelle qui les protégeait. L'opinion reconnut son autorité et l'ennemi se persuada qu'elle était absolue. Cette sujétion n'apparaît pas dans les rapports humains. Les députés se conduisirent en « collègues ». Spontanément, ils transmirent leurs informations et suggérèrent des solutions au Comité. Celui-ci en tint compte et porta aux situations locales une attention continue. Si Robespierre et Barère ne quittèrent pas Paris, ses autres membres, surtout Jeanbon Saint-André, Prieur (de la Marne) et Saint-Just, s'absentèrent souvent. Au même titre que les Montagnards de la Convention, ils assumèrent de longues et pénibles missions. Tous ensemble formèrent ainsi le gouvernement et contribuèrent à sa grandeur.

Les délégations de pouvoirs.

La Convention généralisa cette pratique. On a voulu la rapprocher des commissions d'intendants alors que les représentants ne cessèrent de se considérer comme des fractions du peuple souverain.

Au cours de l'hiver de 1793, leur nombre dépassa le tiers de l'Assemblée. Dans les départements et auprès des armées, désignés pour une tâche précise ou munis de pouvoirs illimités, ils firent preuve d'initiative et leurs arrêtés interprétèrent largement les décrets. On les dépeint aussi comme « des proconsuls de haut et bas lignage », mais ce jugement s'applique à une minorité. Certains, tel Baudot à Strasbourg, s'entourèrent d'un imposant cortège et d'un faste insolent. On prêta à Fréron, à Carrier, quantité de maîtresses. Plusieurs, dont Boisset, se laissèrent abuser et d'autres montrèrent une excessive raideur. Charles Alexandre considérait Javogues « comme un vrai butor qui vient de rompre ses chaînes ». Cependant, tous avaient le sentiment de ne pas démériter et de se comporter en vrais Montagnards.

Ils fournissaient chaque décade un résumé de leurs opérations et la copie de leurs arrêtés au Comité qui les approuva généralement. Mais des missions chevauchèrent, accentuant des rivalités de personnes préjudiciables à l'ordre public. Ce fut le cas dans la Moselle entre Faure et Lacoste, dans la Lozère et l'Ardèche entre Solon Reynaud, Chateauneuf-Randon et Boisset. Beaucoup demeurèrent longtemps éloignés de Paris et acquirent dans leurs régions une grande liberté de manœuvre.

La lenteur des communications s'y prêtait. Selon les courriers, il fallait de huit à douze jours pour aller à Marseille et quatorze pour atteindre l'Ariège, tandis que Lacombe-Saint-Michel était en Corse presque coupé du continent. Ils gardèrent leur franc parler vis-à-vis du Comité, le prévenant contre les intrigues. On le trompait sur la situation en Vendée, sur l'armée devant Toulon. « Vous pouvez y remédier, assuraient Ricord et le jeune Robespierre, en vous rapportant à notre prudence. »

Toutefois, il fallait craindre les divergences. « Chargés de la même mission, des mêmes intérêts, pénétrés des mêmes intentions, votre marche doit être uniforme. » Ce rappel était d'autant plus urgent que les missionnaires, ne pouvant suffire à tout, déléguaient à leur tour leurs pouvoirs. « C'est un des plus grands abus de notre gouvernement provisoire », constatait Pocholle, le 6 brumaire, et le 13, on fit défense aux représentants d'user de tels procédés. On rappela les envoyés des ministres. Le Comité disposait donc de la quasi-totalité des grandes missions avant le décret du 14 frimaire.

Le décret du 14 frimaire an II.

Véritable charte du gouvernement révolutionnaire, ce décret réunit dans un texte unique les dispositions qui jalonnaient sa lente évolution. La discussion, qui dura onze jours, révéla le désir de « simplifier les rouages intermédiaires ». Au Comité revenait le soin de réaliser « l'identité de vues, de maximes et de volonté ». Lui seul possédait le pouvoir d'interpréter les décrets, d'en préciser les détails. On songeait déjà à supprimer le Conseil exécutif. « Tous les corps constitués et les fonctionnaires » furent astreints à « son inspection immédiate ». Il se chargea « des opérations majeures en diplomatie » et proposa la nomination des chefs d'armée, des membres des autres Comités, à la Convention qui les ratifiait. La Commune parisienne passa sous son contrôle; les institutions chères aux sans-culottes furent neutralisées. Il assuma la responsabilité de la conduite de la guerre, de l'approvisionnement et de l'ordre dans la rue.

Districts, municipalités et comités révolutionnaires, rouages du régime, appliquèrent les mesures de salut public requises par des agents nationaux désignés au scrutin épuratoire et investis par l'Assemblée. Ils réalisèrent, en liaison étroite avec elle, la centralisation administrative. Responsables sur leur tête de l'exécution, ils se bornèrent à obéir. Des circulaires, rédigées avec soin, les y engagèrent avec fermeté. Aux districts, le Comité prescrivait : « La loi vous trace un cercle, gardez-vous d'en sortir jamais »; aux communes : « Impassibles aux passions d'autrui et aux vôtres, méritez par la vertu le droit de punir le crime », et aux agents nationaux : « Songez... que d'autres yeux sont ouverts... La hache de la loi, se balance aujourd'hui sur la tête du juge. »

« Ouvriers de la République, nous faisons chacun la pièce qui nous a été confiée dans ce grand ouvrage. » Soumis à la volonté nationale et non à quelques hommes, ils pouvaient, sans perdre leur dignité, se plier à la loi. Précautions inutiles. La dictature montagnarde, inscrite dans les institutions, se nourrit d'une propagande monocorde et lancinante qui assujettit l'opinion.

Propagande et dictature d'opinion.

« Les sans-culottes n'ont que de la bonne volonté. Ils auraient besoin d'avoir toujours auprès d'eux un conducteur électrique. » Passionnés d'unité, les détenteurs du pouvoir ne reconnaissaient pas aux masses la faculté de se conduire. « Le peuple est sublime, mais les individus sont faibles. » Il fallait donc révolutionner les esprits et former la conscience publique. Les opinions, qui demeuraient libres, méritaient d'être « dirigées vers ce qui est bon et utile ».

La Convention y consacra son *Bulletin*, où l'on recueillit adresses et récits évocateurs d'actions civiques. Il atteignit peu à peu toutes les communes et les armées. Les grands rapports, largement diffusés, firent « un bien qu'il n'est pas possible de juger dans le lointain. Ils rallient tous les cœurs et les remplissent d'espérance ». Le Comité posséda ses propres presses pour les affaires urgentes. Il encouragea les journalistes patriotes et subventionna leurs feuilles. Fabre d'Églantine imagina même, après la chute de la Gironde, une vaste entreprise : trois groupes de journaux (pour les campagnes, les villes et les armées), rédigés par trente députés montagnards, tirés à 45 000 exemplaires qu'on distribuerait gratuitement. La nationalisation de la presse s'opéra différemment. Le système des abonnements qui défrayait leurs propriétaires subsista, mais les ministères en souscrivirent un grand nombre à *l'Antifédéraliste*, à la *Feuille du salut public* et au *Père Duchesne*. Quelques-uns disparurent et d'autres se créèrent; on en compta une cinquantaine de nouveaux pendant l'an II, dont le *Journal de la Montagne*, organe du club des Jacobins.

La Convention, dans sa majorité, considérait ce dernier comme son complément nécessaire. Les représentants s'y présentaient au retour des missions. Robespierre lui accorda une attention particulière et y parla plus souvent qu'à l'Assemblée. Il suivit avec soin les discussions épuratoires, s'opposant à toute exception en faveur des nobles. Pour jouer son rôle de « directeur de l'esprit public », il devait se défier du « fanatisme des hommes immoraux », des excès cordeliers, des sociétés sectionnaires. Par les clubs affiliés qui se « régénérèrent », et les Sociétés populaires que l'on forma dans les petites bourgades, il répandit ses circulaires à travers le pays. On en sous-estima le nombre, comme on apprécia mal ses résonances provinciales. L'influence jacobine y fut plus forte qu'à Paris, car les notables ruraux l'utilisèrent comme un palliatif.

Dans une France largement analphabète, l'ignorance du peuple le maintenait en tutelle. L'unité nationale et la formation du citoyen exigeaient qu'on développât l'instruction; on la proclama droit constitutionnel. Du plan de Lepeletier, que relança Robespierre, on retiendra les audaces doctrinales (obligation, laïcité et gratuité) et pédagogiques (éducation physique, morale et sociale, vie communautaire). L'effort de guerre le relégua dans l'oubli; on se borna à pourchasser les idiomes. « Cassons ces instruments de dommage et d'erreur. » Le 8 pluviôse, Barère obtint qu'on désignât des instituteurs de français, mais leur formation demeura insuffisante et l'enseignement primaire resta entre des mains privées. Au pis aller on invita les Sociétés populaires à devenir des « écoles de la Liberté ». Au nom de l'Égalité on proscrivit le latin, dont le mystère entretenait le fanatisme des humbles.

L'universalité de la langue constituait un élément d'unité politique et une arme capable de « recréer le peuple en révolutionnant les usages, les mœurs, le costume ». Le nouveau calendrier, qu'on institua le 5 octobre 1793, rompit avec la datation traditionnelle. Aux semaines on substitua les décades tandis qu'on attribua aux mois des noms analogues aux saisons et aux travaux de la terre [1]. Le système métrique, qui unifiait les comptes, inspira une division décimale du temps qui ne fut pas retenue. On s'efforça aussi d'abolir les anciennes Coutumes en élaborant un Code civil. Commencé le 22 août, il s'édifia lentement. L'institution du divorce, les droits des enfants naturels, l'égalité des successions, cette « machine à hacher le sol », entamèrent les structures familiales.

Idéologie jacobine et croyances religieuses pouvaient-elles, d'autre part, coexister dans une société républicaine? Le 18 septembre 1793 le culte catholique cessa d'être public et les prêtres des fonctionnaires. On décréta, le 3 frimaire, la fermeture des églises. Les fêtes patriotiques, de plus en plus nombreuses, répandirent dans l'opinion les slogans jacobins. Elles attirèrent à Paris et dans les villes une grande affluence. On défila, on entendit des discours, on reprit en chœur des airs connus.

Cette forme de propagande agit sur la mentalité populaire plus fortement que les représentations théâtrales. On demanda à de jeunes auteurs des pièces inspirées de l'histoire grecque et de la simplicité spartiate. On prévit chaque mois une séance gratuite. Hassenfratz proposa encore des banquets montagnards où l'on se restaurerait une ou deux fois par semaine à 30 sous par tête. On peut imaginer de la sorte le décadi du sans-culotte : « Le voici tout d'abord au temple de la Raison, dans un état psychologique particulier, comme fasciné, suggestionné par les cérémonies qui s'y

1. Le rapport de Romme fut présenté le 20 septembre à la Convention, et celui de Fabre d'Églantine qui concernait le nom des mois, le 3 brumaire an II (24 octobre 1793).

déroulent. Il est en passe de perdre sa personnalité consciente. Il sort avec ses coreligionnaires. Il parle. Il s'excite. Où va-t-il? Au Club. Là son exaltation devient extrême; il soutient avec impétuosité les motions les plus violentes. Où passera-t-il sa soirée? Au théâtre dans un autre milieu de sans-culotterie... Sur tous les rythmes on célèbre le triomphe de la Révolution, de la République, de la Démocratie; on exalte les saints patriotes et les époux républicains[1]. »

Ainsi se fabriquaient ces « braves à moustaches » qui « marchaient d'un pas ferme dans la ligne de la Révolution ». La force de leurs convictions était contagieuse. Couthon en réclama une cinquantaine pour endoctriner Lyon. Une centaine eût peut-être suffi pour détrôner « Pitt et le tyran anglais ». A leur contact, la conscience collective se développa, sensibilisée par sa haine contre l'Ancien Régime et l'envahisseur étranger, par sa hantise des complots et des trahisons. Le salut du peuple exigeait « l'extermination de tous les intrigants qui agitent la République ». Contre eux on légalisa la Terreur.

2. La Terreur légale

Jusqu'alors elle s'était exercée au hasard. Inséparables de la Révolution, volonté punitive et justice sommaire surgissaient spontanément dans les temps de troubles. Loin d'être arbitraire et tyrannique, la Terreur « placée à l'ordre du jour » devait revêtir un double aspect : préventif en provoquant la peur du gendarme et répressif contre les ennemis déclarés de la République. Elle communiqua au gouvernement révolutionnaire, qui en disposait, un redoutable pouvoir. Billaud-Varenne le dépeignit « terrible pour les conspirateurs, coercitif envers les agents publics, sévère pour les prévaricateurs, redoutable aux méchants, protecteur des opprimés, inexorable aux oppresseurs, favorable aux patriotes, bienfaisant pour le peuple[2] ».

1. M. Dommanget, « Le symbolisme et le prosélytisme révolutionnaires... » (*A.h.R.f.*, 1929, p. 373).
2. Discours du 28 brumaire an II (18 novembre 1793). Cité par J. Godechot, *Les Institutions de la France...*, éd. de 1951, p. 258 (83).

Elle exigeait des exécutants de l'intelligence, de la fermeté et un esprit objectif. Leur civisme devait les guider plus que leur degré d'instruction. Sa portée réelle dépendit en fin de compte de leurs tempéraments.

L'appareil terroriste.

Second Comité de gouvernement, celui de sûreté générale se comporta comme le « ministère de la police révolutionnaire ». Héritier du Comité de surveillance de la Législative qui lui céda la moitié de ses membres et leur expérience, il fut, pendant la crise de septembre 1793, très discuté. Le 8, on demanda son renouvellement car il cédait aux sollicitations et se laissait berner. Les « corrompus » : Basire, Chabot, Julien (de Toulouse), furent éliminés. Puis douze députés le composèrent, dont Vadier, Amar et Le Bas ; ils demeurèrent en fonctions jusqu'à Thermidor. Lui aussi fut « grand » et son rôle considérable.

Il l'exerça sur les individus, poursuivant l'incivisme dans leurs opinions et leurs actes. Ses fonctions de police l'autorisaient à surveiller, à perquisitionner, à saisir même les papiers à la Poste. Entre ses mains, il tenait la sûreté de l'État. Son pouvoir discrétionnaire s'étendait à toute la France et au-delà, puisqu'il dirigeait le contre-espionnage. Les autorités civiles et les généraux subissaient aussi son contrôle.

Ses membres, répartis en quatre sections qui se partageaient le territoire, menaient des enquêtes, interrogeaient, confrontaient les témoignages, préparant les dossiers sur lesquels ils relâchaient ou arrêtaient. Hommes à principes, caractères entiers, jaloux de leur puissance, ils souffraient de l'espèce de tutelle du Comité de salut public qui les réunissait une fois par semaine. Leur tâche fut pénible dans ces temps de dangers où les dénonciations affluaient, saugrenues parfois, et souvent mesquines. Les décisions — collégiales — intervenaient le soir et les séances se prolongeaient. On exigeait, pour conclure chaque affaire, la moitié des voix des présents qui s'excusèrent plus tard de s'être transformés en « machines à signer ». Toutefois, ils engageaient leur responsabilité personnelle et rendaient un compte mensuel à la Convention qui subvenait à leurs dépenses secrètes. Celles-ci étaient élevées. Le Comité entretenait nombre d'observateurs que dirigeait Maillard dans Paris, et des agents en province, dont Héron, Sénar, Dossonville et ce Nicolas Guenot, personnage douteux, qui participa à l'arrestation d'André Chénier. Peut-on cependant se représenter à travers eux la Terreur et généraliser leur comportement à tous les membres des comités révolutionnaires?

Sous des noms divers, ils existaient dans plusieurs cités dès le 10 août, par la volonté populaire. Le décret du 21 mars 1793, qui en prévoyait dans chaque commune, borna d'abord leur rôle à la surveillance des résidents étrangers. Composés de douze élus, dont on excluait les ci-devants, ils furent successivement épurés. On les appointa; leur recrutement devint sans-culotte et, après le 14 frimaire, la charge leur incomba, sur le plan local, d'exécuter les mesures révolutionnaires conjointement avec les municipalités et les districts. Ceux des villes montrèrent un zèle parfois excessif et désordonné, délivrant passeports, certificats de civisme et mandats d'arrêt, détruisant les signes de la féodalité et visitant les prisons. Dans les campagnes, leur activité fut moindre et leurs mobiles furent contestables. Créés plus tardivement, ils parvinrent mal à se soustraire aux rivalités villageoises. Néanmoins, par leur seule présence, ils servirent la République en décourageant les résistances. On les considère, à juste titre, comme « les chevilles ouvrières de la Terreur ».

Les armées révolutionnaires obtinrent, localement, des résultats plus spectaculaires, mais moins durables. Leur allure martiale et la guillotine qui les accompagnait[1] soulignaient le caractère répressif de leur mission. Elles ne furent pas créées pour « enfiler des perles », clamait le *Père Duchesne*, mais pour « couper des têtes ». Soldats et officiers, coiffés du bonnet rouge, pourvus de la haute paye — 40 sous par jour — répugnaient à la stricte discipline, troublant l'ordre qu'ils devaient maintenir. Leurs débordements choquèrent souvent l'opinion et les autorités. Ce ne furent ni « des démons ni des saints ». Le gouvernement appréhenda leur conduite anarchique; il recommanda aux représentants de les dissoudre et la Convention ne maintint, le 14 frimaire, que l'armée

1. Parein, revenant de Vendée, réclama aux Jacobins, une seconde guillotine pour « faire rentrer tous les aristocrates dans le néant ».

parisienne. Elle-même ne survécut pas aux Hébertistes et fut supprimée le 7 germinal.

On les critiqua violemment, surtout après Thermidor, mais on doit reconnaître, avec Barère, que « si elles excitèrent le fanatisme par quelques abus, elles apaisèrent quelques troubles par leur fermeté ». Leur efficacité souffrit de leur émiettement. Tantôt elles servirent les volontés du Comité de sûreté générale et leur action fut cohérente, tantôt les autorités locales les utilisèrent à des besognes de gendarmes. Toutefois, leurs violences verbales plus que leurs « crimes » contribuèrent à juguler la contre-révolution et à neutraliser les suspects.

Suspects et détenus.

La notion de suspect résultait de la distinction fondamentale établie entre les citoyens par le gouvernement révolutionnaire. Ceux qui collaboraient à sa politique méritaient la protection des lois; on ne devait aux ennemis de la République que la mort. Toutefois une discrimination s'imposait. Le décret du 17 septembre 1793, qui réunissait de précédentes dispositions, proposa, sans y parvenir, une définition globale; elle prêta à des interprétations diverses. Les uns retinrent tel propos défavorable au *maximum* comme preuve d'incivisme, tandis que d'autres ne poursuivirent que les crimes de lèse-nation. Les émigrés rentrés et les rebelles pris les armes à la main méritaient la peine capitale sur simple vérification d'identité. On leur assimila les fauteurs de troubles et les chefs fédéralistes qui furent traités en hors-la-loi.

Le cas des nobles et des prêtres ne fut, par contre, jamais entièrement fixé. Malgré le vœu populaire, on se borna d'abord à les désarmer. Puis, ceux qu'on dénonça furent détenus dans les prisons, consignés à leur domicile ou traduits devant les tribunaux, ainsi que les étrangers et les administrateurs destitués. Encore s'agissait-il de motifs précis. Mais comment peser aujourd'hui des accusations nées de circonstances souvent ignorées. A côté des « traîtres », « conspirateurs », « fédéralistes », « accapareurs » dont on omet de détailler les méfaits, combien d' « intrigants », de « tyrans », de « fanatiques », d' « égoïstes » et de « charlatans ». Combien de pauvres gens compromis pour avoir enfreint des décrets qu'ils ne connaissaient pas! Pouvait-on traiter en coupables 100 000 habitants de la Gironde, 50 000 Normands, autant de Bretons, de Marseillais, de Savoisiens, d'Alsaciens? L'embarras des représentants, confrontés avec ces problèmes, fut grand. Presque tous fermèrent les yeux, et ne sévirent que contre les meneurs.

A combien s'éleva le nombre des suspects? Selon les auteurs, il varie entre 300 000 et 800 000, soit 1 à 4 % de la population[1]. Qu'une portion de la France se défiât de l'autre ne fait aucun doute, qu'elle parvînt à la maintenir dans la condition de « bêtes traquées » ne résiste pas à l'examen. Il y eut d'ailleurs des degrés dans la suspiscion et dans les entraves à la liberté.

Les prisons ordinaires, vite remplies, on utilisa d'anciens couvents, des bâtiments hâtivement aménagés. Les détenus qu'on « garderait jusqu'à la paix » s'y entassèrent, nourris à leurs frais, tant bien que mal, manquant de soins et décimés par les épidémies. Le régime ne fut pas partout identique. A Paris, maison Belhomme, en haut de la rue de Charonne, les plus fortunés menaient une vie relativement paisible, communiquaient avec l'extérieur, se rencontraient dans les cours, et organisaient un simulacre de vie mondaine. A peine gardés ils ne s'évadaient pas, retenus par la crainte d'être aussitôt dénoncés. Certains réussirent à se faire oublier. D'autres inondèrent de pétitions les autorités que leurs familles assaillirent. On sentit la nécessité de réviser sérieusement les mandats, de faire « triompher l'innocence » et de réparer les erreurs. Couthon ne s'opposa pas, le 17 frimaire, au Comité de clémence réclamé par Danton. Il rangeait les détenus en trois classes : « Les uns qui méritent la mort; un grand nombre dont la République doit s'assurer, et quelques-uns qu'on peut relaxer sans danger pour elle. » Robespierre lui-même considérait qu' « il faut être indulgent à quelques fautes qui sont un résultat des faiblesses humaines ».

Entraînée par les terroristes, la Terreur risquait en effet de dépasser ses objectifs. De brumaire à germinal, le nombre des prisonniers politiques doubla à Paris, et ses vingt-sept maisons d'arrêt en abritaient alors plus de 6 000 — pas seulement des Pari-

1. Voir J. Godechot, *Les Institutions de la France...*, éd. de 1951, p. 320 (83).

siens. Dans la France entière, on les évaluait à 90 000[1], dont l'étude d'ensemble reste à faire pour déterminer le rythme des arrestations, leur motif, leur durée et l'origine sociale des détenus. Il apparaît déjà que des libérations intervinrent avant septembre 1793, puis que les comités de surveillance redoublèrent d'activité pendant l'hiver. Ils s'en prirent aussi bien aux femmes qu'aux hommes, aux nobles et aux prêtres, aux bourgeois et aux artisans, aux riches et aux pauvres. D'ailleurs, la plupart conservèrent la vie et furent relâchés.

La justice révolutionnaire.

Jacobins et sans-culottes réclamaient une justice « prompte, sévère, inflexible ». Le Tribunal révolutionnaire de Paris, composé d'un accusateur public qui exposait le crime, de jurés qui décidaient de la culpabilité après audition des témoins, et de juges dont la sentence s'appuyait sur les lois en vigueur, respectait des formes héritées de la Constituante. Jusqu'en septembre il examina 260 affaires et prononça 66 peines capitales, soit 26 %. Puis le nombre des accusés le submergea; on lui reprocha ses lenteurs. On douta de l'intégrité de Fouquier-Tinville, ce bureaucrate de la justice, sans envergure. La volonté punitive imposa ses urgences. Gaston (de l'Ariège) proposa même à la Convention « de se saisir de tous les suspects, de les enfermer dans les lieux où l'on mettrait le feu en cas d'insurrection royaliste ». Pour enrayer ce débordement de violence, on quadrupla l'efficacité du Tribunal, augmentant le nombre des membres, accélérant la procédure. Les condamnations se multiplièrent; jusqu'au 10 nivôse (30 décembre), on en compta 177 pour 395 accusés, soit 45 %. Place de la Révolution, la guillotine procura aux badauds un spectacle habituel et gratuit.

Toutefois les grands procès ne contentèrent pas la foule parisienne. Celui de la reine, qui fut exécutée le 16 octobre, était depuis trois mois réclamé par Hébert. Commencé le 26, celui des Girondins sembla s'éterniser, provoquant contre le Tribunal et ses méthodes cette réflexion de Chaumette : « Il juge les conspirateurs comme il jugerait un voleur de portefeuille. » Lors de leur supplice,

1. Boudin, député de l'Indre, estima, à la fin de l'an III, qu'on avait incarcéré 80 000 suspects en l'an II.

qui attira une grande affluence, on admira leur courage. La « vengeance nationale » trop longtemps méditée, troublait et passionnait l'opinion au lieu de la subjuguer ou de la rassurer. « On fait trop de lois, trop peu d'exemples », constatait Saint-Just.

Dans les départements, les tribunaux criminels procédaient avec des précautions identiques. Formés d'hommes de loi d'Ancien Régime, ils en conservaient les habitudes. Hébert dénonça leurs faiblesses, leur goût pour l'argent et les jolies femmes. « La Révolution a changé les choses, et les hommes sont restés les mêmes; malheureusement les juges ne sont que des hommes. » Dans leur majorité ils accomplirent avec conscience leur tâche et préservèrent leur indépendance, condamnant les hors-la-loi, examinant avec indulgence les délits d'opinion. On signala comme un exploit celui de Blois qui « fit tomber trois têtes en brumaire ». La guillotine installée à Metz devint inutile à partir de frimaire.

« Nos lois répressives sont faites pour un peuple qui n'est plus dans la crise de la Révolution, mais elles ne sont certainement pas faites pour l'instant où nous nous trouvons [1]. » Remarque vieille de seize mois, elle restait actuelle. Pouvait-on « gouverner les révolutions par les arguties de Palais »? Des tribunaux extraordinaires se constituèrent à Rochefort, à Brest, à Nancy, condamnant sans jury des marins royalistes et des accapareurs. Celui de Strasbourg, que rendit célèbre un ancien prêtre, Euloge Schneider, prononça plus de confiscations que de peines capitales. Ailleurs, une douzaine de commissions, réduites à trois juges, dites parfois populaires, firent exécuter les rebelles pris les armes à la main, à Lyon, à Marseille, à Nîmes, à Toulon et dans l'Ouest. Elles acquittèrent aussi, alors que les commissions militaires — différentes des tribunaux des armées [2] — ne prononçaient que la mort. On en compta une soixantaine, distinguées par le nom de leur président, et l'on ignore souvent le nombre exact de leurs victimes.

Cette prolifération anarchique, œuvre des représentants en mission, disputait au gouvernement la direction de la Terreur. Le décret du 14 frimaire interdit les juridictions spéciales, réservant au Tribunal parisien une priorité absolue. Elles subsistèrent malgré

1. Réflexion notée à Douai le 22 août 1792 et citée par G. Aubert (*A.h.R.f.*, 1924, p. 74).
2. Voir ci-après, p. 165.

tout dans plusieurs villes et fonctionnèrent après germinal avec une rigueur accrue. Par suite un bilan des exécutions reste approximatif comme celui des suspects et des détenus; il ne saurait, de plus, intervenir avant thermidor. Néanmoins, on remarquera, dès à présent, que les motifs d'ordre économique y figurent pour une faible part malgré le nombre d'arrestations qu'ils entraînèrent.

3. La direction de l'économie

Centralisation administrative et économique allaient de pair. La France assiégée ne semblait devoir compter que sur elle-même. Le gouvernement mobilisa toutes les forces productrices dans le seul but de sauver la République. Il accepta, contre son gré, ce dirigisme nécessaire et l'appliqua en fonction des urgences, à la petite semaine. On lui prêta des préoccupations sociales; il n'eut de grand souci que l'efficacité. Sa politique, sous une apparente rigueur, manqua d'un programme constructif. Elle se dilua dans une profusion de mesures tâtillonnes qui rappelaient les Régies royales. Elles déconcertèrent ceux qui en espéraient l'abondance et coalisèrent ceux qu'elles lésaient contre la Révolution. En dépit des manœuvres et des entraves, le Comité de salut public réussit cependant à ravitailler les troupes, et sauva de la famine la population citadine. Son énergie opéra en grande partie ce miracle qui stupéfia le monde.

La Commission des subsistances.

Constituée le 1er brumaire (22 octobre 1793) et placée sous son autorité directe, elle comprenait trois membres, choisis avec soin parmi les grands administrateurs, et les premiers dans leurs spécialités [1]. Jeunes, « probes, patriotes éclairés et surtout révolutionnaires », ils connaissaient « les lois, le commerce, la navigation »; ils savaient aussi manier les hommes. On leur imposa, d'emblée, une tâche inhumaine.

1. Raisson, secrétaire général du département de Paris, Goujon, procureur-général-syndic de Seine-et-Oise, et Brunet, qui appartenait au département de l'Hérault.

Leurs attributions s'étendaient sur tous les secteurs de l'économie, de la production aux transports et à la répartition des denrées. Ils dirigeaient les achats extérieurs, les réquisitions intérieures, fixaient les tarifs, assuraient l'approvisionnement des armées et de Paris. A ces tâches immédiates, s'en ajoutaient d'autres de portée plus lointaine : l'amélioration des techniques agricoles, des rendements, de l'élevage; l'exploitation des forêts et des mines. Loin de doubler l'activité du Comité d'agriculture de la Convention qui préparait les décrets, la Commission veillait à leur exécution. Elle prévoyait, proposait, décidait, avec l'accord de Robert Lindet, qu'on rappela de Normandie, et le contreseing du « grand » Comité.

De telles prérogatives exigeaient un personnel permanent et des collaborations occasionnelles. On compta bientôt, sous ses ordres, plus de 500 employés, répartis entre trois services; production, distribution, comptabilité, et une multitude d'agents envoyés en province. D'autre part, on conviait aux séances des spécialistes dont Hassenfratz, des responsables militaires et administratifs dont Pache, le maire de Paris, ou des fonctionnaires de la Trésorerie, car la Commission ordonnançait ses propres dépenses et pouvait requérir la force armée. Un conseil consultatif lui fut associé pour les affaires commerciales. On y appela un ancien banquier : Moutte, un grainetier fort connu : Vilmorin, et Lesguillier, épicier en gros parisien qui avait présidé le Tribunal de Commerce. Puis on créa deux autres sections, celles du cadastre et de la surveillance des opérations dans les districts, avec lesquels on correspondait directement. Ce service public, organisé en un mois, transformé en une énorme machine, entouré de techniciens, sut écouter leurs suggestions et les utiliser dans un sens réaliste.

Le gouvernement manifesta d'abord son autorité dans le domaine de la production. Pénétrés des théories physiocratiques, les membres de la Commission estimaient que la terre, valeur sûre de la nation, méritait une exploitation rationnelle. L'Ancien Régime avait orienté l'évolution agraire dans la voie du capitalisme, mais l'initiative des notables s'était heurtée aux traditions communautaires et à la polyculture familiale. On prit le prétexte des besoins frumentaires pour tenter de réglementer, de stimuler les cultures essentielles, et de secouer les vieilles habitudes.

On recherche les terrains disponibles, sacrifiant aux vœux de la paysannerie. Dès le début de l'hiver, parcs et jardins d'agrément, dont ceux du Luxembourg à Paris et de la Liste civile, furent retournés et ensemencés de façon spectaculaire. On décréta, en frimaire, avec quelque légèreté, l'assèchement des marais et leur labour. « Nous sommes tous de la conjuration contre les carpes, et nous aimons le règne des moutons », ironisait Danton. Puis on défricha des bruyères, des landes, des taillis. On conseilla, d'autre part, de restreindre, au profit du blé, l'étendue des vignobles et des prés. De même, on encouragea la culture de la pomme de terre, des navets et des carottes, des plantes à huile et des textiles végétaux. Par l'achat de moutons mérinos et de bons reproducteurs, on voulut améliorer le cheptel. Les particuliers inondèrent les sections végétale et animale d'une masse de projets sur l'utilisation des engrais, les cultures sans jachère, l'enseignement agricole, la lutte contre la carie du blé et les épizooties, l'emploi de la faux et du râteau. Incontestablement la France rurale s'éveillait. Elle prenait conscience de son retard. L'agronomie devenait révolutionnaire et promettait un profit accru à tous les exploitants.

Cet esprit novateur qui animait une fraction de la paysannerie n'a pas été suffisamment mis en lumière. On s'est borné à analyser les rapports de la Commission qui le reflétèrent d'assez loin. Ses circulaires revêtirent d'ailleurs rarement un caractère obligatoire. Elle se comporta comme les anciennes Sociétés d'agriculture, mais sa propagande ne resta pas sans effet. Obnubilées dans l'immédiat par la production céréalière, les autorités accordèrent aux légumes et à la pomme de terre, considérée comme telle, une attention restreinte, mais l'idée fit son chemin dès qu'on y vit la ressource des sols médiocres et une subsistance d'appoint. Si les essais de réglementation furent limités, ils contribuèrent néanmoins à hâter l'évolution des techniques et à accroître les surfaces cultivées.

Pour répartir équitablement la production, la Commission des subsistances se préoccupa des ressources et des besoins de la République. Elle réunit informations récentes et résultats d'enquêtes dans un service spécial, qui prépara celui de la statistique. Le recensement, déjà employé par le Contrôle général, sous Terray et Turgot, prit des dimensions nouvelles. On l'appliqua non seulement à la population, aux revenus fiscaux, mais à tous les produits de la terre, de l'élevage et de l'industrie. Dès le 9 brumaire (30 octobre), on réclama aux municipalités la situation des grains et des habitants, puis le 15 (5 novembre), la Convention enjoignit au ministre de l'Intérieur de fournir un état général de la récolte. « Responsables en personne », les autorités locales se bornèrent cependant à reproduire les déclarations des cultivateurs. Hantés par de possibles répercussions fiscales, ceux-ci répugnaient, malgré les menaces, à divulguer leurs ressources et un contrôle sérieux eût entraîné trop de frais. On n'accorda par suite qu'une confiance limitée aux résultats péniblement acquis. La prévision se corrigea lentement, tandis que les circonstances exigeaient des solutions rapides.

Réquisitions et accaparement.

Le monopole national des denrées souffrit de ces incertitudes. On procéda aux réquisitions sur des estimations souvent erronées. Entre régions excédentaires et déficitaires, on décida un peu au hasard; les prélèvements parurent arbitraires et excessifs en dépit d'une récolte abondante.

Mais la Commission centralisa les ordres et mit fin aux missions qui se concurrençaient. Elle coordonna les activités de ses agents et celles des commissaires des Guerres. Le ravitaillement des civils passa au second plan. Elle privilégia les armées et la capitale. Toutefois, parant au plus pressé, elle dégarnit parfois des départements pour, ensuite, les réapprovisionner. Certains, au voisinage des troupes, subirent des ponctions répétées, tandis que d'autres, éloignés, furent moins assujettis. La centralisation économique ne s'exerça pas totalement et la répartition resta très inégale.

Clef de voûte du système établi le 14 frimaire, le district bénéficiait d'une certaine autonomie, mais de moyens réduits. Chacun vécut en principe sur ses réserves, toute intrusion chez le voisin devenant interdite. On ne tint pas compte de la discordance entre ses limites et ses anciens marchés où les récoltants étaient astreints à porter leurs denrées. Tout au plus fut-il autorisé à des réquisitions dans son arrondissement. La situation ainsi créée provoqua des disettes isolées que pallièrent à la hâte les représentants en mission. La Commission ne prescrivit ni la surveillance des moulins, ni un rationnement général, et la Convention se borna, le 25 brumaire (15 novembre) à fixer le taux de blutage, puis la composition du « pain de l'Égalité ». On recourut donc, selon les lieux, aux expédients ordinaires : interdiction de la pâtisserie, boulangeries municipales, cartes familiales de pain, contrôle des stocks particuliers.

Bêtes noires des sans-culottes, les accapareurs bénéficiaient de l'indulgence du pouvoir. Les commissaires des sections citadines et les comités de surveillance, qui se heurtaient à la mauvaise foi des marchands, pouvaient perquisitionner et saisir les denrées excédentaires. Mais le gouvernement interdit visites domiciliaires et réquisitions locales. La Convention supprima la peine de mort contre les mercantis, lui substituant l'amende et la prison. Le Tribunal révolutionnaire, habilité à juger les crimes économiques, y mêla des griefs politiques qui relevaient de la loi des suspects. Après le 12 germinal (2 avril 1794), seuls les grossistes furent astreints à la déclaration et à l'affichage du contenu de leurs magasins. Par rapport aux dénonciations, les poursuites judiciaires furent peu nombreuses. La fraude devint quasi générale, tant sur la qualité que sur le prix et le poids. On la ressentit plus fortement pour le pain et le vin, mais elle se produisit aussi bien sur les étoffes et le savon. Un marché clandestin où les prix dépassaient le *maximum*, et accessible par suite aux plus aisés, se développa sans que la Terreur parvienne à le décourager. D'ailleurs le régime mixte d'une distribution à la taxe pour les pauvres, et la liberté d'achat pour les autres, prévalut dans la plupart des villes dont il limita les charges financières.

La Commission avait songé, pour remplir les greniers d'abondance, à l'apport des contributions et des fermages en nature, mais elle multiplia vainement ses circulaires. Les provisions se tarissaient aussitôt constituées, imposant le recours aux réquisitions. Toutefois, les représentants devaient en user comme un moyen extrême et avec d'infinies précautions après avoir averti le Comité de salut public. On considéra bientôt que l'intégralité de la récolte des grains appartenait à la nation, y compris la réserve familiale. La Convention la supprima le 25 brumaire (15 novembre), prétextant des interprétations abusives, mais elle ne disparut pas totalement car il convenait de préserver les semences.

D'ailleurs les réquisitions, qui risquaient de priver le cultivateur du fruit de son travail, ne suffisaient pas aux besoins de la nation. Le commerce, effrayé par la suspicion et les insultes populaires, s'abandonnait à l'inertie, ou assumait péniblement ses fonctions traditionnelles. Le gouvernement s'efforça de le ranimer, sans sacrifier les intérêts du consommateur. La taxation maintenue, elle exigea d'être révisée selon cette double nécessité.

Le maximum général.

Les sans-culottes avaient accueilli avec satisfaction l'annonce du *maximum* général des prix et des salaires. Il représentait pour eux « un grand bienfait », un « acte de justice », « une victoire ». Mais producteurs et possesseurs de biens de consommation ne partageaient pas cette euphorie. Par tous les moyens, ils voulurent se soustraire à une loi qui réduisait leurs profits. Le Français, habitué depuis toujours à tromper le fisc, y employa les ressources de son esprit. Il eût presque fallu un contrôleur derrière chaque fermier et chaque marchand. De plus, les décrets des 11 et 29 septembre, hâtivement conçus, créaient une uniformité apparente. Fixés, sur le plan national, par l'Assemblée, les tarifs, dans chaque district, étaient aménagés par l'administration selon ses lumières et les conditions locales. D'autre part, les frais de transport n'entraient pas en compte, et l'intérêt du vendeur l'engageait à livrer au plus proche. Enfin l'augmentation du tiers, calculée sur les prix de 1790, avantageait le producteur et défavorisait le petit détaillant qui supportait avaries et pertes [1].

« Ainsi, collègues, écrivait Albitte, le bien mal préparé fait le mal. » Barère dénonça le *maximum* comme « un piège tendu à la Convention par les ennemis de la République », une manœuvre de Pitt et de la contre-révolution. Mais il était perfectible. En taxant « au centre », en rémunérant le roulier et le boutiquier, « classe de bons républicains qui achète et vit au jour le jour », la circulation des denrées se normaliserait. Le 11 brumaire, on confia à la Commission des subsistances, à peine instituée, cette lourde responsabilité. Le tarif général serait calculé sur des bases précises.

1. Voir ci-dessus, p. 93.

Aux prix à la production en 1790, augmentés d'un tiers, on ajouterait la valeur de l'apprêt, puis 5 % pour le bénéfice du grossiste et 10 % pour le détaillant. Une indemnité graduelle compenserait les frais de transport. On désigna douze commissaires choisis en province et à Paris qui se répartirent en quatre sections : alimentation, textiles, chimie et droguerie, métaux et combustibles. Elles centralisèrent les renseignements des municipalités et des Sociétés populaires.

Ce volumineux ouvrage ne s'acheva que le 2 ventôse (21 février 1794). Pareil délai provoqua bien des appréhensions et servit l'intrigue qui répandit, dès le 4, un faux document dans Paris. Le peuple murmura devant les magasins, et les marchands s'irritèrent. Les réquisitions continuèrent selon les lois antérieures, et, pour pourvoir les armées, on accorda aux représentants des dérogations nombreuses. Ils achetèrent au-dessus du *maximum* et payèrent en numéraire, ce qui ne clarifia pas la situation.

Les tableaux généraux furent connus dans la capitale le 5 germinal (25 mars). Restait aux districts à les compléter dans leur localité pour obtenir les prix de détail. Barère claironna qu'aucune nation ne s'était livrée à un tel travail. Il en concevait un optimisme qui ne fut pas justifié. D'une part, les prix, moins disparates, variaient toujours selon les régions; ils étaient aussi moins élevés qu'on ne les pratiquait. D'autre part, les salaires subissaient une baisse sensible. Libres avant la loi du 29 septembre, ils avaient bénéficié, malgré la taxe, d'une demande accrue par la levée en masse et les industries de guerre. Les entrepreneurs étaient d'ailleurs divisés entre leur intérêt qui les poussait à appliquer le nouveau tarif et leurs besoins de main-d'œuvre. L'ouvrier exigeait jusqu'au triple du salaire habituel, surtout le spécialiste et le travailleur de force. Il recourut à des coalitions, motivées par le non-respect de la taxe des denrées, obligeant le Comité de salut public à intervenir contre eux. Dans les campagnes, on tourna la loi en augmentant les avantages en nature.

Les échanges intérieurs reprirent lorsque les réquisitions se firent moins oppressives. On ferma les yeux sur des infractions bénignes et sur l'usage des soultes qui assuraient l'exécution des marchés. Le *maximum* s'appliqua aux objets réquisitionnés, sans qu'on interdise les achats de gré à gré pour certains produits, dont le bétail sur pied. Le profit des marchands fut cantonné dans des limites raisonnables, mais aucun ne travailla à perte. Les fabricants de papier, entre autres, se vantèrent de vendre un quart plus cher qu'auparavant. La tannerie retrouva à Montauban[1] son activité. La clientèle des entreprises fut assurée à la fois par les commandes de l'État et les besoins des particuliers. On dut cependant recourir au commerce extérieur.

Le commerce extérieur.

Le blocus maritime, qui le réduisit, ne l'interrompit pas. Mais le Comité de salut public, alarmé par les missions concurrentes, confia la direction des achats, leur paiement et le mouvement de la flotte marchande à la Commission des subsistances. Auprès d'elle il plaça une Agence dont les cinq membres décidaient des importations et exportations qui furent étatisées. On séquestra les marchandises anglaises. L'acte de navigation, imité de celui de Cromwell, qui réservait les échanges du pays au pavillon national, fut suspendu, et les ports français s'ouvrirent largement aux navires neutres. A Nantes, Bordeaux, Marseille, les agents français traitèrent avec la Suède, le Danemark, les Hanséates, les États-Unis et Gênes. Ils disposèrent des prises des corsaires. Par la Suisse on se procura des chevaux et des armes.

Le gouvernement évinça les négociants « trop corrompus pour mériter la confiance d'un peuple libre », mais s'attacha les patriotes et accueillit leurs propositions. Il racheta la Compagnie d'Afrique, profitant de ses relations anciennes avec les Barbaresques. Il entretint à l'étranger des fournisseurs attitrés, dont Haller à Livourne. Le 21 pluviôse (19 février 1794), il fit saisir le papier tiré sur l'étranger et obligea des banquiers parisiens, dont Perrégaux, à en souscrire pour 50 millions. L'entrée des subsistances fut ainsi favorisée, mais en contrepartie les sorties de numéraire devinrent de plus en plus ruineuses.

1. Voir D. Ligou, « Cuirs et chaussures à Montauban en l'an II » (*Commisson d'Histoire économique de la Révolution française*, Mémoires et Documents, t. XIII, 1958, p. 79). On créa même un atelier national de cordonnerie.

Si la « marche révolutionnaire » de la Commission des subsistances ignorait les « calculs mercantiles », seul l'appât du gain attirait les négociants étrangers. Ils se dérobaient devant les dangers ou des bénéfices hasardeux. Les règlements au taux du *maximum* et en assignats ne leur convenaient pas, de même que les lettres de change souvent protestées. On se résigna d'abord à payer en espèces. Toutefois, les bâtiments neutres, ne pouvant reprendre la mer sur lest, souhaitaient un fret de retour; la Commission le leur procura. Elle offrit les objets de luxe dont la France regorgeait. Étoffes fines, dentelles et soieries échappèrent à la taxe, puis les vins et eaux-de-vie réputés que ne consommaient pas les sans-culottes. On recourut largement au produit des séquestres. L'argenterie, les pierres précieuses et les meubles des émigrés, propriétés nationales, soldèrent nos importations.

A partir du printemps de 1794, le volume des exportations s'accrut sensiblement. On délivra des permis aux particuliers, autorisant la sortie des denrées coloniales, du sucre et du café. Grâce aux accords de troc, la balance du commerce s'équilibra. Sans revenir à une liberté totale, l'État lâcha progressivement la bride à ceux qui acceptaient de l'aider. Leur expérience lui fut précieuse. Tant que dura leur crédit, il sut l'utiliser; tant que dura le contrôle l'évasion des capitaux fut réduite. Mais ils collaborèrent sans enthousiasme et souvent sans profit. « Notre devoir est la soumission. » Ils ne pardonnèrent pas à la République leurs humiliations et menèrent sourdement campagne contre l'assignat.

Budget et monnaie. Taxes et emprunts révolutionnaires.

L'étranger, ennemi ou neutre, condamnait à l'isolement notre système monétaire. Hors du pays, l'assignat ne pouvait conserver une valeur que s'il restait remboursable en argent « à bureau ouvert », comme les sterlings. Il présentait d'ailleurs une double menace. Quel que soit son cours, le jeu des agios risquait de pomper le numéraire des États voisins, à l'avantage de la finance française. Banquiers et négociants bâlois étaient submergés de ces demandes spéculatives.

Cambon, grand maître de notre Trésorerie, s'accordait avec Saint-Just sur la nécessité de réduire la circulation fiduciaire. On a

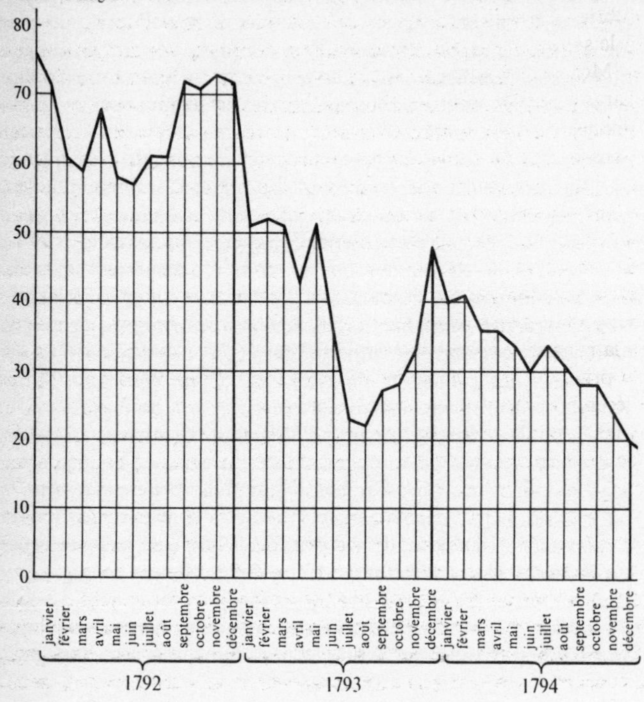

Fig. 4. *Dépréciation de l'assignat à Paris (1792-1794).*

incriminé les dépenses exigées par la guerre; les charges ordinaires portent aussi leur part de responsabilité, l'impôt ne permettant pas de les couvrir. Le paiement par annuités des biens nationaux n'assura pas les compensations qu'on escomptait. De plus, la Révolution s'était généreusement chargée des pensions, offices et dettes de l'Ancien Régime. S'ajoutant aux urgences, ce reliquat écrasa le budget dont le déficit atteignit pendant tout l'an II près de 200 millions par mois. L'État ne pouvait donc renoncer à la fabrication des assignats qui le sauvèrent de la faillite. A son tour il le soutint.

Monnaie unique et uniformisée, à cours forcé, sa stabilité garantissait les contrats. Le problème concernait non seulement la finance et l'économie, mais la société tout entière. La confiance dans le signe était un impératif politique et la sauvegarde de l'ordre. Le gouvernement et les représentants le comprirent. Ils consentirent d'abord à faire payer les riches, ainsi que le voulaient les sans-culottes. Des taxes révolutionnaires furent levées localement pour des objets précis : l'équipement des troupes, l'achat de subsistances et les secours aux indigents. Diversement conçues et de faible rapport, elles furent abandonnées après frimaire, car elles nuisaient à la rentrée des contributions. L'emprunt forcé d'un milliard, dont le principe avait été admis en mai 1793, fut appliqué à partir de décembre. Il frappa progressivement les revenus qui dépassaient 1 000 livres pour les célibataires et 1 500 pour les ménages. Au-delà de 9 000 livres, on versait la totalité de l'excédent. L'établissement des rôles exigea du temps. En fait, il se prolongea jusqu'en l'an IV.

D'ailleurs la consolidation de la dette en concurrença très tôt le versement. Le projet de Cambon sur le Grand Livre, adopté le 24 août, combina retrait des assignats et stabilisation du passif. On convertit en rentes perpétuelles les anciens titres en même temps qu'on accepta des souscriptions volontaires portant intérêt, échappatoire qu'utilisèrent les capitalistes. Malgré tout, ces mesures produisirent des effets immédiats. La Caisse de l'Extraordinaire brûla un volume considérable de papier. Il s'élevait à près de deux milliards lorsqu'on arrêta les émissions le 11 ventôse (1er mars 1794); la masse monétaire, estimée à cinq milliards, demeurait inférieure aux biens nationaux disponibles.

Pendant toute la Terreur, l'assignat se maintint, selon les régions, entre 35 et 50 % de sa valeur nominale. L'or se cacha et ne lui porta pas préjudice. La bourgeoisie montagnarde ne préféra donc pas délibérément l'inflation à l'impôt, ainsi qu'on l'affirma sans preuves. Elle ne souhaita pas davantage faire supporter les frais de la guerre à un peuple qu'elle protégea de la misère. Sa politique économique contribua cependant à diviser les sans-culottes.

4. Le drame de ventôse

La capitale prenait dans la Révolution une place de plus en plus démesurée. Parce qu'elle abritait le cerveau et le moteur de la grande entreprise nationale, elle disposait arbitrairement du sort du pays tout entier. Une pression de ses masses pouvait remettre en cause l'édifice péniblement échafaudé du gouvernement révolutionnaire qui ne voulait, à aucun prix, courir ce risque. Ni le mouvement démocratique ni l'opposition parlementaire n'avaient désarmé. La machine administrative, mal rôdée, ne comptait pas que des hommes sûrs. On était conscient de sa vulnérabilité.

A l'instar d'une place frontière, Paris méritait des précautions et des égards. On lui procura nourriture et travail; on occupa le plus grand nombre de ses sans-culottes. Puis, pour contraindre plus étroitement la grande ville, on l'assimila à un camp retranché. Songeant avant tout à préserver et à poursuivre son œuvre, l'État républicain traita ses citoyens libres comme des sujets, sanctionnant leurs moindres écarts. Sa ligne, seule valable, il interdit d'en dévier; il évinça les gêneurs, bâillonna la contestation populaire. Ce faisant, il émascula la République.

Paris et ses sections en l'an II.

Le Paris de la Terreur conservait son habituel visage. Même entassement de gens dans les quartiers du centre, mêmes interférences rurales à la périphérie, même stabilité de ses groupes professionnels qui forment l'infrastructure de la cité et répondent aux exigences de sa consommation. La répartition des rentiers, boutiquiers, artisans, des travailleurs et des oisifs, ne varia pas sensiblement, ni la population globale dont les apports provinciaux préservèrent l'équilibre. Dans l'ensemble, toutefois, le nombre des salariés s'accrut et affecta particulièrement certains quartiers. Le faubourg Saint-Germain, aristocratique par tradition, recueillit les armuriers de Maubeuge, employés dans l'atelier de la section. La guerre modifia peu la démographie parisienne où subsista un fort pourcentage de jeunes, mais elle influença le comportement des habitants et encouragea la mobilité sociale [1].

Au mouvement des troupes se mêlaient les transports militaires, les allées et venues des courriers. Envoyés des Sociétés de province et porteurs de dons y faisaient de brefs séjours, prenant à la Convention et aux Jacobins, un bain de civisme. Passages, refuges, rencontres embarrassaient la police, l'obligeaient à surveiller meublés et auberges, à vérifier soigneusement les passeports. Ville orgueilleuse et remuante depuis toujours, elle le devenait davantage dans ces temps troublés. Ville misérable, elle affichait une misère impudique. Plus qu'ailleurs, le bourgeois se trouvait journellement confronté avec le danger social.

Les rapports des observateurs témoignent des divisions de l'opinion et du relâchement des mœurs. On se plaignait de la prostitution, de l'exposition d'images obscènes, de la multiplication des tripots, des colporteurs et des chanteurs de rues. Les filles publiques, « du plus mauvais ton », se hasardaient jusque dans les Tuileries. On ne pouvait faire « quatre pas sans rencontrer un ivrogne ». Bien que la mendicité fût interdite, on voyait « des tableaux qui révoltaient l'humanité ». Sur les places, les boulevards, au Louvre, au spectacle, on se heurtait à des mendiants qui étalaient « leurs blessures ulcérées », à des « femmes accolées aux murs avec des nourrissons à la mamelle ». Les enfants, livrés à eux-mêmes, couraient les rues, et les instituteurs, trop peu nombreux, mal payés, n'en recueillaient qu'une minorité.

On évaluait, le 14 germinal, à près du dixième des habitants, les indigents secourus qui se concentraient surtout dans les faubourgs historiques, dont celui de Saint-Antoine. Dans cette masse de 70 000 individus, la Convention distinguait « les citoyens infirmes, sans fortune et incapables de travailler », des gens valides mais paresseux, « âmes perdues pour l'énergie républicaine et l'activité sociale ». Face à l'insécurité des subsistances, elle réagissait dange-

1. Les sections distribuaient des cartes de sûreté, différentes de couleur pour les domiciliés et les autres afin de dépister « la malveillance ». L'analyse de J. C. Gœury s'appuie sur leur dépouillement (« Évolution démographique et sociale du faubourg Saint-Germain », (*Contributions à l'histoire démographique de la Révolution française*, 2e série, p. 25) (221).

reusement. Les femmes surtout se précipitaient aux distributions, « criant et hurlant comme des bêtes féroces ». L'hiver de 1793 fut pénible aux pauvres. On se battit pour le pain, les sabots, le bois de chauffage et le charbon qui arrivaient mal. On vendait 4 sols un petit verre d'eau-de-vie. Dès quatre heures du matin, la garde nationale, organisée par section, patrouillait dans la capitale qui souffrait en particulier du manque de viande. « Le peuple se fatigue de perdre une partie de son sommeil et du temps de son travail à la porte des bouchers. » Ils débitaient la nuit et servaient de préférence « leurs bonnes pratiques ». La guerre fut déclarée aux chiens et aux chats qu'on abattit.

Le second *maximum*, appliqué depuis le 12 octobre, indisposait les ménagères dès qu'un produit se raréfiait. Lorsque, au début de germinal, les tarifs furent affichés, on murmura « contre cette loi qui met les denrées à un trop haut prix pour les sans-culottes et avantage les marchands ». Les journaliers chargés de famille « ne mangeaient plus à leur suffisance » avec leurs trois francs quotidiens. On s'en prit encore au commerce, puis au gouvernement révolutionnaire. Boucs émissaires commodes, ils supportèrent tout le poids des rancœurs. La mentalité collective ne distinguait pas entre les faits mineurs et des difficultés quasi insolubles, entre les caprices du temps et la mauvaise volonté. Tous les prétextes étaient bons pour attaquer l'autorité. Sans discernement elle subissait des pressions contraires, celle des modérés et celle des extrémistes. La population féminine réprouva tout ce qui portait atteinte à ses modes de vie traditionnels. Elle regretta publiquement la fermeture des églises et, dans le quartier des Halles, exigea d'entendre la messe à Saint-Eustache. Des bagarres éclatèrent lorsqu'on voulut la contraindre au port de la cocarde, puis du bonnet rouge. Même les patriotes, qui étaient nombreuses, firent ainsi le jeu de la contre-révolution. A l'intérieur de la sans-culotterie l'opinion n'était pas unanime; ses divisions facilitèrent la contre-offensive montagnarde.

Permanence du mouvement démocratique.

La Commune et son maire disposaient toujours, malgré le décret du 14 frimaire, d'une grande autorité. Elle s'étendait aux contributions, aux biens nationaux, à la police et aux subsistances. Les

144 membres du Conseil général, choisis par les sections, parmi les plus actifs, comprenaient peu de salariés. La plupart étaient jeunes et de petite bourgeoisie. On y rencontrait des entrepreneurs, des boutiquiers, des artisans qui n'adoptaient pas sans réticences les opinions de Chaumette, agent national, et d'Hébert. Ils reflétaient assez fidèlement la composition des autorités sectionnaires.

Entre les comités civils, aux tâches purement administratives, et les comités révolutionnaires, on constatait, depuis septembre, une certaine différence de recrutement, les premiers appartenant à une catégorie sociale plus aisée que les seconds. Ceux-ci, appointés à 5 livres par jour, comprenaient davantage d'artisans indépendants. Quant aux travailleurs, qui formaient la base militante, ils se retrouvaient dans les Sociétés sectionnaires. Prenant la relève des Enragés, ils adoptèrent les mêmes mots d'ordre, et s'arrogèrent un pouvoir de surveillance qui concurrençait celui des autorités régulières. Bien que la subsistance et la quête du salpêtre, plus que la politique, aient animé leurs débats, les modérés y participaient de plus en plus, mettant en cause la Terreur et l'action gouvernementale. D'autres recrues « de nouvelle couvée », soufflant sur le feu, critiquant sans cesse et à tout propos, déconcertaient les vrais patriotes.

Ces rivalités inquiétaient aussi les Montagnards. La Convention avait déjà, le 9 brumaire (30 octobre), supprimé les Sociétés de femmes, et le 19, Robespierre attaqua les Sociétés sectionnaires. Les Jacobins leur refusèrent l'affiliation, les contraignant à s'épurer. Saint-Just dénonça les ambitieux et les rhéteurs qui s'y glissaient. On leur interdit toute tentative d'association. Le gouvernement manifestait ainsi son désir de discipliner un mouvement populaire qui menaçait son unité. « La souveraineté du peuple veut qu'il soit uni. Elle est donc opposée aux factions; toute faction est donc un attentat à sa souveraineté. »

On estima qu'Hébert et ses amis le dirigèrent. Aux Cordeliers, dans les bureaux de la Guerre, ils semblaient régner sans partage. On les écoutait aux Jacobins, on lisait le *Père Duchesne* aux armées et en province. La conjoncture économique leur était favorable; ils comptaient, pour ce motif, sur une large audience féminine. Ils paraissaient aussi, avec Chaumette, à la pointe de la déchristianisation. « A bas la calotte, et les calotins », criait-on avec eux.

Robespierre, encore, para le danger. Le 1er frimaire (21 novembre), il réclama la liberté pour tous les cultes et s'en prit aux « agents de l'étranger », qui manœuvraient dans la coulisse.

Les conspirations.

L'opinion générale confondit dans la même indignation les complots successivement dénoncés. Celui de « l'étranger », auquel participaient des réfugiés, provoquait chez les patriotes un sursaut xénophobe qu'entretenaient les discours des grands Jacobins. La haine pour le capital s'y ajoutait. Perregaux, Pereira, Proli, Guzman représentaient la banque internationale. Ils étaient liés avec des députés montagnards, dont Chabot, époux de la sœur des Frey, Autrichiens d'origine. Les uns et les autres dissimulaient leurs trafics derrière un civisme agressif.

L'affaire de la Compagnie des Indes contribua à les démasquer. Le décret de liquidation falsifié compromit Fabre d'Églantine et Delaunay, amis de Danton, qui en fut éclaboussé. Leurs agissements, dévoilés par Chabot et Basire, le 24 brumaire (14 novembre), coïncidaient avec ceux du baron de Batz, royaliste et agioteur. Trois jours plus tard les Comités de gouvernement décidèrent d'arrêter les plus compromis. Le 1er frimaire (21 novembre), devant les Jacobins, Robespierre reproduisit contre eux des arguments qu'il avait utilisés lors du procès du roi. Inconsciemment peut-être ils liaient leur cause à celle des coalisés, et très certainement « déshonoraient [celle] du peuple français ». La suspicion risquait d'atteindre l'Assemblée tout entière à travers quelques « corrompus », parmi lesquels on rencontrait des indulgents et des extrémistes. La « conspiration de l'étranger », réelle ou supposée, déclencha la lutte contre les factions.

Déjà l'examen de la conduite de l'ex-général Dillon, client assidu des tripots, avait montré ses attaches avec Desmoulins et Danton. Robespierre les défendit, mais nombre de Jacobins doutaient d'eux. Ils évitaient le club et s'élevaient à la Convention, dans le *Vieux Cordelier*, contre les déchristianisateurs et les terroristes, encourageant l'opposition modérée. En pleine guerre, en plein hiver, la « force coactive » risquait de se détendre. « Ceux qui veulent briser les échafauds sont ceux qui craignent d'y monter », constata

Saint-Just, et Robespierre, mis en cause dans le journal de Desmoulins, le blâma de ses inconséquences : « Je t'ai aimé autrefois parce que je t'ai cru républicain; je t'aime encore comme malgré moi-même; mais crains un amour jaloux, un amour en fureur qui ne te pardonnera pas si tu oses porter tes pas plus loin. »

Depuis le début de nivôse, le « grand » Comité était résolu à agir. Sa politique de bascule devenait inopérante; les coups échangés entre modérés et ultras ricochaient sur le gouvernement. Les Jacobins qui évincèrent Camille Desmoulins, n'étaient pas moins attentifs à la propagande hébertiste et aux débats des Cordeliers. Ceux-ci protestant contre l'arrestation de Vincent et de Ronsin, têtes de l'armée révolutionnaire, avaient voilé de noir la Déclaration des Droits. Les sections manifestaient à nouveau leur volonté de renforcer les contraintes économiques et la Terreur. Le *Père Duchesne* dénonçait furieusement la « clique » indulgente et les affameurs du peuple. On pouvait craindre une nouvelle « journée ». Des tribunes de la Convention et des Jacobins, Robespierre s'expliqua, d'accord avec tous ses collègues. Ses rapports des 5 nivôse (25 décembre) et 17 pluviôse (5 février) répondaient à la double menace, par l'impérieuse nécessité de maintenir le gouvernement révolutionnaire. Une fraction des sans-culottes lui donnait raison, se refusant à compromettre l'offensive de printemps aux frontières.

On voulut réduire à des « rivalités d'équipes » ces mouvements profonds. C'est apprécier bien légèrement leurs bases et leur signification sociale; c'est accorder une valeur singulière à des audaces verbales ou à des témérités de journalistes. Dantonistes et Hébertistes ne constituaient pas des partis, mais représentaient des forces. L'opinion se divisait par rapport aux incidences directes sur la vie et les biens de chacun, d'une Révolution qui se prolongeait. « Les uns prétendent qu'elle est finie, qu'il faut donner une amnistie à tous les scélérats... les autres qu'elle n'est point à sa hauteur... » Le modérantisme et la revendication populaire, ne se limitent pas à l'action de quelques hommes, mais de masses radicalement hostiles. Le gouvernement ne songea qu'à les effrayer en abattant ceux qui s'étaient eux-mêmes condamnés.

La liquidation des factions.

« Lorsqu'un gouvernement libre est établi, il doit se conserver par tous les moyens équitables : il peut employer légitimement beaucoup d'énergie; il doit briser tout ce qui s'oppose à la prospérité publique. » Le danger hébertiste parut le plus immédiat. Il visait directement le gouvernement des « endormeurs », « les jambes cassées, les hommes usés en Révolution ». Dénonçant sans mesure la corruption des députés, la cupidité des marchands, le fanatisme, il rassemblait les mécontents, les ambitieux, les miséreux. La guillotine lui tenait lieu de programme. « Frappez! Frappez! Que la hache révolutionnaire ne se repose que lorsqu'il n'existera plus de traîtres et d'intrigants. » La démagogie du *Père Duchesne* irritait et choquait la majorité de la bourgeoisie. Collot-d'Herbois tenta de réconcilier Cordeliers et Jacobins, ces « deux bonnes familles républicaines qui ne doivent jamais cesser de s'aimer ». Les appels à l'insurrection continuèrent. Hanriot, commandant de la garde nationale parisienne, s'éleva contre les fauteurs d'anarchie. Le tumulte cordelier servit de prétexte au Comité de salut public pour juguler le mouvement populaire.

Déjà la Convention s'était décidée, le 16 ventôse (6 mars 1794), à ouvrir une information contre ceux qui causaient de l'inquiétude à propos des subsistances. Puis le 23, sur le rapport de Saint-Just, elle les déclara « traîtres à la patrie », de même que ceux qui auraient favorisé « de quelque manière que ce soit... le plan de corruption des citoyens, de subversion des pouvoirs et de l'esprit public », ou « tenté d'ébranler la forme du gouvernement républicain ». On arrêta dans la nuit, avec Hébert, Vincent et Momoro, des chefs de l'armée révolutionnaire : Ronsin et Mazuel, des militants moins connus et les « agents de l'étranger ». Enfin, le 26, Amar, au nom des Comités réunis, s'en prit aux députés « corrompus ». Delaunay (d'Angers), Julien (de Toulouse), Chabot et Fabre d'Églantine, furent décrétés d'accusation le 28 (18 mars).

Les procès politiques qui suivirent donnèrent lieu à de curieux amalgames. Celui des dirigeants cordeliers débuta le 1er germinal (21 mars). Sur les bancs du Tribunal révolutionnaire parurent côte à côte vingt accusés dont neuf n'avaient aucun rapport avec l'avant-garde sectionnaire. Recherchés ou arrêtés depuis brumaire,

Proli, Dubuisson, Pereira, Desfieux, le banquier Conrad de Kock qui conviait à ses « parties fines » Hébert et Ronsin, voisinaient avec Anacharsis Cloots « pape des athées », et d'humbles commissaires qui ne comprenaient pas ce coup du sort. Après « une parodie de justice », on les exécuta le 4 germinal (24 mars).

Leur drame personnel fut ressenti par tous les sans-culottes qu'il stupéfia. On douta de leur culpabilité tant on se sentait soi-même concerné. Toutefois les résistances demeurèrent isolées. Les sections se confinèrent dans une prudente réserve qui rassura le gouvernement. A partir du 25 ventôse elles défilèrent à la barre de l'Assemblée pour lui témoigner leur loyalisme. Ce fut, le 29, le tour de la Commune « en masse », des tribunaux et du Département. Seule une affluence inhabituelle dans les Sociétés populaires témoigna du malaise général. Le découragement et l'anxiété remplacèrent l'exaltation patriotique.

Une semaine s'écoula avant l'arrestation de Danton. Ni ses amis, ni lui, ne cherchèrent à parer l'attaque dont ils étaient cependant avertis. Lorsque, le matin du 11 germinal, la Convention apprit la mesure, décidée la veille par les deux « grands » Comités réunis, elle manifesta « un trouble depuis longtemps inconnu ». Robespierre porta les premiers coups contre « l'idole pourrie ». D'ailleurs le nombre des coupables n'était pas si grand que l'Assemblée pût se sentir atteinte. Elle l'applaudit puis écouta Saint-Just dans le plus grand silence. « Que tout ce qui fut criminel périsse... Que les complices se dénoncent en se rangeant du parti des forfaits. » Aucun n'eut ce courage. On applaudit encore au décret d'accusation contre Desmoulins, Danton, Philippeaux, Delacroix, Fabre d'Églantine. On leur adjoignit Guzman et les Frey, l'abbé d'Espagnac, fournisseur aux armées, le général Westermann et Hérault de Séchelles. Le procès fut houleux. Danton, qui voulut parler, se le vit interdire par décret exprès. Il semble même que le Comité de salut public ait prévu l'arrestation du président et de l'accusateur public [1]. Tous furent guillotinés le 16 germinal (5 avril 1794).

1. Note inédite du 13 germinal : « Écrire à Hanriot de mettre à l'ordre qu'on ne fasse point arrêter le président et l'accusateur public du Tribunal révolutionnaire. Faire signer par quatre membres. » (*Arch. nat.* AF_{II} 22, pl. 174, p. 3).

Le désarroi et la confusion s'accrurent à l'Assemblée et dans l'opinion parisienne, spectatrice muette.

Un dernier procès, celui du général Dillon, permit, le 18 germinal, d'inculper Simond, député du Bas-Rhin, détenu au Luxembourg depuis plusieurs mois, dans un complot qui eût à la fois rendu la liberté aux autres prisonniers et détruit le gouvernement. Ils périrent le 24 germinal (13 avril) avec Chaumette, les veuves d'Hébert et de Camille Desmoulins.

La place de la Révolution attira pour ces supplices « un nombre incroyable de badauds ». On s'y donnait rendez-vous. « Êtes-vous allés voir hier Hébert? » interrogeait-on, et l'on répondait affirmativement. On reprocha au *Père Duchesne* sa lâcheté lorsqu'il passa « par la petite fenêtre ». On le plaisanta cruellement sur sa pipe et ses fourneaux. « J'ai trouvé le petit peuple gai », constatait un mouchard, se rassurant lui-même en rassurant les autorités. Elles n'étaient pas dupes. Vadier, du Comité de sûreté générale, s'acharna sur Danton, raillant « sa figure hideuse ». Les représentants en mission multiplièrent leurs proclamations lénifiantes. Le brûlement des journaux hébertistes, l'arrestation de leurs partisans au Mans, à Sedan, au Havre, prouvèrent toutefois que la province était « contaminée ».

En cela résida le drame de ventôse. Son sens historique apparaît clairement dans une volonté gouvernementale qui n'accepte plus d'être comprimée, et qui ne reconnaît dans l'État que les idéaux jacobins. Mallet du Pan décrit avec perspicacité cette situation nouvelle. Jusqu'ici « les factions aspirantes avaient renversé les factions dominantes avec l'appui de la force populaire ». Aujourd'hui, c'est « la faction dominante qui, en quinze jours, abat deux factions opposées entre elles et dont elle redoutait les desseins. Elle les abat sans le secours du peuple, sans mouvement de la canaille, légalement, avec les formes ». Il concevait ainsi la réalité de la dictature. Le gouvernement qui, dans son essence, appartenait au peuple, se privait de son appui. Au lieu de protéger, il devenait oppressif. La guerre et la subsistance ne justifiaient plus, aux yeux de l'opinion, cette dramatique contradiction que Saint-Just avait tant redoutée. « Le gouvernement révolutionnaire doit peser sur lui-même, non sur le peuple. » La dictature jacobine, en se renforçant, condamnait la Révolution.

4

Armée nationale et société militaire

L'histoire militaire s'est longtemps bornée au récit des batailles, à l'organisation des armées et à la tactique. Elle reconnut dans ces domaines l'apport essentiel de l'an II, mais insista rarement sur le moral des troupes que les historiens civils attribuèrent à l'élan national, à l'idéologie révolutionnaire. Pour les combattants des deux dernières Guerres mondiales et de la Résistance, on cita en exemple les troupes de la Révolution. On interpréta leur dynamisme selon des critères politiques : la défense du territoire et le patriotisme, ou le soulèvement démocratique contre les forces réactionnaires. Guerre nationale ou guerre de classe? C'est séparer arbitrairement des problèmes qui, en fait, se conjuguent.

Dans les années récentes, l'accord se réalisa sur la nécessité d'une utilisation quantitative et qualitative de la masse documentaire inexploitée, les uns apportant leur expérience de spécialistes et les autres leur méthode. On entreprit d'abord de compter les hommes, de distinguer les classes d'âge, les origines géographiques et sociales. Les premiers résultats qui se dessinent permettent de nuancer des conclusions hâtives. L'armée des sans-culottes comporte des catégories analogues à la société civile qu'elle reflète. Volontaires et troupes de ligne ne paraissent plus fondamentalement opposés.

La dictature jacobine, qui créa vraiment la puissance militaire et sut l'utiliser, modifia les comportements humains. On s'attarde actuellement sur eux. L'insoumission, la désertion, le refus d'obéissance, dont les preuves s'accumulent, révèlent des courants hostiles et les difficultés du gouvernement révolutionnaire. Le soldat de la Révolution, dans sa mentalité collective et ses attitudes individuelles intrigue le sociologue. L'étude des paniques notamment s'annonce passionnante.

La machine de guerre de l'an II revêt aussi d'autres aspects qu'on commence à évoquer. Avec ses combattants et ses parasites elle prend dans l'État républicain sa dimension réelle qui est insupportable. Une société autonome se constitue avec ses structures rigides et le sentiment de sa supériorité. Dans quelle mesure l'esprit de Valmy et de la levée en masse subsiste-t-il encore dans l'armée de Fleurus?

L'armée de la Révolution fut, comme le gouvernement, une création continue. Les grandes levées d'hommes ne s'intégrèrent pas selon un plan préétabli, comme pour nos mobilisations générales. L'afflux des requis fit éclater les structures de la ligne. Il fallut innover dans un système archaïque qui s'adapta en conservant une part de tradition, d'où son double aspect. Instrument de défense nationale, l'armée obéit à des règles, à une hiérarchie. Moyen d'action révolutionnaire, elle fut démocrate et jacobine. L'enthousiasme qui l'habita répond à celui des grandes journées populaires. Armée du peuple, elle exalta l'héroïsme et sécréta un civisme contagieux. Les citoyens-soldats s'amalgamèrent aux soldats devenus citoyens. Proches de la société civile par le cœur et les dangers, ils subirent son influence. Ils partagèrent ses craintes, s'érigèrent en censeurs comme les clubs et dénoncèrent l'aristocratie de leurs chefs.

L'apport sans-culotte communiqua aux troupes l'élan, la spontanéité, l'initiative, mais encouragea la contestation qui ruina la discipline. Le Comité de salut public la rétablit, l'imposa à tous les échelons, s'appuyant sur la justice. La stricte obéissance aux ordres n'entraîna cependant pas un dévouement inconditionnel aux chefs que le pouvoir civil surveilla étroitement. L'esprit de corps se développa entre les individus, sans distinction de grades. L'égalité des conditions matérielles consolida leur solidarité morale. Elle n'exista pas partout et ne subsista pas toujours.

On doit se défaire d'une double légende : celle de l'épopée hugolienne des « va-nu-pieds superbes » courant à la victoire; celle d'une exaltation patriotique à l'état pur, sans faiblesse et sans tache. Péniblement peut-être, l'Indivisible assura aux soldats de l'an II l'essentiel, avant Thermidor beaucoup mieux qu'après.

Nombre d'adresses expriment aussi leur sentiment national, leur attachement à la Convention et leur foi sincère dans les destinées de la République. Mais les correspondances privées démontrent qu'ils ne furent pas insensibles à « de misérables détails » : la solde, l'avancement, la gloire. A mesure que la guerre se prolongea d'aucuns s'en lassèrent et d'autres s'en firent un métier, un moyen d'ascension sociale. Les victoires renforcèrent ces attitudes. Elles apportèrent aux ambitieux des satisfactions immédiates, elles alimentèrent les souvenirs des anciens et l'enthousiasme des jeunes. L'armée qui communia dans le jacobinisme, l'aida à survivre à la Révolution dans la mentalité populaire.

1. Guerre révolutionnaire et guerres traditionnelles

La guerre pesa sur la Révolution qui, à son tour, la transforma. Dès lors, elle cessa de ressembler aux précédents conflits, et prépara les affrontements modernes. Contre l'étranger ce fut une *rébellion* nationale. Elle emprunta aux rébellions armées quelques-unes de leurs méthodes, et le génie collectif les transcenda par le nombre et l'esprit. Devenue psychologique, elle servit la propagande politique et sociale. Par elle, le peuple français tenta d'éduquer les peuples frères. Mais le libérateur fut aussi l'occupant. Les principes pénétrèrent sous la contrainte, provoquant résistances individuelles et réactions nationales. La Révolution, identifiée à la République, employa, pour forcer la victoire, les mesures terroristes dans ses armées et ses conquêtes. Elle répandit l'effroi dans la contre-révolution européenne qui comprit trop tard le caractère sacré de cette croisade de la Liberté.

La croisade de la Liberté.

« Si l'armée recule, tout le peuple français doit se lever et lui servir d'arrière-garde. » La guerre révolutionnaire le fut par l'esprit qui imposa peu à peu les moyens. Sa conduite appartint aux pouvoirs civils et militaires. Les grandes voix jacobines prêchèrent l'intransigeance et la rigueur. Tant que la coalition déborda nos frontières, on ne songea qu'à la chasser. « Le peuple français ne fait point la paix avec un ennemi qui occupe son territoire. » Traiter dans ces conditions équivaudrait à « renoncer à son indépendance ». Robespierre proposa la peine de mort contre de tels projets.

Quels que soient d'ailleurs les hasards des combats et les intérêts particuliers, l'opinion resta unanime. L'armée, la classe des entrepreneurs et la masse des sans-culottes se refusaient à ralentir l'effort de guerre. Elles exigeaient qu'on poursuivît le combat « contre les rois... jusqu'à leur destruction totale ». La plus petite commune manifesta cette volonté. Repousser l'adversaire ne suffisait pas : on devait l'exterminer. La guerre serait donc totale. « Il faut la faire à outrance ou rentrer dans ses foyers », et accepter la ruine de la République.

Le « grand » Comité envisagea de la porter en Angleterre. Dès avril 1793, le *Père Duchesne* y avait convié « cent mille bougres bien déterminés ». Des agents furent expédiés en Irlande et en Écosse. On songea à utiliser les îles anglo-normandes comme relais pour un éventuel débarquement militaire, puis celle de Wight. A la fin de pluviôse, Billaud-Varenne et Ruamps préparèrent l'expédition en grand secret. On l'abandonna à cause des vents contraires. Carnot et Prieur (de la Côte-d'Or) organisaient à la même époque leur offensive de printemps. Les troupes, qui fixaient au Nord l'ennemi autour de Dunkerque et du Quesnoy, engagèrent des actions limitées. Elles aboutirent aux succès d'Honschoote, le 8 septembre, et de Wattignies le 16; puis, dans l'Est, Kellermann délivra la Savoie, et Hoche débloqua Landau le 29 décembre; sur les Pyrénées, Dagobert repoussa les tentatives espagnoles. L'invasion enrayée, non sans mal, révéla des nécessités nouvelles : la coordination des opérations, la cohésion des troupes, un civisme éclatant et une étroite subordination des militaires au pouvoir civil. « Les plans premiers, appropriés à l'esprit national... ne peuvent appartenir » qu'aux mandataires du peuple [1].

1. Circulaire du Comité de salut public aux généraux en chef, citée par P. Mautouchet, *Le Gouvernement révolutionnaire*, p. 244.

La Constitution supprimait le généralissime, le Comité de salut public le remplaça. Après le 14 frimaire, il le signifia aux généraux. « Le temps de la désobéissance est passé. » Aux représentants près des armées, il dicta leur conduite. La grandeur de la tâche commune fera taire les susceptibilités. Confiance, solidarité, amitié uniront surveillants, chefs et soldats qu'on traitera en citoyens. On maintiendra un moral élevé par une justice implacable qui s'exercera sur tous. Dans une armée nationale, cette égalité répond de la discipline.

La majorité des « missionnaires » agit avec sang-froid et humanité dans des conditions difficiles. Rares furent ceux qui se crurent des foudres de guerre et que leur vanité aveugla. Ils observèrent, censurèrent et animèrent, forçant souvent leur tempérament débonnaire. Leurs habitudes administratives ou leur formation juridique produisirent d'heureux effets. Sans eux le gouvernement n'aurait pu imposer son autorité; grâce à eux, elle fut plus supportable, partant plus efficace. Ils destituèrent les généraux timorés et incapables, nommèrent provisoirement leurs successeurs, veillèrent avec le même soin au ravitaillement du soldat et à l'avancement. Ils surent distribuer les récompenses et frapper les imaginations. Leurs arrêtés rendent compte d'une débordante activité. Leurs proclamations soutiennent la comparaison avec celles de Bonaparte et de Napoléon. « La République française ne reçoit de ses ennemis et ne leur envoie que du plomb. » Tous n'égalèrent pas Saint-Just, mais les troupes apprécièrent leur présence et discutèrent rarement leur conduite.

Montrant l'exemple, ils couchèrent sous la tente, chargèrent à la tête des colonnes. Plusieurs, dont Chasles, furent blessés. Souvent ils dirigèrent les combats avec les généraux. Entre eux l'entente ne s'établit pas toujours; ceux-ci, forts de leur expérience, voulaient mener leur petite guerre. La pratique de la lutte révolutionnaire les désorientait. Comme au temps de l'armée royale, ils s'entouraient d'une clientèle d'aides de camp et avantageaient la ligne. On leur reprocha des entreprises hasardeuses, estimant qu'ils étaient comptables d'un sang inutilement versé. On fit quelques exemples. Ils se soumirent lentement et à contre cœur. Paris leur paraissait lointain. Par courriers spéciaux et dans la belle saison, il fallait, pour communiquer avec la capitale, deux jours de la frontière du Nord, quatre de celle de l'Est. On constata leurs réticences dans les points les plus éloignés et en Vendée.

Les enseignements de la Vendée.

« Nous n'entendons rien en vérité à la manière de guerroyer de ces Messieurs », constataient en regard des Vendéens les représentants, à la fin de septembre 1793. Leur tactique s'était sensiblement modifiée. Aux engagements massifs, ils préféraient la guérilla. Profitant des abris du terrain, des sous-bois et de la nuit, ils harcelaient avant-postes et convois. Vite rassemblés, aussi vite dispersés, ils combattaient sans cesser d'être des paysans. La moisson les ramenait à leurs champs, comme les semailles. Ils n'avaient que des rudiments d'instruction militaire. Ils n'exigeaient pas de solde, mais les vêtements, les armes, la nourriture dont ils s'emparaient. Après la victoire, on leur tolérait le pillage pour un temps limité.

Leur fanatisme les soutenait, mais leur indiscipline désolait les chefs et les soldats chevronnés qui les encadraient. Excellents tireurs, marcheurs endurants, ils provoquèrent des paniques en restant insaisissables. Ils économisèrent les munitions et n'usèrent du canon qu'à bon escient, le préservant comme un objet rare. On insista sur ces avantages pour dissimuler des faiblesses réelles : la mésentente des généraux, le nombre des aventuriers et des déserteurs étrangers, le cortège des femmes et des enfants.

Le Conseil des généraux et des représentants républicains qui s'efforçait de diriger, depuis Saumur, la lutte contre les rebelles, imita leur mobilité et profita de leurs défauts organiques. Dans une certaine mesure, les armées catholiques ressemblaient aux jeunes recrues qu'on leur opposait. Pourquoi poursuivre une guerre de tacticien lorsque la tactique n'apportait que des déboires? L'armée de Mayence, entraînée, fut engagée à part. Les bataillons de la levée, réunis dans des camps, se familiarisèrent aux patrouilles et aux déploiements en tirailleurs. Après leur raid breton qui échoua devant Granville, les Vendéens chassés du Mans, puis écrasés à Savenay le 5 nivôse (23 décembre 1793), furent contenus au sud de la Loire. On les bloqua dans les Mauges et le Marais, par une ligne de défense quasi continue.

Les dispositions de Turreau et ses « colonnes infernales » se conçoivent dans ce cadre de la « petite Vendée ». De janvier 1794 au début de mai, elles sillonnèrent le réduit avec la volonté de l'exterminer. Ainsi que l'adversaire « dont la rage est terrible », on transforma autour de soi le pays en désert; on détruisit les récoltes; on abattit les châteaux-repaires et les clochers des guetteurs; on évacua sur la périphérie les populations fidèles terrorisées.

Dans les opérations militaires, la Vendée fut toujours traitée isolément. Le Comité de salut public mesura son importance aux effectifs qu'elle distrayait des frontières. Elle comporta aussi des leçons qu'il retint. La dispersion des pouvoirs provoqua chez les chefs des jalousies tenaces et un sentiment d'irresponsabilité. La pratique des détachements nuisit à l'unité de l'armée; chaque groupe préserva ses habitudes et conserva une certaine initiative. La solidarité se limitait à la compagnie, l'obéissance au capitaine. On feignait d'ignorer le haut commandement. Dans les combats partiels sur les autres fronts, les techniques de la guérilla se répandirent. On les utilisa en Savoie et dans les Pyrénées; on les employa dans le Nord et l'Est pour les manœuvres d'approche et sur des positions défensives. Elles servirent plus qu'on ne le pense, sur les grands théâtres d'opération.

La tactique de l'an II tint compte à la fois de l'élan révolutionnaire, de la disposition du terrain et d'initiatives individuelles. L'attaque frontale par masses fut améliorée. On conçut la campagne de 1794 selon un vaste plan dont la région du Nord constitua le centre, et avec une grande minutie. Le nombre fut un atout, non le seul. L'offensive à outrance symbolisa la volonté de vaincre.

Carnot, officier du génie, restait fidèle à l'usage des retranchements sur lesquels on s'appuyait; néanmoins les instructions qu'il fit adopter le 14 pluviôse (2 février) témoignent de son évolution. « Agir toujours en masses et offensivement; entretenir une discipline sévère et non minutieuse dans les armées; tenir toujours les troupes en haleine sans les excéder; engager en toute occasion le combat à la baïonnette et poursuivre constamment l'ennemi jusqu'à sa destruction complète. » On comptait aussi sur le coude à coude pour enhardir les attaquants.

Les mouvements en colonnes précédées de tirailleurs, ou en

lignes déployées, dépendirent des lieux et des objectifs. Les assauts à l'arme blanche, qu'une étude superficielle tend à exagérer, furent imposés par les circonstances. Le coup de feu tiré, il fallait recharger et le corps à corps ne le permettait pas. Le succès dépendit d'heureuses diversions, de la part grandissante de la cavalerie et des pièces de campagne. Ainsi la science et l'organisation conférèrent à l'armée nationale une force nouvelle. La Révolution anticipa sur les guerres modernes, tandis que les coalisés demeuraient fidèles à la tradition.

L'esprit de la coalition.

« La fureur qui anime les Français rend la campagne exterminante; c'est une guerre à mort. » Mallet du Pan conseillait à la coalition européenne de recourir à l'unité de commandement et aux moyens de ses adversaires. Elle jeta dans la lutte des masses d'hommes et d'argent sans sacrifier ses habitudes bureaucratiques, imitées de la Prusse. Les cadres furent nobles et les troupes mercenaires. On les recruta par tirage au sort, les volontaires ne suffisant plus. La discipline ne se relâcha pas et les peines corporelles subsistèrent. Les souverains menèrent un combat démodé, refusant de reconnaître les aspects nouveaux de la lutte. Ils poursuivirent leurs objectifs particuliers et dédaignèrent l'appui des royalistes de l'intérieur. Le Comité de salut public tira parti de leur mésentente et de cet aveuglement, toutefois l'insurrection polonaise intervint trop tard pour l'aider réellement [1].

Leur diplomatie se complut dans sa routine et les rapports des ambassadeurs étrangers en font foi. Seule la propagande contre-révolutionnaire, qu'ils considéraient avec une grande réserve, agit à la fois sur les populations civiles et les armées. Leurs informateurs prêtaient au peuple français de continuels projets de massacres. Nobles, prêtres et bourgeois devaient périr de la main des patriotes. On brandit la République comme un épouvantail;

1. Elle éclata à partir de mars 1794 sous l'impulsion des radicaux qu'on qualifiait de Jacobins. Ils organisèrent le 28 juin une grande manifestation populaire. Ce fut alors que Kosciuszko entra dans Varsovie.

on dépeignit tous les Français comme des barbares. Le décret qui interdit de faire quartier aux Anglais et aux Hanovriens justifia ces dires, et la certitude d'une faillite prochaine du gouvernement révolutionnaire rassura l'étranger.

L'Angleterre, qui finançait en partie l'effort de ses alliés, était dirigée par des médiocres. Pitt et Grenville firent preuve de ténacité, non de clairvoyance. Rien ne les préparait aux opérations militaires, mais leurs forces navales restaient considérables. A leur tête, lord Chatham, frère de Pitt, et le duc de Richmond, paresseux et nuls, ne surent en profiter. On continua à lever les marins par le volontariat et la « presse » qui aboutissait à « rafler » dans les ports paresseux et ivrognes. Leur entraînement et leur nourriture, mal assurés, compromirent la discipline. On risquait des troubles en diminuant la ration de rhum. De plus, les alliés hollandais et espagnols n'inspiraient pas confiance et le blocus économique de la France leur aliéna les neutres.

Malgré une nette supériorité qu'elle devait au nombre et à l'armement de ses bateaux, la flotte anglaise ne parvint pas à imposer sa maîtrise totale. Elle avait conservé ses techniques de construction et la tactique du combat en ligne, opposant vaisseau contre vaisseau. On l'évita généralement. Equipages et matériel se fatiguèrent en croisières interminables de l'Océan à la Méditerranée, sans succès notables. Nos corsaires, plus rapides et autonomes, causèrent à la marine marchande adverse des pertes sensibles et soutinrent dans les Antilles une lutte profitable. En 1794, son tonnage global diminua et la part des neutres, dans son commerce, s'accrut. La Banque d'Angleterre ressentit ces effets; le chômage et la cherté des grains provoquèrent des remous populaires. Ainsi l'immobilisme des coalisés contribua à leur défaite. Ils refusèrent d'en convenir et d'associer les peuples à leur guerre en modifiant les structures sociales. L'effort prestigieux de la République jacobine et l'ardeur combative de ses troupes produisirent par suite un effet imprévu; ils révélèrent aux masses asservies la puissance qu'elles détenaient.

2. La levée en masse et son encadrement

Le Comité de salut public obtint ses succès de l'automne 1793 avec la ligne, les volontaires et les requis de février. Mais, engagés pour une campagne, les volontaires de 92 songèrent à leur tour à quitter l'armée. Dans celle des Pyrénées, une bonne moitié des troupes demanda son congé absolu. On ne put retenir un jour de plus à Nantes le premier bataillon de Seine-et-Oise. L'hiver permit d'incorporer les premières classes de la levée en masse, portant à près de 900 000 hommes les effectifs globaux. Toutefois les difficultés furent grandes et les effets fort lents.

Pour hâter l'exécution du décret du 23 août, la Convention expédia à travers le pays 18 députés montagnards que les délégués des assemblées primaires, réunis à Paris en août, seconderaient. On applaudit à la suppression du remplacement qui permettait aux requis fortunés de rester chez eux. Plus de « héros à 500 livres[1] ». Le service militaire, égal pour tous, devint la forme éminente du dévouement patriotique.

A un an d'intervalle, les dangers de la patrie provoquèrent le même sursaut populaire dans les régions menacées. Fin août le tocsin sonna à Wissembourg et des milliers de paysans pourvus de vivres se groupèrent dans les forges de Bitche. Le district de Sedan fournit en quelques jours 1700 jeunes gens. A Clermont-Ferrand, 8 à 900 journaliers, réunis pour se louer dans les fermes, décidèrent de marcher contre les rebelles lyonnais. On établit, entre la capitale et la frontière du Nord, des camps provisoires pour accueillir les requis parisiens. Néanmoins, l'enthousiasme ne fut pas général. La saison ne favorisait pas les enrôlements. Après les battages, il fallait songer aux labours d'automne, puis aux semailles. Dans l'Hérault, les vendanges retenaient les travailleurs et des troubles éclatèrent. Les représentants usèrent de la guillotine pour convaincre les récalcitrants. Dressée en permanence

1. Ainsi qualifiés par allusion au montant de la prime qu'ils réclamaient.

à Toulouse, elle en imposa aux « muscadins et aux mirliflors » qu'on accusait de détourner leurs camarades. Coupé (de l'Oise) proposa de les faire tondre, en signe d'infamie, avant de les envoyer à leurs corps.

On observa bientôt qu'il ne servait à rien de précipiter les départs. Les armes et effets manquaient. A Rocroi le district laissa sous la tente pendant dix jours un millier de requis, puis se détermina à les renvoyer, mesure grave qui compromettait un second rassemblement, et cependant justifiée. On déplorait dans la Brie et la Beauce cette nouvelle ponction de main-d'œuvre. Les fermiers s'inquiétaient des terres délaissées, prévoyant des récoltes appauvries. Ne pourrait-on libérer les exploitants qui possédaient au moins une charrue? Les représentants accordèrent des sursis agricoles limités qui se prolongèrent, puis, le 6 pluviôse (25 janvier), le Comité de salut public les autorisa. Ils atteignirent des proportions importantes. Le 29, Gillet constata qu'à l'armée des Ardennes les bataillons fondaient. Dans l'un d'eux, les 5/6e des requis avaient disparu, emmenés par leurs parents. On révoqua ces permissions le 13 ventôse. Les retours s'effectuèrent sans hâte; ils duraient encore au milieu de germinal lorsque débuta l'offensive.

Les levées de chevaux suivirent une cadence analogue. Le décret du 23 août réquisitionnait tous « les chevaux de selle... pour compléter les corps de cavalerie » et ceux de trait qu'on n'employait pas pour conduire l'artillerie et les vivres. Bien qu'on désignât pour cette tâche un nouveau représentant par région militaire, les résultats furent inégaux. On décréta, le 7 octobre, une levée extraordinaire. Les campagnards, conservant leurs meilleures bêtes, livraient les fatiguées et les malades. Dans le Midi, les opérations ne s'achevèrent qu'à la fin de l'hiver. Les parcs se révélaient insuffisants et les palefreniers peu soigneux; le déchet fut considérable.

L'organisation de la cavalerie en souffrit. Lorsqu'on possédait des montures, les cavaliers manquaient, et vice versa. Les recrues choisissaient elles-mêmes d'y servir, non par aptitude réelle, mais pour s'épargner des marches. On constata qu'un grand nombre n'avaient aucune habitude des chevaux. Puisqu'il existait un corps de gendarmes à cheval pour assurer la protection des convois, pourquoi ne pas l'envoyer combattre et le remplacer dans ses fonctions par de moins entraînés? L'artillerie, qui exigeait une instruction spéciale, connut aussi des difficultés de recrutement.

On apprécie mal les résultats de la levée en masse : 3 à 400 000 hommes peut-être. Ici, chaque classe d'âge fut successivement requise; là, on appela en une seule fois les sept classes. L'apport varia d'une commune à l'autre du seul fait de l'année de naissance de ses habitants, et selon les régions par la volonté des représentants et les circonstances. Les études locales s'accordent sur un prélèvement du huitième au tiers de la population active. Près des frontières la proportion des requis fut plus grande. Le département des Vosges en compta 25 000. Fin germinal on avait levé un total de 23 bataillons dans le Nord, 14 en Seine-Inférieure, 13 dans le Pas-de-Calais et la Manche, 10 dans le Calvados, 5 dans l'Eure et l'Orne. Les régions du centre fournirent de moindres contingents. Toutefois prises au hasard, des communes accusent des chiffres comparables à ceux de notre Première Guerre mondiale : 300 combattants à Barr sur 700 chefs de famille, 100 sur 300 à Taverny, 120 sur 280 à Castel-Sograt (Lot-et-Garonne). Les plus petits villages et quantité de familles se trouvèrent ainsi directement impliqués dans la guerre; ses revers et ses victoires furent, de la sorte, ceux de la nation entière.

Les cadres. L'avancement.

Avec Carnot, toute la Montagne et les Jacobins estimaient que du patriotisme des cadres dépendait le sort de la patrie. « Soldats, nous venons vous venger en vous donnant des chefs qui vous mènent à la victoire. Nous avons résolu de chercher, de récompenser, d'avancer le mérite. » Saint-Just transmettait à l'armée du Rhin les vues du « grand » Comité. Le décret du 21 février 1793 avait tenté d'unifier l'avancement de la ligne et des volontaires. En principe, les fantassins élisaient par compagnie leurs caporaux à la majorité absolue. Jusqu'au général de brigade, le tiers des grades était pourvu à l'ancienneté et les deux tiers au choix parmi les inférieurs immédiats. Le gouvernement désignait le haut commandement. Les coalisés ridiculisèrent ce système. Il entraîna bien des mécomptes et porta à la tête des bataillons des officiers ignorants « qui ne s'occupaient qu'à la bombance et à filer auprès des filles ».

La ligne comptait en 1793 nombre de vétérans des campagnes de l'Ancien Régime. Près de 70 % étaient sortis du rang. Leur ancienneté les favorisa. Ils disputèrent les grades aux volontaires et dépassèrent bientôt les jeunes éléments issus de la garde nationale. Celle-ci, contrairement à ce qu'on pense, possédait souvent des cadres entraînés qui avaient combattu avant 1789. Ils alliaient à leurs connaissances militaires une bonne instruction et un grand patriotisme. L'avancement, qui tenait compte de cette double provenance, différait néanmoins selon les unités. En calculant l'ancienneté d'après l'âge et la durée des services on provoquait le vieillissement des échelons subalternes. Les représentants le constatèrent. Pflieger observa que les sous-officiers de cavalerie étaient « routiniers, présomptueux et entêtés ». Pour Gillet, la promotion ne constituait pas qu'une récompense. C'était « un devoir dont il fallait se montrer digne ». Il préconisait de ne retenir que le temps passé dans l'arme et dans le grade.

La levée en masse exigea une multiplication rapide des cadres. On conserva les mêmes méthodes, mais la part du choix, plus grande, accrut proportionnellement celle de la jeunesse. On distingua le mérite, l'audace et le civisme. Dans les bataillons et les escadrons, capitaines imberbes et vieux briscards soutinrent un commun idéal, oubliant leurs origines diverses.

On comptait encore des nobles parmi eux, mais de petite naissance. Le peuple réclamait leur exclusion. Hassenfratz, à plusieurs reprises, l'avait exigée à la tribune des Jacobins. En juillet 1793 on procéda à une grande épuration dans les états-majors. Des régiments, à l'armée du Nord, les chassèrent en septembre. Mais leur remplacement se révéla difficile. On maintint ceux qui avaient prouvé leur courage et leur dévouement. A la fin de germinal ils subsistaient, nombreux, dans la cavalerie et à l'armée des Alpes, malgré l'opposition des soldats. Les reproches se fondaient moins sur leur condition que sur leur nullité et leurs opinions. On ne tolérait pas leur morgue et leur incivisme.

Pour améliorer le recrutement et développer l'esprit révolutionnaire, on envisagea, dès l'école, une instruction militaire. Les bambins jouèrent au soldat. Des compagnies se formèrent spontanément à Colmar par exemple sous le titre d'*Enfants de la Patrie*. On manœuvra avec des fusils de bois, on s'exalta au récit des actions héroïques. Puis, le 13 prairial (1er juin 1794) la Convention créa « les élèves de Mars ». Des adolescents de 16 et 17 ans, à raison de six par district, se réunirent à Paris pour suivre une formation accélérée. On puisera plus tard dans cette pépinière.

Il fallait surtout, pour les chefs de corps, se préserver de l'ambition. « Mieux vaut perdre une bataille que la patrie. » Mais on manquait d'officiers généraux instruits et républicains. Garnier (de Saintes) écrivait du Mans, le 7 frimaire (27 novembre) : « Les trois quarts se battent comme les laquais des nobles servaient autrefois leurs maîtres. » Lequinio renchérit le 8 ventôse (26 février) : « Nos généraux se sont crus [en Vendée] fermiers de la République et ils ont voulu faire durer le bail. » Presque toujours le Comité ratifia les propositions des représentants pour les généraux de division. Il conserva Canclaux, Grouchy et bien d'autres qui étaient nobles, des vétérans qui étaient patriotes. Mais, pour conduire les armées, son choix se porta sur des hommes jeunes, d'une autorité indiscutable. On conserve le souvenir de ces avancements prestigieux. Hoche, Marceau, Bonaparte commandaient en chef à 24 ans; Jourdan n'avait que 32 ans en 1793, et Pichegru 33. Ney et Gérard se battirent sous les ordres de Bernadotte, « brigadier » à 30 ans, en juin 1794. Plus tard maréchaux d'Empire, ils ne rappelèrent pas sans émotion la solidarité d'armes qui régnait au temps de l'Indivisible.

Amalgame et embrigadement [1].

« L'unité de la République exige l'unité dans l'armée. La patrie n'a qu'un cœur et vous ne voulez pas que ses enfants se le partagent avec l'épée. » Saint-Just entendait généraliser l'amalgame. L'exécution de la loi du 21 février 1793, laissée jusqu'à l'hiver à l'initiative des représentants, aboutit à des solutions diverses. Parfois on utilisa les requis pour compléter isolément les unités existantes, mélangeant volontaires et lignards. Parfois on juxtaposa bataillons de ligne et de volontaires qui conservaient leur caractère régional et leurs chefs.

1. Voir ci-dessus, p. 50 (note), 69 et 92.

La levée en masse ne pouvait qu'accroître le désordre et la confusion. Les généraux encourageaient la formation des corps francs, dont certains ne comptaient pas trente hommes, bien que leur chef exigeât une solde de commandant de bataillon. La variété des costumes, le luxe de ceux des états-majors indisposaient les arrivants. On distinguait mal les grades, les corps spécialisés et les services civils. L'embrigadement, tel qu'on le décréta le 2 frimaire (22 novembre 1793), forma en demi-brigade un bataillon de ligne et deux de requis, dont l'excédent fut réparti entre les unités existantes. On confondit ainsi les termes.

Le gouvernement et le Comité militaire consacrèrent les mois de nivôse-ventôse à élaborer une législation d'où sortit « l'armée nouvelle » qui prépara celle du Directoire. On tenta d'assurer la stabilité des effectifs, d'uniformiser la solde, le costume, l'avancement, la comptabilité, de répartir les hommes entre les trois armes. L'infanterie, la plus nombreuse, fut constituée en bataillons de 800 soldats et officiers, formations anciennes et récentes, qu'on amalgama selon les règles habituelles. L'effectif de la demi-brigade fut complété à 2 400 hommes; la cavalerie et l'artillerie restèrent groupées en régiments. On accomplit, pour rendre l'armée plus mobile, un effort spectaculaire. Les unités légères se distinguèrent de celles de ligne et de garnison. Les bataillons de chasseurs, de dragons, de hussards, englobèrent tous les corps francs et l'on porta à 86 000 les effectifs de la cavalerie. L'artillerie montée, différente de celle de place, capable de transporter rapidement les pièces en pleine bataille, compta neuf régiments instruits avec un grand soin.

L'intérêt tactique était évident, et la rigueur qu'on mettait dans l'organisation n'était pas moindre. Elle devait permettre de fixer les hommes à leur compagnie. Chaque demi-brigade, chaque régiment étaient pourvus d'un numéro. L'avancement jouait dans l'arme où l'on était versé, jusqu'aux grades supérieurs. L'ancienneté acquise se calculait plus aisément. Remarquable de précision, le décret du 12 ventôse (2 mars 1794) fixa les détails des uniformes. « Le vêtement d'un militaire républicain ne comporte que la simplicité et la commodité. » Plus de panaches et de couleurs disparates; on adopta « les couleurs nationales dans toutes les classes de l'armée ». Les officiers obtinrent seulement le droit de se choisir une qualité d'étoffe différente. Au premier coup d'œil on devait reconnaître les unités et les galons. Même les services civils furent dotés d'un costume spécial.

En vue de cette vaste réforme, la Convention désigna le 17 pluviôse (5 février) sept représentants pour les quatorze armées dont on disposait. Ils progressèrent lentement; la pratique des détachements compliqua leur tâche. Les résistances des soldats et des officiers l'entravèrent. Ils entendaient maintenir leur recrutement local. Des méridionaux incorporés parmi les Mosellans demandèrent à rejoindre leur ancien corps. On le leur interdit, ils le firent clandestinement. Ces « passe-volants » désespéraient les quartiers-maîtres responsables des états de situation qui restèrent approximatifs. Il fallait aussi intégrer dans l'infanterie les grenadiers, faire teindre en bleu les anciens effets. Gillet signala enfin qu'il disposait à l'armée des Ardennes de 14 bataillons de requis dont il n'avait pas l'emploi.

Quant à la marine, Jeanbon Saint-André, au retour d'une longue mission à Brest, présenta le 12 pluviôse (31 janvier 1794) son bilan à la Convention. Après la trahison de Toulon « les travaux languissaient dans les ports, la malveillance enclouait tous les bras ». On emprisonna les officiers royalistes. Les marins, anglophobes par « vocation » et frondeurs par tempérament, se montrèrent patriotes. Ils consentirent à instruire les novices. Chaque vaisseau se transforma en école de matelotage. La discipline fut rétablie. On compléta l'encadrement et l'administration civile. Des primes furent allouées aux ouvriers des chantiers. On construisit les phares de Penmarch' et de Groix, et de nouveaux vaisseaux de ligne en réquisitionnant bois durs et cordages. Grâce à l'expérience d'ingénieurs comme Forfait, et à l'énergie révolutionnaire, les frégates mises à flot dans Brest, Lorient, Rochefort et Toulon reconquis, dépassèrent de trois fois le nombre des anglaises affrétées dans le même temps.

Elles protégèrent efficacement les convois de grains. Au cours d'une opération de ce genre, du 9 au 13 prairial (28 mai — 1er juin), Villaret-Joyeuse tint Howe en respect. L'odyssée du *Vengeur* souleva dans le pays un vif enthousiasme. Les Sociétés populaires ouvrirent des souscriptions pour contribuer au développement de nos forces navales. Elles acquirent de vieilles corvettes pour les armer en course. Saint-Malo comptait plus de 1 200 marins employés sur les corsaires dont les prises se multiplièrent à partir de germinal, leur assurant des profits confortables. On préleva des requis pour compléter les détachements embarqués; ils ne répondirent pas toujours.

Au début du printemps, la détermination des patriotes avait permis, pour l'essentiel, de garnir côtes et frontières. L'incorporation des jeunes accélérait leur instruction. Entre lignards et « volontaires » les querelles s'apaisaient. Bien que dans la Vendée l'embrigadement ne fût jamais complet, la solidarité des armes se développa. On se gardera toutefois de considérer que la force militaire se constitua d'un coup de baguette, et par la seule volonté populaire. Le gouvernement révolutionnaire l'organisa, la stimula et la pourvut des cadres qui convenaient à sa nature. Mais la Terreur n'empêcha ni les abandons de postes, ni les refus de servir.

Les déchets. Insoumis et déserteurs.

L'importance des levées et leur caractère obligatoire accrurent sensiblement la masse des transfuges. En réalité leur proportion moyenne ne varia guère, ni leur répartition géographique. On ne confondra pas l'insoumis qui refuse un devoir national avec le déserteur qui abandonne l'armée. Le premier délit est civil; le second, militaire, s'accompagne de vol, puisque le soldat emporte avec lui son uniforme et ses armes. D'ailleurs la mentalité paysanne les distingua nettement.

La France rurale protégea l'insoumis. Il appartient à sa communauté et se réfugie non loin d'elle. Plus que le riche fermier, l'exploitant retient son fils ou son domestique, et le nourrit. Lorsque cessent les poursuites il reprend sa place aux champs avec la complicité des notables. Les mères et les fiancées encouragent cette désobéissance par des arguments sentimentaux. Fallait-il considérer comme des lâches tous ceux qui se dérobaient? Pour en diminuer le nombre, on les traita en suspects, mais les dénonciations furent très rares. Des représentants, tel Réal, à la veille de Thermidor, dans les Alpes, employèrent avec succès l'ancienne pratique des garnisaires que les familles durent héberger jusqu'au retour des délinquants.

L'appréhension de l'inconnu, l'absence d'esprit national plus que l'incivisme, provoquèrent cette résistance au service militaire. Près des frontières elle s'amenuisa devant la conscience du péril commun, tandis qu'elle augmenta dans les plaines fertiles du Nord et de Normandie, dans les montagnes auvergnates, les Pyrénées et le Sud-Est. Une corrélation certaine existe avec la puissance de l'élan révolutionnaire. Les villes furent moins atteintes que les campagnes, les grands passages moins que les lieux isolés. L'insoumission traduit donc une option politique. Quels que soient ses motifs, elle sert la contre-révolution. L'apprécier en quantité paraît impossible, puisqu'elle demeura cachée.

Au contraire, les déserteurs, déjà incorporés, furent plus aisément discernables. L'embrigadement augmenta leur nombre. On les signala partout, à l'armée d'Italie. comme à celle des Côtes de La Rochelle. D'un coup, en germinal, 1 200 requis se sauvèrent près de Tours; d'autres à Rennes, d'autres à Saint-Sever. Les départs individuels furent rares ou passèrent inaperçus. Ils gagnèrent rarement les sous-officiers même dans les évasions en groupes. On les qualifia de complots car il existait des meneurs. Ils débauchèrent surtout des jeunes, de même origine régionale, tablant sur leurs déceptions et leur ennui, profitant des allées et venues des convois et des troupes. On en arrêta beaucoup, mais la gendarmerie ne pouvait tout surveiller. Les tribunaux militaires indulgents prononcèrent des peines de prison. Les prévenus invoquaient leurs soucis familiaux, la nécessité de nourrir leurs enfants, de réparer leur maison, excuses sincères ou naïves qui ne trompaient personne.

Les populations civiles qui les considéraient comme des étrangers les redoutaient. Ils étaient armés, pillaient et assassinaient. Constitués en petites bandes, ils se cachaient dans les bois, dans les chapelles abandonnées. On signala le Calvados comme une zone de refuge. Il en exista beaucoup d'autres, en Lozère, dans l'Ariège, où ils se mêlèrent à des émigrés et à des prêtres. D'une manière générale, ils contribuèrent à entretenir la peur dans les campagnes. L'agent national de Montdidier, où passaient ceux de l'armée du Nord, prescrivit des gardes fréquentes dans les communes de son district. Aux confins de la Vendée, on en exécuta sommairement, pour l'exemple. Certains rejoignirent leur corps en s'efforçant de justifier leur absence; on les accepta, car les effectifs s'amenuisaient.

Malades et « tire-au-flanc ».

Les hôpitaux militaires n'abritèrent pas que des blessés et des malades. Ils fournirent aux camarades, aux compatriotes dispersés, des occasions de retrouvailles et la possibilité provisoire de fuir les combats. Les billets que des chefs de corps accordèrent abusivement, et la négligence des officiers de santé, y contribuèrent. On s'efforça d'évaluer ces défaillances, mais l'administration hospitalière est complexe et ses archives, pour cette période, sont rares.

Partout, on dénonça l'état critique de ces établissements. Lors des grands combats ils furent rapidement débordés, leur importance se mesurant au nombre de places disponibles. Personnel et matériel étaient insuffisants. On ne possédait parfois qu'une seringue pour plusieurs centaines de malades, un pot de chambre pour trois lits, une chaise percée pour une salle entière. Faute de locaux, on mêlait blessés, galeux et vénériens. La Convention, le 3 ventôse (21 février), conserva leur système de régie et de fourniture par l'entreprise privée. Elle éleva le salaire des médecins et pharmaciens, recrutés par concours sous le contrôle d'une Commission de santé. On distingua les hôpitaux fixes qui furent souvent civils et militaires, des ambulants qui suivaient les armées. On réunit les contagieux dans des dépôts spéciaux.

La réforme produisit d'heureux effets. Dans l'été de 1794, les blessés, nombreux dans les zones d'opérations, furent à peu près abrités et soignés. On limita le gaspillage des vivres; les réclamations diminuèrent. Les représentants se plaignirent toutefois de la quantité des malades. La saison chaude et humide fut responsable des dysenteries et des fièvres putrides; la nourriture, du typhus et du scorbut; l'ennui et l'inaction, de la nostalgie. M. Reinhard a décrit ce « mal du pays » qui pouvait entraîner la mort. Il contribue à expliquer les tentatives du soldat pour échapper à sa condition. D'aucuns se mutilèrent, se coupant l'index droit qui pressait la gâchette, d'autres simulèrent la folie; un plus grand nombre se dénonça par des séjours fréquents et brefs dans les hôpitaux qui fournirent jusqu'à la moitié des admissions sur les confins vendéens.

Les unités n'en furent pas affectées au même degré, mais certaines, d'origine lointaine, virent parfois disparaître le tiers de leurs effectifs. Le long de la Moselle, des compagniés furent réduites à vingt hommes. On restait parfois plusieurs mois sans nouvelles des évacués dont bon nombre ne rejoignirent jamais. L'organisation des camps et des armées s'en ressentit. Dans sa section, le bon soldat, plus souvent affecté aux gardes et aux patrouilles, paya pour le mauvais. Le mécontentement grandit lorsqu'on autorisa les convalescents à terminer chez eux leur guérison. L'intendance, dont les prévisions s'appuyaient sur des états fautifs, accusa les chefs de négligence. Comme la désertion, la maladie, réelle ou feinte, inquiéta l'armée par son ampleur.

3. La mobilisation matérielle

Le décret sur la levée en masse ne concernait pas que les combattants, il orientait vers eux toute la production nationale. Le pays, mis en condition, se transforma en un énorme magasin militaire, et les civils en pourvoyeurs des armées. La demande élargie aux limites du possible, relança l'entreprise privée, l'orienta, la contrôla, sans modifier ses structures traditionnelles. Le gouvernement para au plus pressé. Nourrir le soldat, l'équiper et l'armer formèrent les grands chapitres de son ouvrage. Il avait d'abord usé d'expédients; il les généralisa. Il disposait d'une intendance essoufflée, confite dans sa tradition; il la révolutionna. Il se heurta enfin à une fabrication artisanale en mutation, à un capitalisme industriel au berceau. Les exploitations des émigrés avaient cessé de produire. D'autres, plus nombreuses, appartenaient à la réaction cachée. Pour la réduire, il l'appâta par le profit, puis la convainquit par la Terreur.

L'étatisme fut un moyen, non une fin. On fonda sur une plus vaste échelle des manufactures nationales comme en connaissait déjà l'Ancien Régime, notamment pour la fabrication des poudres, mais on se garda de nationaliser l'industrie tout entière. Par contre, les ouvriers furent assimilés aux requis. On les soumit à une discipline stricte, à des salaires maximés. Soldats de l'intérieur, ils n'abandonnèrent pas pour autant leurs habitudes de travail, héritées du compagnonnage.

Les commissaires des Guerres.

La nation en guerre dut aussi recruter des employés militaires de toutes sortes. Dans une armée qui se déplaçait sans cesse, le ravitaillement était contraint de suivre. La conduite de la guerre dépendait de sa bonne marche, autant que de celle des combattants. On ne délaissa pas complètement la pratique routinière des camps et des magasins, mais on développa le matériel et le personnel ambulants. On grossit les services auxiliaires à la proportion des effectifs à servir. Sous les ordres des ordonnateurs en chef qui avaient rang de généraux, les commissaires des Guerres quadrillèrent les troupes, s'efforçant de prévoir et de satisfaire leurs besoins avec l'aide de préposés aux vivres, d'étapiers, de trésoriers, d'une clientèle soumise qu'ils favorisaient.

Les agents supérieurs, astreints à des tâches précises et à de lourdes responsabilités, ont peu retenu l'attention. Ils possédaient néanmoins une connaissance approfondie des difficultés matérielles et morales du soldat. Leurs rapports étaient définis avec ses chefs et les autorités civiles. Dans les deux cas, ils étaient très étroits. Sur les officiers, qui sortaient souvent, comme eux, du rang, les commissaires exercèrent un contrôle bienveillant ou sévère, mais admis et respecté d'après les rares réclamations qui nous sont parvenues. Avec les autorités civiles, il n'en alla pas de même.

Les réquisitions anarchiques se prolongèrent jusqu'au début de l'an II, puis la Commission des subsistances organisa, pour chaque armée, des aires d'approvisionnement. Les représentants réclamaient cette mesure qui préservait leurs priorités. Décidée le 7 nivôse (14 janvier), elle s'appliqua lentement; on ne la connut à Bayonne qu'un mois plus tard. Elle provoqua, de la part des districts, une vive résistance, car elle diminuait la part de la population. Surtout dans les zones opérationnelles, où l'arrivée de renforts rompait à chaque instant l'équilibre, les préposés eurent fort à faire. « Sous le règne de l'Égalité, nous devons prendre un soin particulier du soldat. » On le concevait, sans accepter pour autant de mourir de faim. Il existait des limites au prélèvement des ressources. Les municipalités proches de la Vendée et des frontières, celles qui jalonnaient les grandes routes s'en plaignaient amèrement. Les femmes rôdaient autour des bivouacs, des boulangeries et des boucheries militaires. A leur tour, dès qu'ils étaient dépourvus, les soldats reprochaient aux campagnards leur égoïsme, qu'ils qualifiaient d'incivique.

La nourriture, sommaire, réclamait une relative abondance, car les troupes fournissaient de longues marches à pied. Soumises aux rigueurs du climat, avant de combattre, elles ressentaient la fatigue. Leur régime alimentaire se bornait au pain, à la viande, dont on faisait la soupe, au vin et à l'eau-de-vie qu'on réclamait avec insistance. Une double ration était une récompense très appréciée. La ration journalière comportait 24 onces de « pain de munition », fait d'un mélange de blé et de seigle, soit 734 grammes, à laquelle s'ajoutaient, pendant les marches, quatre onces supplémentaires. Une demi-livre de viande, deux onces de légumes secs la complétaient. En principe, chaque compagnie installait ses marmites le matin avant dix heures et le soir avant 17 heures. Les retards des distributions et l'espacement des bivouacs interdirent aux troupes en campagne de respecter ce rythme. Elles ne souffrirent pas de sous-alimentation, mais furent nourries par saccades. Jeûnes et bombances alternèrent au gré des combats, des saisons et des convois.

En principe, les réquisitions, opérées dans les limites régionales par l'intendance qui les payait au tarif du *maximum*, devaient suffire aux approvisionnements normaux. Les payeurs généraux disposaient de sommes importantes. Celui de l'armée du Nord, forte en septembre 1793 de 140 000 hommes, évaluait ses dépenses à 62 millions-assignats par mois. En cas d'urgence, les représentants pouvaient diminuer les rations ou décider des prélèvements complémentaires au-dessus du prix légal, quitte à faire approuver leurs arrêtés par le Comité de salut public. Ils veillèrent à maintenir les réserves dans les magasins militaires.

Le ravitaillement des chevaux posait des problèmes identiques. Ils exigeaient chaque jour 10 livres de fourrage, 5 de paille et un demi-boisseau d'avoine ou de son. On recourait pour eux aux services des fournisseurs aux armées.

Les fournisseurs et les marchés.

La coutume traditionnelle des adjudications se perpétua pendant la Terreur. Seules des sociétés financières disposaient de capitaux suffisants. On connaît dans ce domaine l'activité de l'abbé d'Espagnac, de Choiseau et de Lanchère[1]. Ils passaient marché avec l'État pour la fourniture et le transport du matériel, c'est-à-dire qu'ils s'engageaient selon des quantités, des normes et des prix débattus, dont ils faisaient l'avance. Sans doute prenaient-ils des risques car les remboursements tardaient. Ils devaient aussi faire vite pour se prémunir contre les hausses. Ils utilisèrent des sous-traitants et un réseau de courtiers qui raflaient les marchandises au moindre débours. On rogna sur le nombre et la qualité. On s'assura de la complicité des membres du Comité des Marchés et des administrateurs de l'habillement qui touchaient un « nivet » ou pot-de-vin. Dubois-Crancé dénonça ces pratiques qu'on n'ignorait pas. On avait besoin d'eux et, pour eux, le profit seul comptait.

Il jouait sur des volumes énormes. On traitait pour plusieurs milliers de chevaux à la fois, dont les revues révélèrent les tares. Beaucoup, âgés ou morveux, furent abattus. On étouffa les scandales, rejetant les responsabilités sur des comparses et les gardiens des parcs. Il fallut la Terreur et l'Inspection des charrois pour effrayer les prévaricateurs. Choiseau, condamné à mort, fut exécuté le 2 ventôse (20 février 1794), puis d'Espagnac, avec Danton le 14 germinal, tandis que Lanchère emprisonné, survécut à Thermidor. La Commission des Transports militaires, créée en ventôse, entreprit alors de faire construire voitures et caissons, engagea à la journée rouliers et chevaux. Les plaintes ne cessèrent pas. La dégradation des routes entrava la circulation; on employa à leur entretien des prisonniers de guerre. Les charretiers se cachèrent et désertèrent, refusant de s'éloigner de leur résidence. Le Comité de salut public ne consentit cependant pas à transformer en régies nationales ces services essentiels.

1. A. Mathiez entreprit sur eux des recherches intéressantes (voir par ex. « Un fournisseur aux armées sous la Terreur : Choiseau », dans *A.h.R.f.*, 1924, p. 401). Mais il n'a pu utiliser le rapport sur les administrations de l'habillement présenté par Piorry le 28 germinal qui résume leurs activités (*Arch. parl.*, t. LXXXVIII, p. 682 et s.).

La fourniture des objets d'équipement et de campement fut dirigée jusqu'en août 1793 par cinq administrateurs qui dépendaient du ministre de la Guerre. Ils procédaient aux marchés, surveillaient les livraisons et les magasins, complétant à l'étranger la production intérieure qui resta aux mains de l'entreprise privée. Elle employa une multitude de petits ateliers tant pour les textiles que pour les cuirs. Même le petit cordonnier réserva quelques heures de son temps à l'armée. Par l'intermédiaire de « soumissionnaires » qui avançaient le montant des salaires ouvriers, l'État fixait le prix à la pièce et recueillait les objets finis. A Paris, les sections fournissaient les matières premières et employaient les femmes à la confection des effets. Elles réclamèrent sans arrêt contre les « monopoleurs », tant pour la distribution des tâches que pour le prix du travail. Malgré l'épuration des responsables et leur arrestation, l'hostilité continua. On jugeait trop étroite la tutelle de l'administration et trop lourde l'emprise du capital.

En province, les districts créèrent parfois des sortes d'ateliers nationaux, notamment dans les centres de tanneries pour la fourniture de chaussures. Mais les troupes manquèrent souvent de vêtements chauds, de bons souliers et de tentes. L'armée nationale acquit péniblement son aspect uniforme et « prestigieux ».

Fabrications de guerre et savants.

« Ce n'est pas assez d'avoir des hommes... Des armes, des armes et des subsistances! C'est le cri du besoin. » Appel de détresse lancé par Barère le 23 août 1793, il se répercuta tout au long de l'an II. Il concernait des industries de guerre qui n'étaient pas adaptées aux besoins d'une troupe nombreuse. Réquisition des fusils de chasse, réparation des vieux fusils, fabrication des piques témoignaient de l'ardeur patriotique; la préparation de grandes offensives exigeait d'autres moyens. Le Comité de salut public, directement responsable, dut s'engager plus avant dans l'étatisme. Il plaça sous contrat des entreprises privées, et institua des manufactures nationales qu'il géra. Prieur (de la Côte-d'Or) et des représentants envoyés dans les fonderies assumèrent une tâche énorme qui s'inscrit dans leurs arrêtés, leurs instructions, leurs circulaires.

Sans détruire les structures traditionnelles, ils les conformèrent aux exigences nouvelles. Avec la Commission extraordinaire des Armes et Poudres, se constitua, le 13 pluviôse (1er février), un véritable ministère de l'Armement qui étendit son autorité à la grosse industrie, à la production des canons, des fusils, et des munitions. Le décret du 12 germinal (1er avril) accrut encore cette centralisation en lui confiant les Mines. Benezech, officier du génie, ancien élève de l'École de Mézières comme Carnot et Prieur, la dirigea avec Capon. Ses services ne se bornaient pas à transmettre les décisions, ils possédaient de véritables bureaux d'études, disposaient de dessinateurs et de techniciens réputés. On fit appel à Monge, créateur de la géométrie descriptive, membre de l'Académie royale des Sciences, au chimiste Fourcroy qu'avaient rendu célèbre ses analyses du sang et du lait, au médecin Berthollet qui, dès 1785, entreprit des recherches sur le blanchiment des étoffes et les teintures, au mathématicien Vandermonde, à Hassenfratz qui avait servi de préparateur à Lavoisier, à Chaptal aussi, malgré ses compromissions avec les fédéralistes de l'Hérault. Ils se groupèrent autour de Guyton-Morveau, chimiste renommé, esprit encyclopédique, jurisconsulte et naturaliste. D'autres encore collaborèrent à l'œuvre commune : le physicien Périer qui dirigeait à Chaillot l'une de nos plus grandes usines métallurgiques, le chimiste Darcet et son élève Pelletier, Dufourny de Villiers, ingénieur et physicien, qui succéda à Lavoisier à la Régie des Poudres. Ils constituaient cependant une minorité dans la pléiade des savants dont s'enorgueillissait la France, car on exigeait d'eux, malgré tout, des gages de soumission et de civisme.

A l'armement traditionnel, le Comité souhaita ajouter des engins secrets. Les expériences, commencées à La Fère, se poursuivirent dans l'ancien domaine de Meudon. Prieur en assura la haute direction, s'efforçant d'abord d'accroître la portée des canons et l'efficacité des explosifs. Là aussi, on fabriqua des aérostats gonflés à l'hydrogène. Malgré les réticences des généraux, l'essai retardé jusqu'en germinal parut concluant. Le ballon, qu'on baptisa *l'Entreprenant*, survola la bataille de Fleurus et troubla l'ennemi. Quant au télégraphe optique, Lakanal soutint les projets de Chappe qui installa sa première ligne entre Paris et la frontière du Nord. La guerre stimula la recherche scientifique et permit de l'appliquer à des domaines divers.

Tributaire de l'étranger pour l'acier qu'elle achetait en Suède, en Angleterre ou en Allemagne, pour le cuivre qui venait d'Espagne ou d'Angleterre, pour le salpêtre qu'on demandait en partie à l'Inde, et le soufre à l'Italie, l'industrie française les tira de ses seules ressources, dont on entreprit l'inventaire. Les cloches des églises fournirent le bronze des canons. Depuis le 23 juillet 1793, on n'en tolérait qu'une par paroisse, toutes les autres furent portées aux fonderies. Le procédé Gauthier, mis au point en nivôse, permit d'éliminer le surplus d'étain qui rendait l'alliage cassant. Fourcroy en diffusa l'emploi.

La production de fonte entraîna une exploitation accrue des gisements de charbon qui remplaçaient le bois, la réquisition des forges et de leur personnel. On répandit le coulage des canons « en plein », tel que Montalembert le pratiquait à Ruelle, et la fabrication des aciers de cémentation. N'empêche que la perte de leurs canons fut pénible aux combattants qui comptèrent comme des victoires ceux qu'ils enlevaient à l'ennemi. N'empêche que les salaires de la métallurgie, très modiques, diminuèrent les rendements. Ceux de la fabrique d'ancres de Guérigny ne dépassaient pas 25 sous par jour en frimaire et Noël Pointe proposa de les doubler « pour exciter le zèle et le courage ».

Les ouvriers des ateliers d'armes n'étaient pas mieux rétribués. A dire vrai, les jeunes, qui auraient dû combattre, estimaient leur vie préservée par ces exemptions et se taisaient. D'autre part, les soldes journalières variaient avec la qualification. Des différences sensibles s'établirent entre foreurs, platineurs et monteurs. Les rémunérations à la tâche se pratiquèrent souvent et les favorisèrent. Toutefois la persistance d'une double forme de gestion énonomique entretint la revendication. S'ils bénéficiaient dans les entreprises privées d'une liberté relative, les ouvriers des manufactures en régie étaient soumis à des horaires de travail pénibles, de six heures du matin à huit heures du soir. Les fêtes chômées disparurent; on sanctionna la négligence et la paresse. Mais la dispersion des ateliers rendit la surveillance difficile.

Dans les plus vastes on n'exécutait que l'assemblage des pièces qui provenaient de l'extérieur. Cette fabrication artisanale ne comportait aucune division réelle du travail. Un platineur confectionnait la platine entière du fusil, un menuisier la crosse. C'est de la sorte qu'il convient de compter les 5 000 ouvriers dépendant de la manufacture de Paris. Par suite, les troubles qui éclatèrent au début du printemps se limitèrent à des motifs professionnels; ils revêtirent incidemment un caractère politique.

La capitale fut le grand arsenal de la République, mais la province contribua grandement à ces fabrications. En plus de Saint-Etienne, de Tulle et de Moulins, on y compta, pour les fusils, une dizaine de nouvelles usines installées dans des églises et des couvents désaffectés; pour les sabres et les baïonnettes, celles de Klingenthal et de Thiers; pour les canons, celles de Strasbourg, d'Allevard et du Creusot. Sans atteindre le chiffre que s'était fixé le Comité de salut public, la production combla ses espérances avec 240 000 fusils par an et 7 000 pièces de canon.

La solidarité nationale.

Pour les approvisionner en munitions, on généralisa la récolte du salpêtre qui entrait pour les trois quarts dans la confection de la poudre noire. Le décret sur la levée en masse y avait convié toute la population. En chantant, on lessiva le sol des caves. Une émulation féconde se créa entre municipalités et Sociétés populaires; les représentants en mission l'entretinrent. Des cours révolutionnaires dispensés au Museum réunirent des jeunes gens qui servirent à leur tour d'instructeurs. Plus de 6 000 ateliers furent hâtivement équipés. Chaptal, Jacotot, Descroizilles les inspectèrent. Une taxe sur les riches couvrit les premières dépenses, car les districts payaient aux fabricants 24 sous par livre. A partir de ventôse, la production dépassa un million de livres par mois, neuf fois plus qu'auparavant. Le patriotisme des civils et leur enthousiasme ainsi manifestés rejaillirent sur la mentalité collective.

Ce fut une preuve très spectaculaire de la participation des campagnes à l'effort de guerre. Il y en eut d'autres, plus localisées, dont le brûlement des marcs de raisins, des broussailles, des marrons d'Inde, auxquels les enfants s'associèrent joyeusement. On recueillit de la sorte la potasse qui manquait, on traita le sel marin pour en extraire la soude. Des artisans proposèrent des cuirasses en carton, des membres artificiels pour les blessés, des voitures spéciales pour les transporter. Les dons recueillis par les Sociétés populaires furent réservés à un bataillon ou à un héros, par exemple celui qui pénétrerait le premier dans Valenciennes. A Champlitte (Haute-Savoie), le drap bleu qui tapissait les murs du tribunal fut transformé en uniforme d'officier. Guimberteau, représentant à Tours, écrivait le 10 pluviôse : « Je n'ai eu besoin que de dire aux amis de la liberté : nos braves défenseurs manquent de chaussures, et de toutes parts on s'est déchaussé. »

Les soldats ne furent pas en reste, sacrifiant à un bourg leur ration de viande, demandant à participer aux travaux des champs. On institua même, en messidor, des compagnies d'agriculteurs que les municipalités pouvaient employer à la moisson. Elles prirent en charge les exploitations des requis. On ensemença et l'on récolta pour leurs familles. A plusieurs reprises la Convention leur promit des secours. C'était le vœu des combattants. « Quand je vais répandre mon sang... j'apprends que ma femme, qui vivait de mon travail, est obligée de mendier son pain. » Collot-d'Herbois montra, le 12 pluviôse (31 janvier), les difficultés qui retardaient cette distribution, et les précautions qu'elle exigeait. Veuves, épouses, parents et enfants possédaient des droits à notre reconnaissance. Encore fallait-il produire leurs titres et répartir équitablement les dépenses. Le décret du 21 (9 février) y pourvut, fixant l'indemnité de chacun et les formalités pour l'obtenir. Blessés et invalides ne furent pas oubliés. Les troupes applaudirent à cette mesure « qui ramène la France aux principes de l'Égalité, en corrigeant l'injuste distribution des biens ». Pour soutenir l'ardeur patriotique on leur réserva une part du patrimoine des émigrés. Le représentant Thirion proposa même de remettre à ceux qui les avaient vaincus, les propriétés des rebelles vendéens.

L'étranger se rendit à l'évidence. « Toute tentative pour détacher le soldat de la cause de la Convention serait infructueuse. Il ne pourrait trouver ailleurs ce qu'il trouve en France : la liberté, des avantages pécuniaires et un avancement rapide, des subsistances, des secours de tout genre, l'impunité de tous les excès [1]. » Cet observateur, fort bien renseigné sur notre situation militaire, n'omettait pas son caractère politique. La participation des

1. Publié par A. Rufer, « Notions sur ce qui se passe en France », 1794 (*A.h.R.f.*, 1963, p. 231).

troupes au mouvement révolutionnaire expliquait leur enthousiasme et leur endurance. « Quoique mal organisées et mal commandées, quoique peu exercées et dans un état d'indiscipline [elles] résistent aux meilleures armées de l'Europe. » Quel magnifique compliment! Toutefois il percevait les limites d'une action soutenue. « Un tel état est forcé et doit nécessairement s'user par les principes mêmes qui le soutiennent. »

4. La société militaire

« Plus il y a de soldats dans un État, plus la nation s'affaiblit. » Robespierre, qui partageait cette opinion de l'abbé Raynal, redouta toujours une dictature des généraux. L'armée citoyenne demeura fidèle à la République, mais son esprit se modifia. Les exigences de la lutte avaient déraciné des masses humaines, les isolant de leur famille et de leur terroir. Entraînés par leur patriotisme, les plus nombreux s'adaptèrent à des conditions inhabituelles que d'autres refusèrent. Ils avaient un idéal à défendre et des raisons de combattre. Les sans-culottes s'installèrent d'abord dans ces cadres de vie qu'ils estimaient créer eux-mêmes. Puis, insensiblement, la guerre imprégna les individus, les soumit à des contingences et à des périls face auxquels ils réagirent en soldats. Le devoir, la discipline, l'esprit de corps dictèrent leurs attitudes mentales.

Cette mutation procédait des instincts profonds de l'homme : la peur, la ruse, l'intérêt matériel, l'appétit de jouissance. Aussi semble-t-il hasardeux de lui fixer une époque. Néanmoins elle coïncida avec la réorganisation de l'armée. L'offensive victorieuse de l'été de 1794 et les conquêtes l'affirmèrent. La société militaire, avec son schéma rigide et sa hiérarchie, se distingua de la société civile; elle enferma le citoyen. Inconsciemment les officiers, recherchant grades et honneurs, favorisèrent l'évolution. A un moindre degré, elle affecta le soldat. N'était-il pas cependant « général en puissance »? Ceux qui gravitaient autour des combattants se sentirent aussi concernés. Services auxiliaires, pensionnés, invalides appartenaient à un même univers. Il dépassa très largement le million d'individus. L'état militaire apparut comme une profession. Le sentiment révolutionnaire s'atténua. Au nom de la patrie, on se servit soi-même. L'armée de Thermidor présentait déjà les symptômes de Brumaire.

La mentalité du soldat.

La conscience collective des sociétés civile et militaire comporte des motivations semblables et des attitudes différentes. L'armée nationale possède, comme la Révolution et la Terreur, un caractère provisoire. Elle se dissoudra lorsque seront exterminés les ennemis de la République. Son existence se justifie par rapport à eux. Le décret sur la levée en masse prévoit d'inscrire sur les bannières des bataillons : « Le peuple français debout contre les tyrans. » Avant tout le soldat doit rester citoyen et participer, comme tel à la vie politique. Il n'y manqua pas. La Convention, la Montagne, les Jacobins furent les idoles des troupes qui usèrent abondamment de leur droit de pétition. Elles applaudirent au 31 mai, déplorèrent en chœur l'assassinat de Marat, et adhérèrent à la Constitution. Dans les villes, garnisons et détachements assistèrent aux séances des Sociétés populaires et aux fêtes civiques.

Doppet proposa de créer auprès de chaque armée un comité de propagande. On répandit le *Bulletin* et des journaux spéciaux. En germinal, le ministre de la Guerre signala que, depuis un an, il avait dépensé 450 000 francs pour les abonnements, dont 118 000 pour le *Père Duchesne*. Des représentants réimprimèrent plusieurs numéros de cette feuille « qui fit aux soldats beaucoup de bien ». Carnot lança pour eux *la Soirée du camp*. Ils reçurent les grands rapports du Comité de salut public. Malgré tout, le jacobinisme pénétra inégalement les bataillons. Quelques-uns furent tièdes et d'autres ardents, selon l'autorité et la persuasion des propagandistes. A l'intérieur du groupe, on censura les opinions, on s'accorda pour dénoncer des compagnons d'armes, on se coalisa pour résister aux pressions extérieures. L'esprit de corps servit aussi de soutien moral. Les faibles s'y raccrochèrent. La compagnie surtout, où l'on se connaissait intimement, remplaça peu à peu la famille. On se communiqua les nouvelles du pays, on partagea ses déceptions et ses joies, comme les périls, les fatigues et les privations. Ensemble on fit front contre l'arbitraire. La solidarité joua dans un double sens : pour résister et pour obéir. D'ailleurs les cadres subalternes donnaient l'exemple du dévouement. Portant le sac, partageant les mêmes rations, ils s'intégraient totalement à cette communauté qu'ils conduisaient. On ne dira jamais assez combien leur rôle obscur fut grand. L'amalgame, qui n'atténua pas cette cohésion, l'élargit à la demi-brigade. Par une lente osmose, elle acquit sa personnalité. Ses chefs, galonnés par leurs hommes, surent se montrer humains et républicains. Sous un même drapeau, l'aventure continua.

Néanmoins, les jeunes recrues campagnardes s'adaptèrent avec peine. Leur départ fut parfois un déchirement. Leur faible degré de sociabilité, le taux élevé de la mortalité juvénile se répercutèrent sur leur comportement. La propagande royaliste et religieuse les influença en Bretagne et en Savoie où ils refusèrent de se battre contre les Sardes. Ceux qui manquaient chez eux du nécessaire n'acceptaient pas des privations passagères. L'armée leur devait la subsistance. Ils souffrirent aussi dans les camps de leur ignorance et des brimades. Mais les combats les aguerrirent. A l'armée du Nord, dont ils formaient la moitié, ils firent bonne contenance et les représentants leur rendirent hommage.

Même lorsque s'atténuait leur foi révolutionnaire, ils puisaient leur énergie dans la haine de l'étranger. Des agents de la coalition soulignaient, en l'exagérant, ce côté apolitique du patriotisme. « Les armées ne sont ni royalistes, ni républicaines; elles sont françaises; elles se battent sans distinction d'opinion, contre les étrangers parce qu'ils sont étrangers, et qu'elles les supposent unis contre la France beaucoup plus que contre l'anarchie. » Toutefois, la xénophobie, entretenue par le gouvernement, se compliquait d'un désir de vengeance. Autrichiens et Vendéens « coupaient les mains et les langues », torturaient, massacraient les patriotes. Ils répondirent par la barbarie à celle des « satellites des tyrans », qu'ils tenaient pour responsables de leur condition présente et, plus directement, de la mort de leurs camarades. On rendit coup pour coup. Un dragon sabra huit adversaires, comme dans les westerns, et reçut dans le dos un coup de baïonnette. Les combats dispersés aboutissaient à des corps à corps, duels à l'arme blanche où triomphaient la ruse et la force. Ils furent autrement fréquents que les grandes batailles enregistrées par l'Histoire.

La revanche engendrait le pillage, qui n'était pas seulement un « mal professionnel ». Il se distinguait de la maraude qui procurait des vivres. On s'octroya la montre et l'argent du vaincu, sa croix et son épaulette, à titre de récompense et de trophée. On préleva comme un dû sa part de butin, avant les destructions systématiques opérées par ordre, en pays ennemi. Par contre, les voleurs qui dépouillaient indistinctement patriotes et rebelles en Vendée furent sévèrement châtiés. On « exécuta sur-le-champ » un gendarme chargé de vêtements de femmes. Le soldat qui devait les protéger, ne pouvait s'attaquer à des civils. Siblot dénonça à la Convention, l'acte « affreux » commis à Imbleville (Seine-Inférieure) par des hussards qui, après boire, violèrent la servante du curé. Cependant, on toléra la « ribotte », qui procurait une détente, lorsqu'elle ne dégénéra pas en rixe.

On calomnia les armées de la Révolution ou l'on exalta leur héroïsme, sans nuances. Souvent des soldats crièrent « Sauve qui peut » et des « bataillons lâches s'enfuirent au premier feu ». Mais les paniques, fréquentes, furent limitées; elles disparurent presque avec l'embrigadement et les grandes offensives. Les requis voulaient combattre, ceux des camps demandaient à rejoindre les unités journellement engagées. Leur jeunesse, le mépris du danger, le goût du panache décuplèrent leur courage. Il se manifesta d'abord dans les longues marches à pied, l'attente interminable des approches. Certains, guettant la nuit dans les marais, de l'eau jusqu'à mi-corps, refusèrent d'être relevés. Mais on signala surtout des actes individuels qui servirent la propagande. Léonard Bourdon prépara dans ce sens un *Recueil*. Qui ne se souvient de Bara et de Viala? Ils alimentèrent la légende d'une cohorte d'enfants mêlés aux combattants et de femmes déguisées. L'armée en toléra un faible nombre, et refusa de les exposer au danger [1].

En réalité, soldats et gradés, jeunes et vieux, se distinguèrent également. Plutôt que de se rendre, des blessés se brûlèrent la

1. Voir R. Brice, *Les Femmes et les Armées de la Révolution et de l'Empire*. En l'an II on n'en comptait guère qu'une ou deux par bataillon où elles étaient vivandières. Elles restaient dans les cantonnements.

cervelle, ou se laissèrent achever plutôt que de crier « Vive le roi ». Au nom de la République, d'autres se sacrifièrent pour sauver leurs armes, leurs camarades. On mit un point d'honneur à ne pas être capturé par l'ennemi, à abandonner des récompenses méritées. Les lettres des généraux sont remplies de cette gloire qui rejaillit sur eux. Elle excuse les actes d'indiscipline.

Discipline et tribunaux militaires.

Les requis comme la ligne acceptaient mal les contraintes de la hiérarchie et l'obéissance passive. Ils aimaient discuter, les Méridionaux notamment, et les vignerons. Les sanctions, qui frappaient inégalement, irritaient leur sens de la justice. Pourquoi mettre l'officier aux arrêts et le soldat en prison ? On pensa d'abord que le sens civique tarirait les contestations. Mais les refus d'obéissance se multiplièrent jusque dans l'hiver de 1793. Le 22 nivôse (11 janvier 1794), le Comité de la Guerre insista sur la nécessité d'être ferme et sévère. « Le respect pour les lois et la discipline militaire sont les premiers devoirs et le véritable signe des soldats citoyens. » L'obéissance devint un impératif et la soumission une vertu.

Des tribunaux institués le 12 mai 1793 auprès de chaque armée, seuls cinq ou six fonctionnaient, et fort mal. On détermina les genres de délits et leur gravité. Les trahisons de généraux, les prévarications de fournisseurs concernaient le Tribunal révolutionnaire. Les fautes de service, la négligence, la paresse relevaient des conseils de discipline. Des officiers de police réprimèrent les délits correctionnels. Quant aux tribunaux criminels, ils jugèrent les lâches, les fripons, les « désorganisateurs » qu'on assimila aux contre-révolutionnaires. On maintint l'accusateur, le jury, mais la procédure fut simplifiée. Dans un souci d'équité, on mêla partout gradés et soldats ; avec le même esprit on révisa plus tard le Code pénal militaire. L'appareil judiciaire se voulut imposant jusque dans le costume, pour frapper les imaginations.

Adopté le 3 pluviôse (22 janvier), le décret reçut une application immédiate car il fallait soulager les prisons. Les représentants y veillèrent, érigeant même des cours martiales. « La discipline n'a jamais été aussi sévère dans aucune armée française », constata, en mars, le général autrichien Mack. En fait, les sanctions, impitoyables contre les rebelles et les traîtres, furent légères pour des propos inconsidérés comme ceux d'un canonnier parisien qui « serait bien fâché d'être républicain ». Dans l'ensemble, le tiers des affaires jugées aboutit à un acquittement. On ménagea le soldat plus que l'officier.

Néanmoins, l'échec d'un général ne l'envoyait pas à la guillotine. Carnot proclama qu' « un revers n'est pas un crime quand on a tout fait pour mériter la victoire ». Même battus, certains furent félicités. Le gouvernement, qui les avait désignés, ne doutait plus d'eux. D'ailleurs, ils exécutaient ses ordres, qu'ils voulaient écrits. Une certaine passivité en résulta. Les pétitions collectives furent interdites depuis la fin de décembre 1793, de sorte qu'on peut moins aisément apprécier l'opinion des troupes. Mais elles ne demeurèrent pas insensibles aux purges de germinal et à la suppression du *Père Duchesne*. La disgrâce de Hoche servit d'avertissement[1]. En tout cas, les lettres des généraux devinrent plus brèves et les formes plus respectueuses. On sembla éviter les allusions politiques. La prudence fut de rigueur.

Solidement charpentée, animée par une volonté unique, l'armée put utiliser efficacement la puissance du nombre. L'an II, créateur des demi-brigades, leur resta fidèle jusqu'à l'été où l'on commença à compter par divisions. Ces nouvelles unités tactiques groupèrent sous un même état-major 8 à 9 000 hommes de toutes armes et disposèrent, dans la stratégie générale, d'une certaine liberté de manœuvre. La promptitude des mouvements, l'opiniâtreté des assauts répondirent de la victoire. On retrouva dans les combats l'élan patriotique et l'esprit de la Révolution que minait sournoisement l'inaction des camps. Toutefois, l'ampleur des opérations et leurs succès provoquèrent un relâchement de la discipline. A la frontière du Nord « les fripons réapparurent » en messidor.

L'esprit de conquête.

Ressoudés provisoirement par l'or anglais, les coalisés s'étaient concentrés entre la mer du Nord et le Luxembourg. Leurs rivalités

1. Malgré ses succès en Alsace, il fut dénoncé par Saint-Just aussitôt après son mariage avec une jeune fille de Thionville. Il fut écroué à la prison des Carmes du 22 germinal au 17 thermidor an II.

les perdirent. Fleurus [1], le 8 messidor (26 juin), rouvrit la Belgique aux Français. Un mois plus tard Jourdan entrait à Liège et Pichegru à Anvers. Aux Pyrénées, Dugommier envahissait la Catalogne, et Moncey la Biscaye. Déjà l'on avait franchi la frontière italienne. La République ne connut d'échecs que sur mer et dans les colonies. Partout ailleurs elle « se nourrit de conquêtes », qu'elle utilisa pour nourrir ses armées.

Carnot était conscient des limites de l'effort de guerre. « Si nous devions recommencer l'année prochaine, nous mourrions de faim et d'épuisement. » Il exhorta les représentants et les généraux « à s'établir à demeure » en territoire ennemi. « Ce qui nous importe, c'est de fixer avec nos armées triomphantes les limites de la République; c'est de lui assigner des bornes telles que sa splendeur et sa grandeur en découlent. » On ne songeait plus à libérer les habitants, mais à utiliser leurs ressources. Ils résistèrent. Les Espagnols, poussés par le clergé, ne cachèrent pas leurs sentiments hostiles. « Les paysans émigrèrent par bandes, afin de fuir le voisinage de ces bons apôtres de la fraternité. » On emprisonna des otages, on ferma des églises, on installa des administrations dociles.

La Belgique fut taxée à 60 millions de francs en numéraire. On s'empara des œuvres d'art et des métaux précieux. « Cette fois, écrit Cambon, notre entrée ne ressemble en rien à celle de Dumouriez...; on nous envoie au lieu de recevoir. » Même régime dans le Palatinat. Les représentants se montrèrent insatiables. « Vaincre l'ennemi et vivre à ses dépens, c'est le battre deux fois. » Une faible proportion des prélèvements arriva jusqu'à la Trésorerie, à peine le cinquième. La plus grosse part servit à entretenir les troupes d'occupation qui se complurent dans leur aisance. Bien qu'elles fussent en alerte, elles gardaient un sentiment de relative sécurité, face à la population désarmée. Des lettres de soldats témoignent de leur satisfaction et de calculs intéressés. Si l'idéologie ne paie plus, la conquête paraît profitable. Elle constitua pour les combattants et les gouvernants l'objectif essentiel de la guerre.

Mais d'aucuns considéraient que leur éloignement avait trop

1. Ce fut une bataille classique. Les troupes françaises disposées en demi-cercle au nord de Charleroi s'appuyaient à la Sambre. Repoussées elles auraient connu un désastre.

duré; ils aspiraient à regagner leurs foyers. On fabriqua à l'armée des Pyrénées occidentales de fausses permissions. La saison aidant, les travaux des champs rappelèrent les campagnards. Leur nombre les persuada que le conflit pesait injustement sur eux. « Ce sont toujours les mêmes qui font la guerre, qui en essuient les fatigues. » Leur animosité s'étendit à tous les non-combattants. On commença à user du terme d' « embusqué » pour qualifier « les muscadins des bureaux », les ouvriers des fabriques d'armes, ceux que leur spécialité exemptait, les tanneurs notamment, et les fils de bourgeois aisés qui, baptisés chirurgiens ou apothicaires après de vagues études, hantaient les hôpitaux.

La victoire, qui encouragea les défections, favorisa aussi les ambitieux. Elle fut chèrement payée, plus qu'on ne voulut l'avouer et moins qu'on ne le prétendit. On dissimula ses pertes tandis qu'on exagérait celles de l'adversaire. L'argument valut pour les deux camps. Bien que le calcul soit malaisé, il apparaît que les décès causés par la guerre ne dépassèrent pas le cinquième du nombre de combattants.

On remarqua qu'en proportion les cadres furent davantage atteints. Menant les assauts ils formaient des cibles de choix. Les troupes non engagées disposèrent par contre d'un excès d'officiers. Toutefois, d'une manière générale, les vacances augmentèrent progressivement. La course aux épaulettes se fit plus âpre.

L'esprit mercenaire.

Après l'incorporation des sept premières classes de la levée en masse, les effectifs s'étaient stabilisés dans leurs structures nouvelles. L'armée, qui assurait le vêtement et la subsistance, procurait une solde journalière. Elle s'élevait avec le grade. Les jeunes requis, vite aguerris, trouvaient dans la vie militaire le charme de l'aventure et des profits matériels. Malgré les périls, ce métier en valait bien un autre. Il fut aussi un refuge. Déserteurs autrichiens, Belges et Liégeois « plus que suspects », soldats licenciés de l'armée révolutionnaire parisienne, demandèrent leur intégration dans les troupes régulières. Dans quelle mesure certains n'appréhendaient-ils pas le retour à la paix qui les rejetterait à leur misère?

On acquiert l'impression pénible, en messidor, que le soldat s'accroche à l'armée et qu'il entend vivre d'elle. Plus qu'avant il se montre soucieux de ses gratifications, de ses étapes, exigeant toujours davantage. Les vaguemestres prélèvent un pourboire sur les mandats qu'ils apportent. Les capitaines trichent sur leurs états. On falsifie les dates d'engagement, le temps d'ancienneté. Un mal se répand : l' « avancite ». Gillet, fils de petit bourgeois, sous-lieutenant à l'armée des Alpes, voulut, comme bien d'autres, s'y faire une situation et se passer de l'aide paternelle. Ingénieux et débrouillard, il deviendra commissaire des Guerres, car il possédait une bonne instruction.

Il fallait, en effet, savoir lire et écrire pour gagner du galon. On l'exigea le 19 pluviôse pour l'artillerie, puis la mesure se généralisa le 27 (15 février). « Les talents prirent leur revanche. » Il était temps. L'armée de la Moselle, entre autres, comptait 15 à 18 officiers supérieurs « qui n'étaient pas en état d'être caporaux ». Nos demi-brigades fourmillaient de gradés ignorants. Des Alsaciens, qui ne connaissaient que l'allemand et commandaient à des compatriotes, étaient par contre exclus des promotions. Le courage et le civisme ne suffisaient plus à assurer l'avenir. Les sous-officiers dont les espoirs étaient anéantis incitèrent alors à la désertion, ou cherchèrent, avec la complicité des conseils d'administration, à tourner la loi. Pour rassurer les officiers, la Convention modifia, le 1er thermidor (19 juillet), les règles de l'avancement, accordant une part égale à la bravoure, à l'ancienneté et au choix. Elle n'enrôla pas de nouvelles classes; les mêmes continuèrent à se battre, au mépris de l'Égalité.

La machine de guerre conçue et démarrée en l'an II forma un complexe socio-économique qui se vida lentement de son sens révolutionnaire. Les Montagnards s'étaient prémunis contre « l'ambition d'un chef entreprenant qui sort tout à coup de la ligne ». Il existait un autre danger qui tenait à leur esprit de système et aux dimensions de « cet édifice de force monstrueuse ». Le citoyen disparut pour devenir un matricule. L'armée nationale, fondée sous la pression des sans-culottes, hérita de ses origines la volonté de vaincre l'aristocratie internationale et de maintenir les avantages acquis par la Révolution. En cela elle demeure toujours solidaire de la société civile. Mais des problèmes particuliers la sollicitent désormais qui prennent un caractère professionnel. Ce fut « une industrie prospère qui ne connut pas de chômage ». Mathiez souligna la portée de cette évolution sans consentir à reconnaître qu'elle avait précédé Thermidor.

5

La Terreur en province

Unité ou diversité?

Le fonctionnement du gouvernement révolutionnaire et l'exercice de la Terreur en province constituent un ensemble trop vaste pour une période trop brève. Ressassant des souvenirs où trempait leur enfance, les historiens du siècle dernier, de Thiers à Michelet et à Taine, jugèrent avec sévérité le contenu politique et répressif de Quatre-vingt-treize. Découvrant ses aspects sociaux, le socialisme réclama l'héritage jacobin. Les batailles électorales de la IIIe République relancèrent localement de vieilles querelles qu'on croyait oubliées. Au début de notre siècle, l'opinion des bourgs et des villes s'y référait encore. Des auteurs du cru, historiens d'occasion, blâmèrent au nom de l'ordre, de la morale, de la religion, les excès de l'an II que d'autres magnifièrent. Une même outrance les animait; elle imprégna d'utiles monographies qu'on répudia au nom de l'objectivité scientifique.

Il convient d'abord de les tirer de l'oubli. Ces monographies témoignent à la fois de l'époque révolutionnaire qu'elles décrivent, et de celle de leur rédaction qui, insensiblement, nous devient étrangère. Des textes y subsistent dont l'ignorance, les incendies, les guerres, détruisirent les originaux; à ce titre, elles constituent notre dernier recours. D'autre part, à travers elles, on parvient à reconstituer le processus d'annexion du passé par un présent dont les réalités sociales sont d'une autre nature. Entre 1870 et 1914, plusieurs milliers de ces travaux envahirent revues et périodiques. Cette abondance marqua leur place dans l'historiographie de la Ire République et les affrontements politiques de la fin du XIXe siècle.

Elles-mêmes, d'ailleurs, se réhabilitèrent en retrouvant la sérénité et les chemins de l'érudition. Dans le cadre plus rationnel du district, la petite ville prend sa vraie mesure face à son environnement campagnard. Les relations économiques et sociales, dans leur complexité, exigent des analyses structurales d'où le chiffre ne chasse pas l'homme. On désigne par son nom celui dont l'influence domine, on recherche ses antécédents et ses liens familiaux. Questions agraires et mentalités comptent parmi les voies actuelles d'une recherche proposée sur le plan national. Au lieu de se disperser, les efforts partiels, conjugués dans les colloques, raniment une histoire locale, qui peut seule fournir à la connaissance de la France rurale l'immense matériel qu'elle requiert.

Il fallut, en effet, attendre notre demi-siècle, pour que les masses paysannes cessent d'appartenir symboliquement à la Révolution. Georges Lefebvre, qui découvrit leur action autonome, consacra vingt années à la quête laborieuse des documents et à la rédaction de ses *Paysans du Nord.* D'autres ont poursuivi une tâche analogue dans l'Ouest, l'Auvergne et le Languedoc. Ainsi, vue « d'en bas », la paysannerie se différencie. Ses antagonismes se réfléchissent dans des attitudes politiques qu'on peut suivre jusqu'à hier. Où s'enfoncent leurs racines? L'étude récente de Maurice Agulhon [1] les discerne dans les traditions collectives de la vie provençale, suggérant une sociabilité causale à la fréquence des clubs méridionaux. Ces incursions dans le passé et le futur montrent le caractère artificiel des découpages chronologiques et le danger d'une analyse des comportements paysans limitée à la Terreur. On tend désormais à les considérer dans une période longue où ils évoluent à leur rythme qui n'était pas celui des Parisiens du temps et moins encore celui de notre époque. Une conclusion de R. Cobb prend ainsi tout son sens : « La Terreur au village est aussi complexe que la vie. » Elle provoque et justifie tous les réflexes, toutes les options, tous les fantasmes. Fut-elle inefficace parce qu'elle manqua de rigueur, ou parce que cette rigueur, susceptible d'exterminations massives, parut soudain une monstruosité?

Les Montagnards demeuraient d'ailleurs persuadés qu'ils parviendraient à rallier une fraction paysanne. L'arrêt de la déchristianisation, le licenciement des armées révolutionnaires et les décrets de ventôse appartiennent à cette entreprise de séduction.

1. *La Sociabilité méridionale. Confréries et associations dans la vie collective en Provence orientale à la fin du XVIIIe siècle*, Aix, 1966, 2 vol.

Avec un contentieux que la guerre alourdissait toujours, il était permis de douter de ses chances.

L'armée et la capitale dépendaient de la province, pourvoyeuse d'hommes et de vivres. A peine remise de la secousse fédéraliste, celle-ci révélait une sous-jacence d'espoirs, d'antagonismes, d'habitudes qui risquaient de contrarier tout effort centralisateur. Pouvait-on néanmoins tolérer son désordre, ses déviations intempestives ? Le problème crucial du gouvernement était celui de l'autorité, d'une autorité qui s'imposerait au pays entier par son caractère indiscutable et ses méthodes révolutionnaires. Le salut public exigeait l'obéissance ; encore convenait-il de déterminer, à l'échelon local qui détiendrait le pouvoir de commander aux citoyens.

Le décret du 14 frimaire (4 décembre) ne se bornait pas à énoncer des principes ; il énumérait les détails de l'exécution et fixait les responsabilités. Parés de nouvelles étiquettes, les rouages anciens subsistèrent, mais l'impression prévalut d'une transformation profonde. Elle se manifesta dans les relations entre individus, dans les rapports entre institutions. « Précision, célérité et mouvement révolutionnaire, c'est à cela que doivent se mesurer toutes vos opérations. » C'était aussi cette précipitation qui déroutait les hommes de la campagne. Ils s'accommodaient mal des mutations rapides, exigeaient un temps de réflexion qui n'était plus de mise.

« Les lois sont révolutionnaires ; ceux qui les exécutent ne le sont pas. » Saint-Just et Robespierre exprimaient la nécessité de « colérer » les patriotes, de les contraindre à agir, enregistrant ainsi le retard des mentalités par rapport à une société en mutation. La province comptait nombre de républicains sincères, mais peu d'exaltés. On suivit ceux qui appartenaient au terroir, on écouta ceux qui venaient du dehors, sans toutefois cesser « d'en faire à sa tête ». La passivité fut une couverture. Dans la campagne et la ville proche, chacun s'efforça d'adapter ses convictions à ses intérêts. Madré par tempérament, le paysan rusa avec la République.

1. Villes et campagnes

Le gouvernement révolutionnaire, exigeant l'unité d'action, la promptitude et l'efficacité, jetait un premier défi aux conditions naturelles. Le panorama géographique, avec ses reliefs et ses plaines, ses obstacles et ses larges horizons, commandait aux habitudes des hommes. Il prédisposait à l'isolement ou aux rencontres. L'idée et l'information empruntaient des chemins aisés ou difficiles, toujours semblables, toujours lents. Chabot estimait que les nouvelles de Paris arrivaient dans le Tarn après des mois. Les grandes routes, les relais de poste, les foires, les marchés hâtaient leur diffusion; elles s'attardaient et se déformaient le long des pistes mal tracées. L'univers de la République jacobine se plia à ces contingences. Il y puisa sa diversité, et les groupes humains leurs tendances rétractiles. Au temps du cheval, du chariot, de la diligence, la France rurale répercuta lentement les échos parisiens.

Zones de turbulence et régions préservées.

La Terreur n'affecta pas au même degré toute la province et, dans chaque région, toutes les localités. Elle épargna certaines et s'appesantit sur d'autres. Les zones de turbulence se désignèrent elles-mêmes.

Aux frontières d'abord, les civils qui s'y accrochaient subirent la loi des militaires et du pouvoir. Leur existence et leur intérêt dépendaient des succès de nos troupes. Ils les soutinrent en se compromettant vis-à-vis de l'adversaire. Les trafics anciens, la contrebande se bornèrent à quelques endurcis. On les traqua dans le Nord et l'Alsace plus aisément qu'en Piémont ou dans les Pyrénées. Leur activité céda devant la répression. On ne les ménagea pas. La grande panique du Bas-Rhin précipita dans l'Empire des masses de travailleurs et leurs familles. J. B. Lacoste suggéra de guillotiner le quart du reste, de conserver les patriotes et de chasser le surplus inutile.

Les exécutions sommaires furent également nombreuses aux confins des rébellions. On craignait les transfuges et leurs traîtrises. Le flux et le reflux des combats dissimulaient ces infiltrations. Elles compromettaient dangereusement le moral des soldats et des patriotes. On procéda à des massacres collectifs. Saliceti fit fusiller d'un coup 200 Toulonnais. A Lyon et aux alentours on ratissa les suspects. Les Commissions extraordinaires prononcèrent en six mois près de 2 000 condamnations à mort, quatre fois plus qu'à Paris dans le même temps. En Vendée, leur nombre réel demeure inconnu, tant l'esprit de vengeance anima les deux camps. Lequinio envisagea même de supprimer tous les habitants des régions reconquises pour y implanter des colons patriotes.

Comparativement, les rébellions isolées firent moins de victimes. Le relief y exerça une influence qu'on ne prévoyait pas. Bocages, vallées isolées, sommets arides, qui protégeaient des groupes hostiles, se transformèrent en fronts révolutionnaires. La Lozère, l'Ariège, les Landes, le bocage normand connurent ces tensions. Avec l'intervention armée l'autorité se fit plus oppressive. La méfiance ne disparut pas avec la fin des troubles. Les zones contaminées restèrent « sous surveillance ».

Les côtes subirent un traitement analogue. Vulnérables et susceptibles d'invasion, on les mit en état de défense. Les effectifs militaires s'accrurent dans les ports et le long de la Manche. Instinctivement la population se méfiait des allées et venues étrangères. Elle n'ignorait ni l'existence de passeurs, ni les débarquements clandestins et supputait, à juste titre, des complicités parmi elle. L'opinion jacobine se fortifia de cette appréhension. Sur les franges côtières elle participa, plus activement que dans l'intérieur immédiat, à la Révolution.

Une partie des Côtes-du-Nord ne la ressentit, d'après L. Dubreuil, que par l'abolition du régime féodal, les réquisitions, les levées d'hommes et l'inflation. On dépeignit de même, à la veille de la Terreur, les habitants du pays d'Auge « fort insouciants sur la Révolution. [Ils] s'en occupent moins par intérêt que par curiosité... Ils sont fatigués par le renchérissement excessif de toutes les denrées et plus encore par la rareté et la mauvaise qualité du pain... Ils attendent les événements et soupirent après le retour de l'ordre et de la tranquillité » [1].

Les campagnes du Centre et du Sud-Ouest partagèrent ces

1. Notes d'un observateur du pouvoir exécutif en Basse Normandie, publiées par J. M. Levy (*A.h.R.f.*, 1963, p. 225).

attitudes dans la mesure où les influences du dedans ou du dehors ne vinrent pas les secouer. A cet égard le rôle des meneurs locaux fut plus durable que celui des contingents armés. La proximité de Paris n'effraya pas la contre-révolution. Autour de Meaux, de Nemours, de Rambouillet, de Châtillon-sur-Seine, on mena une existence paisible et sans surprise. L'équilibre social fut localement perturbé par des groupes de salariés non paysans. Tisserands manceaux, mineurs de la Nièvre, de l'Allier, du Puy-de-Dôme, ouvriers des forges de Dordogne non intégrés dans la vie communautaire, réagirent vis-à-vis d'elle comme les sans-culottes des villes.

Régionalisme et esprit communautaire.

Ces constantes de la France rurale, antérieures à la Révolution, lui résistèrent mais en furent modifiées. Les nouvelles divisions administratives respectèrent les cadres provinciaux, et la décentralisation favorisa le fédéralisme. On s'est mépris sur le terme. Il correspond davantage à un autonomisme départemental s'insurgeant à la fois contre le centralisme parisien et le communalisme qui retrouvait ses chances. Le mouvement populaire ne rêvait-il pas de cette libération sur laquelle la démocratie directe aurait pu s'établir?

D'ailleurs entre villes, bourgs et villages, les distinctions étaient désormais abolies. Seules subsistaient officiellement des communes égales en droits, quels qu'aient été leurs privilèges anciens. Leurs dimensions créaient malgré tout une hiérarchie de besoins et de forces que les campagnes majoritaires n'admettaient pas. Les agglomérations urbaines, celles qui comptaient plus de 2 000 habitants, n'abritaient que le cinquième de la population. Tenaillées par la disette, elles prétendirent contraindre par la Terreur leurs fournisseurs habituels. Les vieux griefs se réveillèrent. Dans la mentalité paysanne, ceux qui ne travaillaient pas la terre étaient, par principe, des fainéants. Pourquoi les secourir?

Pourquoi surtout obéir à des citadins qui accaparaient les fonctions publiques et s'appropriaient sans scrupule les terres nationales des communautés? P. Bois souligne, pour l'Ouest et la rébellion vendéenne, les conséquences politiques de cette « spoliation bourgeoise ». Ailleurs, entre régions fertiles et leur voisinage pauvre, entre pays céréaliers et domaines forestiers, les ressources inégales du sol opposèrent Auvergnats des montagnes et Auvergnats des « limagnes [1] », Beaucerons et Percherons. Des économies complémentaires devinrent concurrentes. Véritable hantise du paysan pauvre, la crainte de manquer présente un autre aspect de cet antagonisme. Elle le fit révolutionnaire s'il ne l'était déjà. Ses réactions se conjuguèrent localement avec celles des sans-culottes de la ville. La revendication existentielle s'appuya sur des motifs politiques qu'on invoqua contre les égoïstes et les accapareurs.

Mais la ville « patriote » mena le jeu; elle renforça ses positions avec la Terreur. La méfiance réciproque des citadins et des ruraux se transforma en opposition radicale. D'un côté les affameurs, de l'autre les ventres creux. On condamna en bloc la paysannerie, l'accusant de manœuvres criminelles, par exemple d'empoisonner son blé. Au nom du jacobinisme, on traita sans ménagements les campagnes rétives qui s'insurgèrent. La chouannerie relève de cette incompréhension. Les sans-culottes entraînèrent contre elles leurs administrateurs et la garde nationale. La répression prit un caractère haineux. On pilla, on incendia les fermes abandonnées par leurs habitants.

D'ailleurs les intérêts des uns et des autres étaient inconciliables du fait de la taxation des denrées. La communauté villageoise consentait aux réquisitions prioritaires des armées, comme à un sacrifice patriotique élémentaire. Elle abandonnait à la défense nationale son superflu et parfois une partie de son nécessaire, mais ne pouvait s'engager au-delà. Les gros fermiers se sentaient tenus par la solidarité du terroir. En défendant leurs réserves, ils voulaient ménager leur clientèle. Les prélèvements destinés à Paris ou aux grandes cités furent mal accueillis, et plus encore ceux des bourgs proches. On enregistra ainsi, pendant l'hiver de 1793, des disettes nombreuses et très limitées, au milieu d'une relative abondance.

L'esprit communautaire évolua en fonction de la contrainte économique. Les prétentions des riches aux communaux, les restric-

1. Voir C. Lucas, « Auvergnats et Foréziens pendant la mission du Conventionnel Javogues » (*Gilbert Romme et son temps*, Paris, 1965, p. 129).

tions aux droits d'usage soulevèrent contre eux paysans pauvres avides de terres. Ils étaient le nombre; souvent ils étaient armés; le pouvoir jacobin les encourageait. Ils entreprirent des actions sporadiques sans lendemain, puis, pour survivre, acceptèrent d'être dépendants. Les avantages en nature tinrent en sujétion le journalier agricole à mesure que le pain devint plus rare et plus cher. Le mouvement paysan s'abandonna progressivement à ses notables; il calqua sur eux ses attitudes. La masse misérable fut très malléable. Il manqua pour la défendre une catégorie de petits producteurs indépendants comme elle exista en Nivernais où les « emboucheurs » profitèrent de l'inflation.

D'une manière générale, le paysan parcellaire, qui vivait de polyculture familiale, souffrit constamment de son impécuniosité. Le manque d'argent l'empêcha d'obtenir les avantages procurés par la Révolution. Le *maximum* l'atteignit comme une injustice. Il avait peine à économiser le montant de ses charges. La fiscalité, plus visible que sous l'Ancien Régime, lui sembla plus lourde. Il résista aux perceptions, refusa de livrer la part en nature, questionnant sur son usage qui le privait sans compensation. Dans son esprit, le gouvernement révolutionnaire, insatiable et oppressif, remplaça les anciens seigneurs.

Le poids des habitudes.

La vie des humbles est faite de privations et de renoncements continuels dont le mental collectif enregistre le poids. « On regarde les malheurs avec indifférence; on y est déjà soumis. » Les témoignages s'accordent sur l'apathie des campagnes en face du péril national. « Un long usage de la servitude les a défigurés ». « Naturellement flegmatiques » dans les montagnes d'Auvergne, ils sont aussi « grossièrement ignorants ». Ils s'expriment d'ailleurs plus volontiers dans leurs idiomes et leurs patois qu'en français, même s'ils le connaissent.

L'organisation communautaire possède ses cadres et ses traditions qu'un décret ne peut anéantir. Dans le district de Thiers, l'existence de puissantes communautés taisibles où l'on exploitait collectivement une propriété familiale indivise sous l'autorité du plus ancien, renforça cette emprise. Ces cellules perpétuèrent l'attachement au roi et à la religion, tandis que les coutumes méridionales, et leurs confréries, favorisèrent le jacobinisme dans les villages urbanisés de Provence. Le curé de la paroisse et le bourgeois domicilié conservèrent en 1793 leur rôle de guides, d'administrateurs, de porte-parole. La population leur demeura fidèle. Les habitants de Saint-Polgues montrèrent à leur ancien seigneur les mêmes égards, car « il fut honnête et bienveillant au pauvre ». Près de Nemours, le physiocrate Du Pont conseilla et soigna la population, géra en toute quiétude son domaine du Bois des Fossés. Puisqu'il recevait les journaux, on lui réclama les nouvelles de Paris.

Plus que les événements politiques les dispositions des lois qui concernaient les individus et les biens étaient méconnus. Chaudron-Roussau constata que les districts de Prades et de Céret ignoraient depuis quinze mois l'activité de la Convention. Dans le Cantal on n'en savait pas davantage. « Comment peut-on aimer la Révolution? Les malveillants ne manquent pas de débiter toutes sortes d'impostures. » On accordait du crédit aux moindres ragots, dans un sens ou dans l'autre : les prédictions des devins et des victoires imaginaires. Parce qu'il l'avait entendu à la foire, un marguillier d'Uzerche dont trois fils combattaient aux frontières, mena campagne en faveur du duc d'York. Pitt fut assimilé au Malin; on pria pour la destruction de « la nouvelle Carthage ».

La naïveté des paysans frisait l'inconscience. Avec le prix des terres de sa fabrique, la communauté de Chevannes commanda en pleine Terreur un Saint Sulpice pour décorer l'église. Plus que les hommes, les femmes restèrent fidèles aux pratiques ancestrales. Elles les maintinrent au foyer. Avant chaque repas, même dans les ménages patriotes, on récita le *Benedicite.* Le maître fit sa croix sur le pain avant de l'entamer. Les enfants ne s'endormirent qu'après les vœux rituels auxquels on associa la patrie. On raconta aux veillées histoires édifiantes et légendes diaboliques. Grâce aux mères, le sentiment religieux continua à imprégner les actes de la vie quotidienne.

Religion et fanatisme.

« Le peuple tient à ses cloches. » C'est la mémoire des jours. Elles comptent le temps des travailleurs, annoncent les joies et les calamités. Patrimoine commun, de même que l'église, elles consacrent la réalité villageoise avant de symboliser le culte. On en laissa une par paroisse.

On accepta aussi la croyance intime des êtres frustes en une puissance divine, et l'espérance du bonheur éternel qui compensait les soucis terrestres. Plus que le citadin, le paysan, soumis aux caprices du Ciel, avait besoin de ce réconfort. Conviction profonde, elle se transmettait de génération en génération avec l'existence. Foi religieuse et foi patriotique n'étaient pas *a priori* contradictoires. Le curé de Saint-Sever de Toulouse réclama, au nom de la Liberté, le droit de croire en Dieu et en la République.

Où commençait la superstition? Elle ne pouvait concerner que des habitudes visibles : le recours aux sacrements, les formes extérieures du culte qu'entretenait le prêtre. Les Jacobins les considéraient comme une sclérose sociale. Jouant volontiers à l'esprit fort, le sans-culotte se voulait détaché des « mômeries », qu'il n'interdisait cependant pas aux femmes. Après le 18 septembre 1793, les prêtres qui continuèrent leurs offices furent souvent tolérés. A quoi servait toutefois leur pension? On ne leur pardonna pas d'être inutiles et de respecter le célibat. Les attitudes politiques de quelques-uns convainquirent l'opinion qu'ils étaient solidaires des réfractaires et de leurs fidèles. Taxés sans discrimination de fanatisme, ils devinrent des ennemis publics, fauteurs de troubles et dangereux pour la patrie. « La République ne peut exister, telle que nous la voulons, avec ces monstres [1]. »

Ils encouragèrent les campagnes dans leur opposition aux mesures de salut public, donnant raison à leurs accusateurs. A travers eux on s'attaqua progressivement au dogme. L'athéisme se propagea dans les villes. La lutte antireligieuse, confondue avec la lutte révolutionnaire, devint antichrétienne. Dans le bréviaire du terroriste elle prit la première place.

1. Cité par A. Aulard, *Histoire du culte de la Raison*, p. 383. Lettre de Lanot, 23 nivôse an II.

2. Des institutions et des hommes

Le Comité de salut public décida que le gouvernement révolutionnaire fonctionnerait dans toute la France dès la fin de nivôse. C'était attribuer aux institutions et aux hommes une puissance magique et sous-estimer les forces de résistance. En proclamant son optimisme, la Convention entendait stimuler les autorités locales et les convaincre d'agir simultanément. Disposait-on d'un personnel suffisant et décidé? Le déficit quasi général du recrutement jacobin posa de graves problèmes aux représentants en mission.

Les missionnaires du pouvoir.

Le 9 nivôse (29 décembre), l'Assemblée délégua en province 58 de ses membres qu'elle investit de pouvoirs illimités. Son choix se porta sur des hommes qui connaissaient les lieux et les populations. Certains déjà étaient en place; d'autres avaient, dans les mêmes régions, dirigé levées et réquisitions. Sauf dans six cas, chacun reçut la charge de deux départements, soit un million d'hectares à parcourir, 4 à 500 000 habitants à surveiller, et quelque 800 communes à épurer, réparties entre une dizaine de districts.

Leur mission exigeait des déplacements prolongés que l'hiver ne favorisait pas. Malgré l'interdit du décret du 14 frimaire, ils s'entourèrent donc de nombreux agents. Fouché, dans la Nièvre, en usa copieusement. Recommandés par les Sociétés populaires, ils reçurent dans un cadre restreint des délégations très précises qui flattèrent leur vanité. Qu'il s'agisse de gens du terroir ou d'envoyés de la capitale, ils s'empressèrent de justifier leur réputation d'ultra-révolutionnaires. Convaincus de leur bon droit, ils violentèrent l'opinion, exécutèrent sans nuances perquisitions et arrestations, annulèrent des jugements rendus.[1] Les campagnes connurent la Terreur à travers leurs excès.

Ce fut des villes que le représentant prétendit coordonner leurs

1. Voir C. Lucas, « J. M. Lapalus » (*A.h.R.f.*, 1968, p. 489). Javogues l'utilisa. Il délivra plus de 300 mandats d'arrêt contre des prêtres et des rebelles lyonnais. Condamné à mort, il fut exécuté le 23 germinal.

opérations. Il entoura sa venue de la force locale, convoqua la garde nationale ou un détachement militaire, réunit la Société populaire pour faire connaître ses intentions. Nul ne devait ignorer sa présence. Le cérémonial se renouvela partout, avec des variantes qui dépendaient des tempéraments. L'intimidation produisit ses effets. L'arrivée de Carrier à Rennes chassa les modérés. Confrontés avec des difficultés imprévues ils eurent parfois la main lourde et leurs agents plus encore. Involontairement peut-être ils renchérirent sur des mesures générales et furent plus révolutionnaires que le gouvernement.

Aucune mission ne réclama autant d'initiative, car aucune ne fut aussi complexe. Elle concernait à la fois les choses et les individus, les institutions et l'esprit public. De sa réussite dépendait le succès du pouvoir jacobin. Une première tâche consistait à renouveler les autorités. « Convoquez le peuple en Société populaire; que les fonctionnaires publics y comparaissent, interrogez-le sur leur compte; que son jugement dicte le vôtre. » Ils adoptèrent cette marche proposée par le Comité de salut public. Le scrutin épuratoire où chacun s'offre spontanément à la critique de tous, constitua une forme d'expression plus démocratique que l'élection. Les résultats furent inégaux, ici une simple formalité et là un examen sévère. Au lieu du questionnaire habituel, Dubois-Crancé proposa cette simple demande : « Qu'as-tu fait pour être pendu si la contre-révolution arrivait? » Jusqu'en germinal, cet écrémage, périodiquement réalisé, favorisa les catégories moyennes, selon une mutation normale. Artisans et boutiquiers remplacèrent les robins auxquels on réserva néanmoins des emplois de bureau. La continuité des services fut préservée par le maintien des administrateurs qui n'avaient pas démérité. On se résolut rarement à des purges massives.

L'organisation des nouveaux pouvoirs posa peu de problème car ils étaient rétribués. On conserva, pour les postes d'agents nationaux, la plupart des procureurs-syndics supprimés. Les comités de surveillance existants se pérennisèrent. Lorsqu'on compléta les uns et les autres, les Sociétés, qui proposaient des candidats, s'efforcèrent « de récompenser le patriotisme et les talents; de confier en même temps les intérêts de la République à des mains éprouvées ». On en découvrit aisément dans les villes, mais on dut recourir dans les campagnes aux officiers municipaux. Ils acceptèrent ce cumul, et les cinq francs journaliers de la nation, sans accorder leur temps aux comités révolutionnaires. Puisque ces places étaient en fait à la discrétion des représentants, on leur fit une cour assidue. Ils se laissèrent abuser et encoururent les reproches des députés du département. Massieu fut ainsi dénoncé par Harmand pour avoir, dans la Meuse, « remis les pouvoirs révolutionnaires entre les mains des partisans de Pitt et de Cobourg »... « Voilà les créatures qui t'ont circonvenu, accompagné et obsédé! »

La calomnie qui s'acharnait sur eux ne les retint pas. Ils se savaient soutenus par le « grand » Comité et respectaient ses décisions. « Prononcez, nous exécuterons. Nous n'appréhendons pas la responsabilité mais nous craignons de manquer de prudence. » Leur activité fut en effet considérable. Par brassées ils soumirent leurs arrêtés à son approbation. Sur les lieux ils avaient force de loi. Dix années de fer sanctionnaient ceux qui les suspendraient. On ne saurait donc juger de la pénétration révolutionnaire en province sans consulter ces collections. Elles répondent de la foi républicaine qui anima leurs auteurs. Souvent les autorités locales décidèrent sans les consulter. Par suite, la situation se modifia selon les régions et à l'intérieur de chacune d'elles.

Les autorités locales.

Leur fermeté dépendait de la présence des représentants et de patriotes énergiques car l'opinion ne fut jamais « unanime et prononcée ». Nulle part elle n'accepta de plein gré le gouvernement révolutionnaire. La minorité jacobine, qui s'efforçait de dominer, était soumise à une pression constante. Elle se sentait épiée, traquée. Rarement elle agit avec mesure, et plutôt par excès que par défaut.

Elle-même manquait de cohésion. Militants sans-culottes et acquéreurs de biens nationaux n'appartenaient pas au même horizon social. Les seconds, révolutionnaires par intérêt, pratiquaient l'opportunisme. Ils sauvèrent les apparences et ne s'engagèrent qu'à demi. Mais par endroits, des meneurs obscurs parvinrent à entraîner la population. On écouta de la sorte Jumel à Tulle, Vassant à Sedan, les frères Gerbois à Amboise, Goullin à Nantes,

Lepetit à Saumur. On les devina aussi dans des bourgs ruraux dont les attitudes politiques tranchaient sur la grisaille environnante. Pendant l'hiver de 1793 leur influence grandit; ils furent les « piliers » sur lesquels s'appuyèrent les « corps constitués ».

Les agents nationaux, qui représentaient auprès des districts et des municipalités le pouvoir révolutionnaire, « ne recevaient de bornes que des lois ». Ils ne délibéraient pas dans les administrations, mais requéraient et surveillaient l'exécution des décrets, « dénonçaient les négligences et les infractions ». On comptait sur eux pour stimuler l'ardeur des responsables locaux alors que beaucoup en manquaient eux-mêmes. Celui de Romorantin n'était autre qu'un chanoine de la cathédrale; plusieurs, dont celui de Thonon, avouaient leur manque d'aptitudes. Leur rôle pénible et ingrat comportait une double menace qui les rendait prudents : la sanction d'en haut et le désaveu d'en bas. Ils adoptèrent les attitudes des anciens procureurs-syndics, constatant les descentes de cloches, les ventes de biens d'émigrés, les abjurations de prêtres. Leurs rapports décadaires, optimistes et brefs, sont décevants.

Les délibérations municipales ne le sont pas moins. Elles prennent de l'ampleur avec la dimension des cités. Les grandes villes offrent davantage d'intérêt. Toutefois, hormis le problème des subsistances qui les accapare et suscite parfois des projets originaux, on s'applique à prouver son civisme avec des procédés communs à toutes les agglomérations. Il importe de se montrer « à la hauteur des circonstances ». Planter un arbre de la Liberté, inaugurer le temple de la Raison, organiser des fêtes civiques, compose le menu habituel. Les greffiers accentuent encore cette impression d'uniformité. Plus leur pratique juridique est grande, plus les débats se font laconiques et impersonnels. L'historien n'y trouve pas son compte.

Pour des raisons différentes, les campagnes furent encore moins prolixes. Le nombre des élus dépassait à peine celui des électeurs dans les plus petites communes. Pour 800 habitants on comptait 150 gardes nationaux, 20 officiers municipaux et notables. Illettrés en partie, ils confiaient la conduite des affaires aux fermiers des seigneurs, principaux exploitants. La Société populaire de Sées demanda leur exclusion des fonctions publiques, mais pendant toute la Terreur, et un peu partout, ils demeurèrent en place : à Gonesse, à Villers-le-Bel, à Acquigny, à Beuzeville, à Lauzun. Un curé administra la commune de Réchésy sans interruption de 1775 au 9 thermidor, date de son arrestation [1]. Dans de nombreux villages on conserva le même personnel de 1792 à 1795.

L'écheveau des affaires courantes se dévida sans surprise. On allait son train, sans se hâter. Les patriotes pauvres ou peu aisés qui fournirent pour la levée en masse « un travail énorme de jour et de nuit », n'obtinrent pas l'indemnité qu'on réclama pour eux. Ils se limitèrent à la stricte observance des décrets essentiels, des réquisitions et du recouvrement des impôts. A Grézolles, on ne distribua qu'après Thermidor les secours aux familles des volontaires,.

La situation se modifie lorsque municipalités et comités révolutionnaires se composent des mêmes hommes. Le maire d'Issy-les-Moulineaux présidait en même temps le comité et la Société populaire. Non contents d'administrer, ils surveillent et punissent, exerçant un pouvoir arbitraire et incontrôlé. Tandis qu'ils préservent leurs clients, ils emprisonnent leurs ennemis personnels. Des prêtres s'y introduisent dans la Creuse, et des bourgeois s'imposent aux sans-culottes. On se plaint à Mende de la domination des riches propriétaires. D'anciens « procureurs du cardinal Collier » (le prince de Rohan) dirigent le district de Benfeld. Les abus paraissent plus fréquents dans les bourgs que dans les villes où l'on observe plus rigoureusement la loi. Sur le loyalisme des autorités, les témoignages concordent. A peine espère-t-on rencontrer un véritable patriote sur six, les autres étant « des insouciants et des aristocrates ».

Les patriotes sincères se distinguaient par leur désir constant de servir la République. Le gouvernement y avait formellement invité les Sociétés populaires. « Vous serez nos plus puissants auxiliaires. » On s'imposa des serments, dont celui « d'exterminer quiconque proposerait directement ou indirectement la royauté, et de dénoncer ceux qui... voudraient avilir ou anéantir la représentation nationale ». Pauvres et riches le jurèrent. La haine de l'aristocratie animait depuis 1789 la conscience collective de la France rurale qui cependant répugnait aux violences inutiles.

1. Voir C. Bairet, « Histoire de la paroisse de Réchésy » (*B^{in} S^{té} belfortaine d'émulation*, 1964-65, n° 65, p. 99).

Toutes ces assemblées n'adoptèrent pas une ligne politique semblable. On ne s'accorde d'ailleurs pas sur leur nombre. Aulard l'évalue à un millier. Il ne peut s'agir que de celles dont l'affiliation aux Jacobins fut reconnue. En réalité il s'en créa spontanément, ou sous l'impulsion des représentants, dans presque toutes les communes, à partir d'octobre 1793. On en compte plus de mille rien que dans les six départements du Sud-Est; la liste cessa de s'allonger après germinal.

Pendant l'hiver la majorité de la population les fréquenta. Dans les bourgs moyens l'assistance fut relativement plus fournie que dans les grandes villes. Le port de la cocarde distingua leurs membres et l'étiquette de « Vrais sans-culottes » épinglée à la veste, désigna les militants. Les femmes s'abstinrent plus souvent dans les campagnes. On leur concéda parfois une tribune spéciale lorsqu'elles ne s'isolèrent pas d'elles-mêmes en Société particulière. Au début de l'an II, on institua une certaine discipline interne. On ne la respecta pas; les « sanctuaires de la Liberté » demeurèrent bruyants et les discussions passionnées. On s'installa dans les églises où des inscriptions patriotiques remplacèrent les pieuses images; on chanta beaucoup. Ce furent à la fois des séances récréatives, des centres de propagande et des écoles de civisme.

Sentiments fraternels, désintéressement, patriotisme animèrent leur action. Les Sociétés récentes firent preuve d'une grande bonne volonté, d'un réel enthousiasme et de peu de moyens. Le chef-lieu les épaula, les aida pour la récolte du salpêtre, la collecte des dons, la rédaction des adresses, l'enrôlement de cavaliers qui furent toujours « jacobins ». Ainsi se répandit l'idée que le mouvement révolutionnaire se communiquait aux ruraux. « Tout ce qui n'est pas jacobin n'est écouté par personne parce qu'on sait que les Jacobins ont tout fait pour la Liberté. » Réalité fugitive que l'on conteste à Noyon. On obéit aux lois par amour de la patrie ou par crainte « mais ces derniers ne sont point connus ».

Formes de la contestation.

A mesure qu'elle se renforça, la dictature jacobine se heurta, sur le plan local, à des oppositions de types divers. La plus inattendue résulta du communalisme administratif. On voulait rester maître de ses problèmes et régler ses propres querelles. Une intervention non suscitée indisposait l'opinion. Plutôt que de la subir on se contraignit au silence. Cette conspiration n'était pas sanctionnée; elle faussa malgré tout l'image de la République dans l'esprit des gouvernants.

En réclamant la soumission, ils songeaient d'abord à la « minorité agissante ». Elle évolua à leur insu vers la démocratie, comme la sans-culotterie parisienne. Restreints en nombre, on les rencontra surtout dans les villes. A Bordeaux, Tallien dénonça le frère de son collègue Ysabeau « qui donnait dans cette exagération ». On en fit des disciples de Marat, puis d'Hébert; ils s'honorèrent de ces noms dont les gratifiaient les « Messieurs ». Ne serait-ce que par les journaux, ils reçurent de la capitale une inspiration diffuse plutôt que des mots d'ordre. La plupart avaient conscience d'être à la pointe de la Révolution. Leurs idées furent sommaires mais constructives; ils surent les adapter aux vœux de leurs concitoyens. Ils s'élevèrent à la fois contre le centralisme du gouvernement et les « mauvais riches ». On peut suivre leur action depuis le 10 août. Cette continuité et l'ardeur de leurs convictions firent leur force; ils la communiquèrent aux Sociétés jacobines. Elles adoptèrent leurs projets : le monopole national des denrées, un prélèvement sur les gros revenus, des taxes sur les domestiques et les célibataires. Ces projets furent abandonnés en même temps que leurs auteurs, lorsque ceux-ci refusèrent de se soumettre au pouvoir.

D'autres « extrémistes » les relayèrent. Même dans les bourgs on signala l'apparition de « patriotes de circonstance ». Collot d'Herbois les dénonça aux Jacobins après l'élimination des Enragés. Maure, en Seine-et-Marne, y reconnut « une infinité d'émigrés de Paris, gens de loi, de finances, agents de l'Ancien Régime qui inondent les campagnes et préparent leur élection à la prochaine législature ». Il en arrivait à Montpellier de tout le Languedoc. Garnier (de Saintes) détruisit à Blois « cette faction oppressive dont un prêtre méchant et hypocrite était le chef ». A Saint-Malo, devenu Port-Malo, « les mauvais citoyens crurent en imposer aux bons en prenant les devants pour les dénoncer ».

C'était la tactique ordinaire des fédéralistes. Plutôt que de s'entêter dans une opposition doctrinale vouée à l'échec, ils imitèrent les méthodes du *Père Duchesne*, tentant de se confondre avec les ultra-révolutionnaires. Le caractère artificiel et soudain de leur revirement abusa l'opinion citadine qui connaissait mal leurs origines. Leur attitude, résolument négative, consistait à se débarrasser des patriotes et à récriminer sans cesse. Tallien, en pluviôse, fit arrêter l'un d'eux à Bordeaux qui « sans aucuns moyens que ceux de la déclamation et de tout trouver mauvais, gâtent tout et entraînent les hommes faibles ». On les remarqua trop tard dans de petites villes où ils firent du mal. « Vous savez comme moi, écrivait Legendre, en mission dans le Cher, que bien des tartuffes ont marché sous la bannière des partisans de la Révolution. L'intérêt, la vanité et la poltronnerie ont été leurs mobiles. »

La grande coalition des absentéistes servit leurs desseins. Cette majorité qui se soumettait à un présent inévitable refusait de prendre parti, laissant la place aux plus audacieux. Elle ne comptait pas que des adversaires du régime. C'est à l'échelon local qu'il faut apprécier des comportements individuels. L'artisan citadin, bon sans-culotte, ne pouvait consacrer tout son temps à l'action militante. Ses obligations professionnelles et familiales le rappelèrent à la maison; les plaisirs, au cabaret. Ainsi que le souligne R. Cobb avec humour : « Le billard et la femme eurent le dernier mot. » Les travaux des champs agirent dans le même sens sur les campagnards. A la fin de l'hiver la taille des vignes occupa leurs loisirs, puis les labours et les semailles de printemps. On passa le décadi chez soi ou chez les voisins, et par occasion à la Société populaire. Les armées révolutionnaires avaient déjà cessé d'être persuasives.

Les armées « politiques ».

Elles représentent l'une des créations les plus originales du mouvement sans-culotte et de la Terreur anarchique. On ne songe trop souvent qu'à l'armée parisienne, alors qu'elles se développèrent spontanément en province. Dans le Centre et le Sud-Ouest, éloignés de la capitale, elles naquirent d'initiatives locales. Sociétés populaires, comités révolutionnaires et sections en assumèrent plus fréquemment la responsabilité que les représentants.

Au total 30 000 hommes à peine, répartis en 57 armées dont 6 000 pour celle de Paris[1]. Leurs effectifs varièrent selon les lieux

1. Voir ci-dessus, p. 108.

de 50 à 1 000 soldats. On y rencontra de tout : citadins et ruraux, employés, ouvriers et chômeurs, honnêtes gens et bandits. La légende s'empara de ces derniers et de leurs délits qui relèvent du droit commun. Cependant, même la Compagnie Marat à Nantes, de réputation féroce, se composa de boutiquiers et d'artisans modestes.

Pour ne pas concurrencer les levées ordinaires, on dut d'ailleurs choisir des pères de famille, d'âge raisonnable; ils ne manifestaient pas des opinions extrémistes. La haute paye les attira, l'uniforme aussi, et une discipline plus élastique que celle des militaires. Car ils entendaient demeurer des civils. Leurs cadres y consentirent, bien qu'en majorité ils aient appartenu à l'armée royale, à la gendarmerie, à la garde nationale. La perspective d'un avancement rapide les flatta. Mais on répondait de leur civisme; l'officier comme le soldat furent désignés démocratiquement et soumis au scrutin épuratoire.

Ces forces populaires se trouvaient subordonnées aux autorités locales, mais aucune de celles-ci n'en fut légalement chargée; les commissaires civils qui les accompagnaient usèrent de pouvoirs discrétionnaires. Choisis parmi les plus ardents révolutionnaires, ils se conduisirent en chefs de bande, tour à tour « apôtres », policiers et juges. Ils représentèrent la République jacobine, que l'on jugea d'après leur comportement. Quelques hommes suffirent pour effrayer un village. Leur apparition soudaine, leur attitude résolue, leur appareil militaire frappaient les imaginations. Ils exigeaient une obéissance immédiate puis disparaissaient en promettant de revenir, ce qu'ils firent rarement. Cette Terreur ambulante rayonna autour des villes. Elle s'exerça de manière intermittente sur un tiers du pays, depuis septembre jusqu'à la fin de décembre 1793.

L'armée parisienne y participa avec de plus grands moyens, et l'autorité du Comité de salut public. Ronsin, qui la commandait, montra de grandes qualités d'organisateur. Avec les commissaires civils et les commissaires des Guerres, il sut maintenir la cohésion et l'esprit des différents corps. La « minorité agissante » des sans-culottes en formait le noyau, si bien que les troupes furent moins jeunes et plus politisées que l'état-major. Par lui, les ordres du gouvernement se transmirent aux détachements qui ne limitèrent pas leur action aux environs de la capitale. On les employa à Lyon et en Vendée.

Propagandistes de la Révolution et exécuteurs de ses œuvres, ils en usèrent pour diffuser dans les campagnes, au hasard de leurs séjours, les idées de la sans-culotterie. Prenant appui dans les Sociétés populaires, ils s'installèrent en maîtres à leurs tribunes. Leur coopération avec le personnel jacobin tourna au préjudice des modérés. Leurs prêches égalitaires dressèrent les pauvres contre les riches. « L'égoïsme l'emporte sur l'humanité; il faut que la Terreur l'emporte sur l'égoïsme [1]. » Ils prirent parti dans les querelles locales, favorisant l'intrigue et la démagogie.

Leurs maladresses et leurs exactions contribuèrent à détacher du gouvernement les populations rurales. Elles en tirèrent de nouveaux griefs contre la sans-culotterie urbaine. Celle de Paris prit conscience de son isolement. Au lieu de renforcer l'unité nationale, les armées « politiques » accrurent l'opposition villes-campagnes. A leurs effectifs dérisoires, les masses paysannes opposèrent une résistance collective et la solidarité de leurs intérêts.

3. L'action révolutionnaire

« Il faut mettre les campagnes au pas car elles tiennent plus qu'on ne le croit à l'Ancien Régime. » Avec véhémence, Saint-Just réclamait une impitoyable rigueur contre les ennemis de la République et « quiconque ne fait rien pour elle ». « Il faut gouverner par le fer ceux qui ne peuvent pas l'être par la justice. » Cet état d'esprit anima le terroriste. Il s'engagea dans l'action collectivement et totalement, pour réussir. La lutte contre l'aristocratie, contre la religion, contre l'égoïsme, et la démocratie sociale ne firent qu'un. Marchand, membre du comité du département de Paris, qu'on envoyait en mission pour les subsistances, traduit

1. La société populaire de Lisieux au général Vialle, 26 nivôse an II. Cité par R. Cobb, *Les Armées révolutionnaires* (6), p. 66, note 130.

en termes crus ce mental agressif : « Demain à midi au plus tard nous serons chez vous. Nous déposerons la majeure partie de notre vermine au château pouilleux de Chantilly et, en face des gibiers de guillotine qu'il renferme, nous percerons l'air des cris de Liberté qui les font frémir de crainte et d'effroi. Nous pourrons bien aussi y percer un tonneau de vin [1]... » L'injonction appartient au folklore, et sa forme est courante. Elle vaut pour les plus pacifiques comme pour les plus violents. La fonction et l'ambiance hostile l'imposent. Les résistances campagnardes procèdent de la contre-révolution; le délit économique se transforme en crime politique.

Police du ravitaillement.

Dans l'aire d'approvisionnement de Paris qui s'étendait d'Orléans à Beauvais, de la Champagne au Havre, l'armée révolutionnaire eut un rôle ingrat mais bénéfique. Elle assura les prélèvements de blé chez le producteur, leur transport et leur livraison dans les magasins généraux. De petits détachements sillonnèrent la région, secouant les municipalités, obligeant à respecter le *maximum*. D'autres escortèrent chariots et péniches. Les milieux populaires des gros bourgs souhaitaient leur venue. « Arrivez, sans-culottes! Arrivez zélateurs des bons principes... Arrivez, Jacobins! Vous êtes notre seul espoir. » On leur dressa des arcs de triomphe et des tables garnies.

Les autorités composées de fermiers et de propriétaires, « ces chenilles de la République », donnaient souvent l'exemple de la fraude. Plutôt que de produire un grain peu profitable, on diminua les emblavures. Plutôt que de livrer au tarif on dissimula ses réserves. « Aux remarques que tout cela nuisait aux armées, ils répondirent qu'ils s'en foutaient pourvu qu'ils mangent du pain à leur appétit. » La mauvaise volonté était générale.

Pour subjuguer « l'aristocratie fermière et mercantile » soldats et commissaires vérificateurs opérèrent nuitamment des visites

1. Cité par Adrien Sée, « Clémence et Marchand. Trois mois sous la Terreur en Seine-et-Oise » (171). Lettre à la municipalité de Chantilly, 4 octobre 1793.

domiciliaires. Réveillés en sursaut, les villageois terrifiés découvrirent leurs « caches ». Pour tracasser les meuniers ils veillèrent au calibre de leurs tamis et aux taux de blutage; chez les boulangers ils assistèrent à la cuisson du pain. Leur attention se porta sur toutes les denrées de première nécessité, dont le bois de chauffage, On comptait sur eux pour hâter les réquisitions militaires et le ravitaillement des marchés.

Le vin et la viande causaient des inquiétudes particulières. Les aubergistes ignoraient la taxe, trichaient sur la qualité, débitaient d'infâmes mixtures. Les sans-culottes se transformèrent en préposés des aides, exigeant les acquits à caution. Frondeurs et indisciplinés par nature, les vignerons déjouèrent leurs entreprises; on ne parvint pas à évaluer leur production. On ne connut pas davantage avec exactitude le nombre des bestiaux. Le Parisien, gros consommateur, supportait mal d'être restreint. On lui proposa vainement des carêmes civiques. La vente libre du bétail sur pied et la taxation de la viande débitée, contradictoires, furent responsables de cette disette. On incrimina aussi les spéculations des éleveurs et des bouchers, les réquisitions exagérées de bœufs pour les armées qui, de plus, entravaient les labours.

Problèmes complexes et quasi insolubles, qui résistèrent au zèle le plus ardent et aux dénonciations. Les armées « politiques » et les représentants contrôlèrent à peine les grandes voies de passage et les produits de base, mais les denrées de « seconde zone » et les circuits locaux leur échappèrent.

Produits laitiers et légumes s'acheminèrent à bras pendant des lieues pour parvenir au plus offrant. On fabriqua du fromage plutôt que du beurre, trop périssable. La paysanne fut guettée avant le marché par ses « pratiques » qui la démunirent. Quelques citoyens bénéficiaient ainsi de la nourriture d'une vingtaine d'autres. Des revendeurs n'hésitaient pas à écumer les fermes. On fit des conserves d'œufs et de viande de porc. Les pêcheurs en mer et sur les rivières disposèrent à leur gré du poisson. Trafic et abattage clandestins se développèrent. Pouvait-on traiter tout ce monde en suspects?

Pouvait-on de même sanctionner les prévarications des commissaires et des transporteurs salariés? Certains prélevèrent en effet leur « dîme », favorisèrent leur famille et leurs amis. Leur avidité donna prise sur eux. On vengea ses humiliations et ses peurs. On les accusa globalement de « louches complicités » pour discréditer le dirigisme économique. Sans l'action concertée des sans-culottes et leur détermination, il n'aurait pu s'établir. Malgré ses lacunes l'approvisionnement des armées et des grandes villes fut assuré; celui des bourgs resta précaire dans la mesure où leurs administrations manquèrent d'énergie, et leur population de civisme.

Lutte contre l'aristocratie.

L'action répressive fut plus limitée qu'on ne l'imagine. Elle peut se comparer à celle d'une gendarmerie politique. Le soldat révolutionnaire ne fut pas un bourreau. Il transmit les mandats d'arrêt, encadra les détenus, surveilla les suspects selon les méthodes policières de l'Ancien Régime. Ce fut, partout où il séjourna, l'instrument des représentants et des comités de surveillance. Les terroristes locaux, « ses frères en Révolution », le considérèrent comme un spécialiste de la Terreur.

Il y adhérait de toute sa personne. Les adversaires de la République étaient en même temps les siens. Leur qualité et leur richesse les distinguaient. Résidus de groupes sociaux : ex-nobles et fédéralistes, victimes en sursis, leur élimination était une œuvre de salubrité publique à laquelle ils s'associèrent sans hésiter. Mais ils n'influencèrent pas sensiblement le nombre total des arrestations.

Au tableau de chasse figuraient riches propriétaires et négociants, impliqués dans les mouvements royalistes, sans que la discrimination revête un caractère social. Parfois on exécuta des ordres formels, émanés des Comités de gouvernement contre des personnalités, tel Duval d'Eprémesnil. Souvent, les militants sans-culottes couvrirent, à leur insu, des vengeances particulières, des règlements de compte, des ambitions mesquines. Mais toujours ils pensèrent agir pour la cause de la Révolution. Dès que, dans le Midi, s'annonça le châtiment systématique de ses ennemis, le nombre de ses amis s'accrut « considérablement ». Avignon, qui ne faisait aucun cas de la loi sur les suspects, fourmillait d'aristocrates. « J'y ai vu des hommes, bourrelés par les cris de leur conscience, pâlissant d'effroi à la moindre de mes démarches. » Maignet rencontrait alentour les séquelles du fédéralisme marseillais. D'un seul coup, le 6 germinal, on arrêta à Alès 116 contre-révolutionnaires. Taillefer se conduisit de même dans l'Aveyron.

Les missions punitives, légalement organisées, prirent une ampleur singulière dans les zones rebelles. On songe d'abord à Lyon. Quelle fut la part réelle des soldats « politiques » dans les mitraillades? Quelle fut celle des sabreurs qui pourchassaient les rescapés? On les redouta moins que les commissaires locaux. Ensemble toutefois, ils siégèrent dans les commissions extraordinaires. Les campagnards retinrent la présence spectaculaire des tribunaux ambulants et « les promenades vengeresses ».

On songe aussi à la Vendée, aux noyades nantaises et à Carrier, leur « maître d'œuvre ». « J'avoue avoir toléré et adhéré aux mesures prises », dira-t-il plus tard, « une guerre civile ne pouvant finir que par la destruction d'un des deux partis. » On ne sait avec certitude qui distribua les ordres à la Compagnie Marat. Ce meurtre collectif ne manqua pourtant pas de témoins. Mus par la crainte et une espèce de panique, ils se turent; on acquitta en l'an III les auteurs les plus compromis pour atteindre plus sûrement Carrier. Sauf pour les prêtres, la catégorie sociale ne dicta cependant pas le choix des victimes. Gentilshommes ou manants étaient également coupables. On brutalisa des femmes qui les aidaient et « entretenaient le fanatisme ». Parmi les victimes de Nantes, on en dénombra presque autant que les hommes qu'elles égalèrent en courage.

La destruction des signes de la féodalité appartenait aussi à la lutte révolutionnaire. Les figures des rois disparurent des jeux de cartes et les enseignes des boutiques se républicanisèrent. On brûla les vieux grimoires et les archives seigneuriales jusqu'au décret du 8 pluviôse; on effaça les armoiries mais on préserva les chefs-d'œuvre « qui honorent le génie français ». La Convention rappela à l'ordre les agents nationaux qui toléraient des actes de vandalisme. En brumaire, les représentants dans le Midi s'opposèrent à la démolition des ruines romaines de Fréjus, des Arcs et de Riez. Lorsqu'on décida de brûler le carrosse du Sacre, les parties « artistiques » furent sauvegardées. On transporta à Paris, en prairial, des tableaux de Véronèse et de Rubens qui appartenaient à l'abbaye de Saint-Amand. Grégoire estima les richesses des bibliothèques séquestrées à une dizaine de millions de volumes.

Qu'on se garde donc de charger la Terreur de toutes les turpitudes. Aucun gouvernement en guerre ne manqua à la précaution de museler l'opposant; chaque religion engendra ses hérétiques. Dans la mentalité révolutionnaire le réfractaire fut, à l'égal de l'aristocrate, un ennemi public. Puis l'anathème s'étendit aux cultes tolérés et à leurs prêtres. La lutte anticléricale revêtit les mêmes aspects que le combat contre l'aristocratie.

Déchristianisation spontanée ou organisée?

Phénomène complexe dans sa diversité, la lutte antireligieuse devance la Terreur et la déborde. Paris ne l'a pas propagée et la subit moins que la province où elle reçut des pulsions imprévues. Quels furent donc ses auteurs, ses manifestations et leur portée réelle? Le débat reste ouvert. Le processus mental de la foi contrainte est insaisissable. L'analyse même des faits sensibles échappe à des cadres préfabriqués.

Le mouvement déchristianisateur eut des agents multiples. Des représentants en mission, anciens prêtres eux-mêmes, tels le vicaire épiscopal Laplanche, l'oratorien Fouché, et Chasles, chanoine de la cathédrale de Chartres, le déclenchèrent dans le Loiret, la Nièvre et le Nord. Simultanément il se répandit en Alsace, dans le Sud-Ouest et en Bretagne. Le pays entier fut affecté par quelqu'une de ses formes. Des villes où le pouvoir civil avait assez d'ascendant, il atteignit les campagnes à l'aide des militaires. Les bataillons de la levée s'en mêlèrent le long de leurs routes; les armées « politiques » se distinguèrent dans les contrées isolées.

Leur action fut collective. Commissaires et soldats révolutionnaires affrontèrent par groupes les populations hostiles, s'encourageant mutuellement. Leur exaltation gagna de proche en proche avec des degrés dans la violence. Les masses paysannes assistèrent impuissantes à ces flambées soudaines. Fanatisme et superstition, inséparables de leur vie, coalisaient par la pensée riches et pauvres. Les minorités jacobines, privées très vite de leur support extérieur, constatèrent les dégâts, sans les accroître. « La peste religieuse » survécut. Socialement ce fut une force immense.

Dans ses aspects publics, la déchristianisation présente une certaine conformité. Résulte-t-elle d'engagements spontanés? Il n'est pas niable que le sans-culotte se désintéressa du catholicisme avant de le combattre. Dans les villes, il ne fréquentait guère les offices que pour les fêtes carillonnées, par atavisme. Le cabaret l'attirait davantage. Même au village, le curé réclamait instamment qu'il fût fermé pendant la messe. Les plaisanteries sur la religion circulaient avec le colportage des almanachs. On se gaussait des vicaires « pommadés », « faiseurs de bâtards », « briseurs de ménages », du secret « mal gardé » des confessionnaux. Plus que les arguties des théologiens, des éléments passionnels influencèrent le comportement révolutionnaire qui se dessina dès après le 10 août.

La « minorité agissante » était d'accord sans s'être concertée. L'iconoclasme eut des origines obscures et des déchaînements spectaculaires. On le compara à une croisade délirante, ses pires effets coïncidant avec l'hiver de 1793, les difficultés économiques et le péril extérieur. C'est donc un élément — non des moindres — de la défense révolutionnaire et nationale. Distinguer une action légale encouragée par le pouvoir civil et des entreprises anarchiques, provoquées par les militaires, ne résiste pas à l'examen. Toutes procèdent d'une mentalité enthousiaste à détruire les témoins d'un culte inutile et dangereux. Le catholicisme n'était-il pas contre-révolutionnaire? N'avait-il pas cautionné « la royauté et la tyrannie »?

Le déroulement des faits est bien connu. On insistera sur la volonté de destruction qui anime leurs acteurs. Il faut faire table rase. Les églises désaffectées appartenaient à la commune. Leur nouvel emploi dépendait des Sociétés populaires. L'ensemble des citoyens, qui consentit à leur fermeture, s'accorda pour les préserver. Sauf dans les régions rebelles, elles subsistèrent, et les dommages restèrent superficiels. Par contre, on les dépouilla avec un zèle exagéré que les autorités locales freinèrent. L'État exerça ses reprises, exigeant objets précieux, cuivre, plomb, grilles et cloches, comme pour les domaines nationaux séquestrés. Le surplus seul fut sacrifié; on se livra à des autodafés symboliques. Saints de bois, images pieuses, effets sans valeur, « hochets du fanatisme », subirent l'épreuve du feu purificateur au milieu de l'allégresse. La population participante confirma son adhésion à la République.

Les agents nationaux insistèrent sur ces revirements. « Le peuple se prononce avec énergie pour la destruction des préjugés... Les confessionnaux se changent en guérites et les croix en arbres de la Liberté. » De partout, l'or, l'argenterie, le vermeil, les broderies affluèrent à la Convention. La Trésorerie les centralisa. Les communes montrèrent ainsi leur civisme; on les cita au *Bulletin*. La collecte se prolongea jusqu'à Thermidor.

On reprocha aux détachements révolutionnaires des gestes sacrilèges. Ils mutilèrent des statues et renversèrent des croix, sans même sauvegarder une apparence de consentement populaire. Mais leur action s'exerça surtout contre les individus, prêtres et femmes fanatiques, qu'ils arrêtèrent avec l'accord des pouvoirs civils. « Tant qu'il y aura un prêtre sur le sol de la République, la Liberté n'aura pas un triomphe complet. » Bo, dans le Cantal et le Lot, s'acharna sur eux. « Je ne crois pas qu'il en reste un seul en fonctions. » Dartigoeyte, André Dumont et Lebon s'en glorifièrent aussi. Cependant Mathiez remarque avec juste raison que Fouché ferma peu d'églises dans la Nièvre et que Couturier en Seine-et-Marne « maria à tour de bras des curés qui continuèrent à dire la messe ».

Les détentions généralisées ne distinguaient pas entre réfractaires et jureurs. On laissa une chance à ceux qui abdiqueraient. Ils furent nombreux. On les contraignit souvent. Dans maints districts on enregistra, en germinal, de véritables épidémies de renoncements, alors qu'ailleurs ils commencèrent dès frimaire. Celui de l'évêque de Paris Gobel, le 17 brumaire (7 novembre), n'entraîna pas les autres qui furent d'abord des cas isolés. On les motiva par des vocations extorquées et des convictions patriotiques qui furent sincères, surtout chez les jeunes. Plusieurs s'engagèrent aussitôt dans l'armée ou travaillèrent dans les ateliers. D'autres épousèrent des paysannes, rentrèrent dans la vie laïque sans tapage et fondèrent une famille.

Les mariages n'étonnèrent pas les populations. On acclama les époux dont certains régularisaient des situations de fait. Ceux qui furent célébrés à Étampes, fin brumaire, adoptèrent le régime de la communauté des biens. Par intérêt ou par crainte, on contracta aussi des unions « avenantes », après en avoir longuement débattu avec sa conscience. D'ailleurs combien prétendirent avoir égaré leurs lettres de prêtrise qui les retrouvèrent plus tard opportunément! Combien d'abdicataires, sous la protection de leurs paroissiens, poursuivirent clandestinement leur ministère! Leur duplicité laissa les représentants perplexes; ils s'en plaignirent dès ventôse.

Le culte de la Raison parut d'abord un dérivatif. On le prépara soigneusement. Dans la cathédrale de Blois, chaque chapelle fut dédiée à une vertu républicaine. Les représentants firent jurer par les autorités de ne reconnaître aucun autre culte. Mais, très vite, les excès commencèrent. On se défoula. Massieu annonça que l'église de Verdun se « changeait en un vaste Vauxhall où les amateurs de la danse peuvent s'amuser ». A Meymac, les sans-culottes, conduits par Jumel, se parèrent des habits sacerdotaux. Leur mascarade irrita les campagnards qui déclenchèrent une bagarre, arrachant les cocardes et criant : « Vive Louis XVIII, Vive la religion, vivent nos prêtres! »

« Comment abattre cette hydre fantastique? » questionnait Albitte, l'un des représentants déchristianisateurs. « En détruisant les prêtres actuels? Non, il en reviendrait d'autres, mais en prouvant au peuple qu'il n'en faut point. » C'était l'opinion du Comité de salut public qui, dès le début de nivôse, ménagea le « fanatisme sincère ». Vers le 20 pluviôse (8 février) il invita les Sociétés populaires « à ramener à la vérité, par le langage de la raison, cette multitude qui s'est livrée à l'erreur ». La persuasion devait remplacer la contrainte. Par rapport aux détentions, les exécutions furent peu nombreuses jusqu'en prairial, mais elles frappèrent par places, aveuglément, Ces massacres impressionnèrent l'opinion qui ne concevait pas leur nécessité. La déchristianisation souleva « une colère globale contre les temps nouveaux ».

Vers un esprit nouveau?

La Révolution prétendait changer les habitudes :

> « Adieu psautiers et catéchismes,
> Source de bêtise et d'erreurs,
> C'est du bon républicanisme
> Qu'il faut désormais à nos cœurs. »

La Raison ne pouvait entamer la foi des humbles qui subsistait sans le culte. Comment donc « recréer le peuple qu'on veut rendre à la Liberté? » Il fallait à la République une religion sans prêtres, dont le dogme serait le civisme, le patriotisme, la vertu; qui pourrait coexister avec un déisme diffus dans la Création que chacun reconnaîtrait intimement.

Robespierre ne fut ni le seul ni le premier qui suggéra un système de fêtes nationales. L'idée germa des Fédérations. Leur nombre s'accrut à partir du milieu de 1793, bien avant la poussée des déchristianisateurs. L'initiative appartint aux municipalités et aux Sociétés populaires. « Représentants, écrivait celle de Blois le 21 brumaire, hâtez-vous de remplacer les fêtes religieuses par des fêtes républicaines, et bientôt les simples, détrompés, abandonneront les repaires du fanatisme pour se mêler à nos chants. » « Les sans-culottes rient..., la République s'affermit, la liberté prospère. Ça va et ça ira. »

La Convention leur fournit des prétextes, dont la reprise de Toulon, mais chaque ville en organisa à sa guise. Bordeaux célébra la libération des hommes de couleur. On rendit hommage à Lepeletier, à Marat, à Chalier, à ses martyrs locaux, dont Bordier et Jourdain à Rouen, qui connut trois cérémonies publiques rien qu'en frimaire. Par elles la propagande jacobine se répandit dans les bourgs.

Les cortèges se déroulèrent dans les rues comme les processions religieuses, selon quelques principes communs : la hiérarchie des autorités, les symboles, les discours, les hymnes. Mais l'originalité se manifesta dans les détails, fruits d'une inspiration collective. On ménagea la part du civisme et de la fantaisie, sans sacrifier au vulgaire. Lorsqu'on proposa des rôles ridicules, les acteurs se dérobèrent. Des soldats conviés à Armentières refusèrent de couper la tête d'un cochon qui figurait Louis XVI.

Occasions de réjouissances, lieux de rencontres, qui se rapprochaient des fêtes votives et des « ballades » villageoises, sans abandonner leur caractère politique et social. Le contenu idéologique répondait à la mentalité populaire et à l'élan patriotique. On n'usa pas partout d'évocations antiques, mais partout on clama sa haine contre les ennemis de la République. Partout aussi on insista sur la solidarité des assistants. Des repas « spartiates »

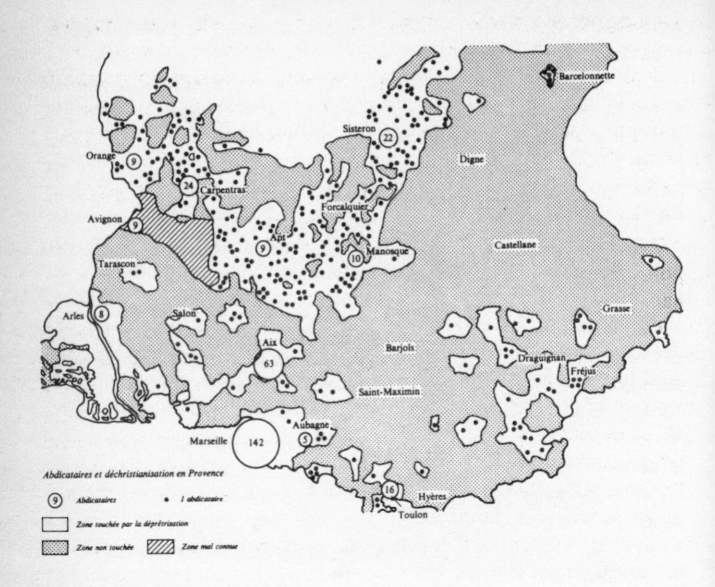

Fig. 5. *Abdicataires et déchristianisation en Provence.*

les réunirent; chansons et danses se prolongèrent. Leur succès était acquis lorsque le gouvernement songea à les accaparer. Le rapport du 18 floréal (7 mai) les codifia. Elles n'en continuèrent pas moins comme auparavant, plus fréquentes peut-être, sans atteindre un rythme décadaire. Des villages en organisèrent lorsqu'on vit qu'elles ne concurrençaient pas le catholicisme.

On accepta, pour la même raison, la dévotion populaire qui entoura des saintes patriotes, dont Perrine Dugué dans la Mayenne et Marie Martin, « sainte Pataude », au sud de l'Ille-et-Villaine. Le transfert paraît évident du culte traditionnel en faveur des héros révolutionnaires. Celui qui fut spontanément dédié à Marat persista longtemps. Avec Lepeletier, la Liberté ou la mort, son nom figura dans le signe de croix républicanisé. On l'adopta pour prénommer les nouveau-nés.

Une enquête récente, menée dans l'Eure[1], confirme l'emploi conjoint des noms de saints et des termes nouveaux. Attitude politique ou attrait de la mode? Pour y sacrifier on n'hésita pas à ridiculiser ses enfants. Passe encore pour Brutus, mais Asperge ou Colonne-de-la-Liberté! Un Rouennais, nommé Canesson, fut baptisé Montagnard-Sans-culotte. Fouché appela sa fille Nièvre. Ils pénétrèrent dans les campagnes avec du retard. Leur pourcentage ne dépassa cependant pas le dixième du nombre des naissances.

On emprunta les noms de ses mois au calendrier républicain. Il bouleversa les habitudes des administrateurs avant de passer dans les mœurs. Son usage fut considéré comme une preuve de civisme. On l'opposa au « vieux style » que conservèrent longtemps les vieillards et les femmes. A la décade les travailleurs préféraient la semaine; le repos dominical subsista. Quant aux communes dont les noms rappelaient la féodalité, beaucoup les modifièrent avec un conformisme gênant. On ne relève pas moins de seize *Fraternité*, 21 *Marat*, 87 *Montagne*. D'autres s'y refusèrent sans qu'on sache leurs motifs.

Dans les foires et chez les notaires qui persistaient à user des formules anciennes, on compta toujours en écus et en pistoles. On se passa, de père en fils, les mêmes vêtements. La cocarde fut rarement portée. Les plaques de l'âtre conservèrent leurs couronnes et les bornes de la forêt leurs fleurs de lys. On économisa sou par sou les assignats. Même si le campagnard avait du bien, l'argent restait très rare. On vivait au jour le jour, sur ses produits. Les remboursements de rentes furent minimes en l'an II. Au demeurant, les individus modifièrent leurs attitudes par occasion et par nécessité. L'influence de la Révolution s'exerça sur la mentalité rurale très superficiellement.

Le nombre des illettrés ne diminua pas. L'organisation des écoles de villages eût permis de transformer la jeunesse. Elle vibrait à l'évocation des actes héroïques. La « Société populaire des culti-

1. M. Le Pesant, « Prénoms révolutionnaires et contre-révolutionnaires dans l'Eure » (*B^{in} S^{té} Antiquaires Normandie*, t. 58, p. 482).

vateurs d'Ecully » proposa d'enlever aux suspects l'éducation de leurs enfants. Couthon leva sur les riches une taxe qu'il destinait à fonder des collèges dans le Puy-de-Dôme. Cependant la République ne pouvait à la fois soutenir la guerre et financer des entreprises durables. Le paysan fut abandonné à sa routine.

4. Questions agraires

De politique agraire, la Convention n'en pratiqua aucune. Nantie par la Constituante d'un Code rural, elle le replâtra au gré des besoins. Son Comité d'Agriculture fut inondé de projets qui dormirent dans les dossiers. La Commission des subsistances, qui répugnait aux réglementations autoritaires, réprimanda les municipalités. La contradiction s'établissait inévitablement entre un programme à l'échelon national et une polyculture de consommation familiale; entre les exigences immédiates du ravitaillement, les impératifs financiers et les revendications paysannes.

On ne changerait d'ailleurs les techniques qu'à long terme et par la création d'un enseignement agricole. Isoré, qui présentait, le 3 floréal, les résultats de son expérience en Ile-de-France, conseillait de ne rien bousculer. « Les usages des cultivateurs, dont se plaignent les économistes, sont enracinés d'une manière à ne pas les détruire, et peut-être est-ce un bonheur. » Le gouvernement bornait ses soucis à la prochaine récolte.

Productivité ou propriété?

Il fallait encourager la production des denrées de première nécessité, et par-dessus tout celle des céréales. Les levées d'hommes avaient désorganisé le marché du travail; les transports militaires accentuaient le déficit du matériel. Obnubilé par la défense nationale, le Comité de salut public sacrifiait dangereusement des secteurs essentiels de l'économie. La réserve exclusive du fer pour les fabrications d'armes privait le cultivateur d'outils indispensables. On ne pouvait continuellement réparer de vieilles charrues.

Les artisans reçurent des attributions de matières premières. Progressivement l'emprise de la guerre se desserra sur l'agriculture; on tint compte de ses besoins.

Toutefois l'augmentation des rendements préoccupa bien moins que le volume global des récoltes. On limita partout à une année le temps de la jachère. L'élevage réduit fournit moins de fumier. Les terres furent cultivées jusqu'à épuisement. On s'empara « révolutionnairement » de terres en friche; même pauvres, on les ensemença. A Thouars, le comité révolutionnaire menaça de traiter en suspects les laboureurs négligents. Un cultivateur de Varzy fut qualifié d'affameur pour avoir semé du sainfoin. Même en Champagne, on arracha les basses vignes, et les mûriers en Provence.

Ces réactions primitives se développèrent au printemps de 1794. Elles étaient le fait de la petite paysannerie, majoritaire dans les communautés rurales. Ainsi se traduisait son antagonisme contre le gros exploitant qui cherchait à équilibrer sa production. Les représentants, qui admettaient la nécessité d'entretenir la terre et de répartir les plantations d'après les composantes des sols, préconisaient une juste mesure « entre les étables et les greniers ». Ils redoutaient les aléas de la monoculture et s'efforçaient de ne pas décourager le grand propriétaire dont les excédents assuraient les réquisitions.

Par vocation démocratique, la République donnait cependant des gages spectaculaires aux petits exploitants. Elle les avait conviés, dès le 10 août, au partage des dépouilles de l'aristocratie. Le morcellement et l'arrentement des biens d'émigrés, la suppression des redevances seigneuriales dénuées de titres authentiques, du domaine congéable breton[1], la récupération des communaux usurpés procédaient de cette volonté. Les lois montagnardes la continuèrent en décidant, le 3 juin 1793, de réserver aux nécessiteux des terres d'émigrés; de partager, le 10 juin, les communaux entre les chefs de famille; le 17 juillet enfin, d'abolir sans indemnité tous les droits seigneuriaux. Les

1. Cette concession précaire d'une terre à un tenancier contre paiement de rentes en argent et en nature était très impopulaire. Voir L. Dubreuil, *Les Vicissitudes du domaine congéable en basse Bretagne à l'époque de la Révolution*, Rennes, 1915, 2 vol.

députés souhaitaient favoriser les pauvres, mais l'intérêt national les retenait. Des distributions gratuites risquaient d'amoindrir le gage de l'assignat; les ventes profiteraient aux riches. Entre ces deux moyens la Convention réalisa un compromis. Elle proclama ses intentions généreuses et les appliqua timidement à des cas particuliers. Avertie du danger d'un désengagement politique, elle consentit néanmoins à l'immobilisme social. Les structures en place furent consolidées. On sacrifia une répartition plus équitable des biens à la productivité.

Les paysans parcellaires qui s'élevaient contre le cumul des fermes ne purent obtenir leur limitation. L'exploitant pouvait subsister sur une tenure dont le loyer ne dépassait pas 300 francs. A quoi bon lui concéder davantage? Dans ce sens les pétitions se multiplièrent pendant la Terreur et se firent plus restrictives. On regardait comme immuables les droits collectifs qu'aucune innovation technique ne devait entraver. Les Jacobins de Paris souhaitaient voir les nouveaux propriétaires s'établir sur les communaux, tandis que leur partage avait été mal accueilli. Des municipalités vinicoles de Touraine s'y opposèrent franchement et préférèrent « continuer la jouissance des pacages ». Pour raviver l'élan patriotique dans les campagnes bourguignonnes, on évoqua le souvenir des triages seigneuriaux. « S'il vous en est resté quelques lambeaux, ce n'est que parce que ces avides sangsues n'avaient pu vous les arracher [1]. »

Peu importaient les progrès de l'agriculture puisque seuls les propriétaires en bénéficiaient, et la suppression des droits féodaux puisqu'ils survivaient dans les baux. Les contrats anciens, qui les stipulaient, demeuraient valables. Pour les nouveaux on intégra leur montant dans les fermages malgré l'interdiction du décret du 1er brumaire (22 octobre). Ils subirent une sensible augmentation qu'un cultivateur d'Ebly estima à quatre francs par arpent. Les prestations en nature et en services permirent aux bailleurs de compenser l'inflation monétaire. Ils indexèrent de la sorte leurs revenus fonciers.

La crise agraire prit un caractère aigu. Les rivalités paysannes

1. Cité par P. de Saint-Jacob, *Les Paysans de la Bourgogne du Nord au dernier siècle de l'Ancien Régime*, Paris, 1960, p. 517.

se transformèrent en rapports de travail. Elles n'opposèrent pas seulement, au sein des communautés, les riches et les pauvres, mais les fermiers et les propriétaires, les exploitants et les salariés. On suggéra même, pour faire cesser l'oppression sociale, de supprimer tous les contrats. La nation substituée au possédant s'attribuerait alors les trois quarts du produit des fermes et le fermier jouirait du surplus pour sa consommation. Les ventes nationales, en renforçant les structures et les habitudes mentales, agirent à la manière de « freins techniques ». On acheta des terres plutôt que du bétail, des semences et des engrais.

Les ventes nationales.

L'offre immense des biens d'Église avait permis aux ruraux d'assouvir leur faim de la terre. Pour citer l'exemple de la Sarthe, on aliéna jusqu'en 1793 près du dixième de la superficie du département. La bourgeoisie, déjà nantie, s'appropria la moitié de certaines communes. Les paysans, que les enchères districales défavorisaient, tentèrent leur chance avec succès en s'associant, en s'adjugeant des parcelles. Ils y vidèrent leurs « bas de laine ».

Petits exploitants, métayers ou bordiers devaient, en principe, bénéficier des biens d'émigrés. On les lotit le 3 juin 1793 en souhaitant faire vite. Les occupants, avisés de leur départ proche, ravageaient les bois, délaissaient les bâtiments, « désolaient les terres ». Cet abâtardissement ruinait la République. Néanmoins estimations et divisions tardèrent. « C'est l'entière dissolution des corps de ferme qu'il faut », déclarait Dolivier, curé de Mauchamp, près d'Etampes. Plusieurs districts s'y efforcèrent tandis que d'autres se contentaient d'énumérer les parcelles existantes.

Les ventes immobilières, celles des maisons urbaines d'abord, commencèrent à la mi-octobre dans la région de Rouen, puis celles des biens ruraux à la fin de brumaire. Il en fut ainsi dans presque toute la France. On ajouta successivement les lopins des curés, des fabriques, les dotations des collèges et des hôpitaux, l'héritage des condamnés à mort. Les familles, gardiennes des patrimoines, firent valoir leurs douaires dans les pays coutumiers, s'efforçant de retarder les enchères.

L'allure des ventes se modifia. Elles prirent un caractère politique. Les acquéreurs se glorifièrent de cet acte de civisme. Des Jacobins se portèrent parmi les acheteurs mais ceux-ci ne devinrent pas tous Jacobins. L'opération était fructueuse; le nombre des intéressés fut grand. Calculées d'après le revenu de 1790, les mises à prix parurent relativement basses et les adjudications les dépassèrent largement. « C'est à qui prouvera que les ennemis de la République ne sont pas capables d'épouvanter des républicains qui ont juré de vivre libres. » La Convention applaudit à ces bulletins de victoire.

« En divisant les biens d'émigrés, on cherchait à éteindre la misère... », rappelait Couthon le 1er floréal. Le pauvre n'en profita guère. La loi du 13 septembre 1793 l'avait autorisé à acquérir de petits lots contre un bon de 500 francs délivré par les municipalités. Trop tard connue et imprécise, elle produisit peu d'effet et bien des déceptions. On s'irrita contre les bénéficiaires, toujours les mêmes, « des robins, des bourgeois, des marchands du district ». L'emprise des riches fut moindre car beaucoup étaient suspects; celle des fonctionnaires fut plus forte. Certains servirent de prête-noms, d'autres précipitèrent les enchères; on en dénonça de malhonnêtes qui dépassaient le trafic d'influences.

Toutefois la moyenne propriété s'étendit. Elle ajouta à ses propres terres des parcelles voisines. Le système de l'arrentement qui prolongeait les versements se révéla par contre catastrophique à cause de l'inflation après Thermidor. Mieux vendus, les biens d'émigrés furent plus mal payés que les biens d'Église. De nombreuses mutations intervinrent très vite, permettant aux familles de récupérer une part de leurs avoirs. La nation se réserva les grandes forêts. Le visage de la France rurale resta le même. « Phénomène charnière » dans l'histoire agraire et l'histoire sociale, les ventes nationales supportent difficilement la durée brève; elles doivent s'analyser à l'échelle du siècle [1].

Il se peut enfin, comme le suggérait Mathiez, que le pouvoir jacobin ait estimé la paysannerie suffisamment favorisée, par rapport aux sans-culottes des villes. Elle mangeait à sa faim, profitait de l'enchérissement des denrées. On parut moins attentif à ses

1. Voir J. Vogt, « Aspects de la vente des biens nationaux dans la région de Wissembourg » (*Revue d'Alsace*, 1960, p. 90).

vœux, moins pressé d'y répondre; on se préoccupa des plus malheureux.

Propriété, récompense civique.

La République se devait de récompenser ses plus fermes soutiens. Elle s'y était à plusieurs reprises solennellement engagée. Saint-Just posait toujours, en ventôse, cette même question. Qu'avait-on fait pour le peuple? La Révolution est son ouvrage, « il est temps qu'il en jouisse ». « Une propriété, une femme et des enfants sont les biens qu'un législateur doit employer pour fixer l'homme sur le sol qui l'a vu naître. »

Les délaissés comprenaient d'abord les combattants et leurs familles. Leurs droits à la reconnaissance nationale étaient patents. Ils attendaient beaucoup; on leur distribua des aumônes. Aux blessés, aux invalides, aux veuves, aux enfants des tués, on attribua des secours prélevés sur le Trésor. Aucune disposition d'ensemble; aucun mode général de répartition; aucune hâte dans les allocations. Depuis octobre 1792, on s'acquittait de cette dette sacrée comme on aidait les victimes des calamités naturelles, au hasard et avec une parcimonie injurieuse.

Pourquoi ne pas leur réserver les produits de leurs conquêtes? Les biens de l'adversaire n'étaient-ils pas « de bonne prise »? Leur perte représentait la rançon du crime; c'était donc le trophée du vainqueur. La plus élémentaire justice en décidait ainsi. « Qui s'est montré l'ennemi de son pays n'y peut être propriétaire. » Pourquoi craindre de réduire le gage de l'assignat lorsque les rébellions procuraient des occasions nouvelles? Qu'on partage entre les soldats patriotes les dépouilles des Vendéens et des Lyonnais [1]! Le commandant de la garde nationale parisienne présenta vainement, le 7 brumaire (28 octobre), cette requête aux Jacobins. « Il faut que tout ce que perdent les aristocrates soit donné aux patriotes. Maisons, terres, tout doit être partagé entre ceux qui conquièrent sur ces scélérats [2]. » Récompense ou butin? Peu

1. Voir ci-dessus, p. 160.
2. Cité par A. Mathiez, « Les décrets de ventôse... » (*A.h.R.f.*, 1928, p. 199).

importait aux yeux des sans-culottes. La mesure était doublement bénéfique.

On entrevoyait la création d'une nouvelle société née de la Révolution qui lui devrait son aisance et aurait « une raison intéressée de la défendre ». Encore convenait-il de ne pas la peupler d'infirmes !

Vis-à-vis des indigents, la Convention adopta la même démarche incertaine. De janvier à juillet 1793, elle accorda des secours aux pauvres, aux enfants abandonnés, aux filles enceintes et aux vieillards, donnant la mesure de la bienfaisance nationale et de ses buts humanitaires. Pendant des mois on attendit ces réalisations. Fin germinal, Delbrel se plaignait de retards inadmissibles. Comment d'ailleurs distinguer « les plus malheureux ». Presque tous disposaient d'un abri, d'un lopin. Ils n'étaient pas « sans propriété » et ne pouvaient cependant vivre d'elle. Les inviter aux ventes nationales, même s'ils étaient aidés, les affrontait à de moins démunis. « Si les riches sont admis à la concurrence, il n'y aura jamais rien pour le pauvre. »

Seule solution concevable : une distribution gratuite dont les biens des suspects fourniraient la matière. Le séquestre général était populaire. On le réclamait de toutes parts. Les arguments ne manquaient pas. Les détenus devaient contribuer aux frais de leur détention et de la guerre. On prélèverait donc sur le fonds ou le revenu. Taxe proportionnée à la richesse, elle serait appliquée comme un emprunt forcé; elle servirait à « indemniser l'indigence ». Les députés de la Plaine et bien des Montagnards souhaitaient ne pas se laisser entraîner plus avant. L'État jacobin appréhendait une mainmise totale.

« Les malheureux sont les puissances de la terre; ils ont le droit de parler en maîtres aux gouvernements qui les négligent. » Leur volonté fut entendue dans les départements. Dès la fin de 1793, Desgrouas, dans le district de Mortagne, proposa de confisquer « les biens de tous les égoïstes qui refusent de servir la Révolution ». Le 16 septembre, de la Dordogne, Roux-Fazillac le conseilla au Comité de salut public. « On accorderait à ces mauvais citoyens des pensions alimentaires et on les inscrirait sur le Grand Livre. » Malgré eux, on les intéresserait à la prospérité de la République. Fouché, dans la Nièvre, l'ordonna le 2 octobre : « Il ne leur sera laissé que le strict nécessaire pour eux et leur famille. » On assimilait ainsi de plus en plus les suspects aux émigrés.

La Convention, qui n'encourageait pas ces initiatives, ne put indéfiniment se dérober. A l'improviste, le 7 pluviôse (28 janvier 1794), Couthon posa nettement le principe du séquestre dans son aspect social. Robespierre y insista le 17. Il faut que « la patrie assure le bien-être de chaque individu », en commençant, cela allait de soi, par les plus défavorisés. Mais c'est au nom de Saint-Just que resteront attachés les décrets de ventôse.

Les décrets illusoires de ventôse.

Lorsque à Strasbourg il « démantelait déjà les riches pour couvrir et revêtir les pauvres », lorsqu'il rédigeait ses *Institutions républicaines*, la même pensée le hantait. « Si vous donnez des terres aux malheureux, si vous les ôtez à tous les scélérats, je reconnais que vous avez fait une révolution. » Après Jaurès, Mathiez présenta ce programme comme une nouveauté. Il n'en était pas une. Néanmoins les Robespierristes eurent le courage de le faire adopter. Couthon et Robespierre étaient alités depuis vingt jours. Très certainement, ils étaient d'accord avec Saint-Just, bien qu'ils ne s'en soient pas expliqués.

Rapportés en leur absence, devant l'Assemblée, les 8 et 13 ventôse, ces décrets s'insèrent dans un moment de crise aiguë. On en déduisit qu'il s'agissait d'une manœuvre politique. Le temps semblait choisi pour limiter les conséquences d'une opposition grandissante. A celle de la sans-culotterie il convenait d'éviter d'ajouter celle des paysans pauvres, en leur promettant une portion du patrimoine national. Les réticences des députés, les amendements au projet initial rendent compte de leurs divergences et de leurs craintes. On lui conféra le caractère d'une expropriation qu'il importait de limiter.

Son application exigeait une double tâche : dresser d'une part la liste des victimes et de l'autre, celle des bénéficiaires. Chacune souleva des difficultés! Quels seraient les suspects concernés? Les frapper tous, alors qu'on doutait de leur culpabilité parut injuste. Un tri s'imposait selon les motifs d'accusation. On chargea le Comité de sûreté générale de les réunir puis, le 23 ventôse, des Commissions populaires de statuer sous l'autorité conjointe du Comité de salut public. A son tour il réunissait les états d'indigents préparés par les communes. Qu'y fallait-il comprendre? Quelles étaient les bornes de l'indigence, et ses critères? Les municipalités, perplexes, attendirent des précisions qu'on ne donna pas.

Les Sociétés populaires applaudirent nombreuses. Dès qu'ils en eurent connaissance, les districts procédèrent au séquestre. On le réalisa dans une trentaine de départements. Albitte, dans l'Ain, utilisa une part des revenus pour les dépenses urgentes et commença à distribuer le surplus aux pauvres. On nomma des gardiens de scellés dans les régions de Mortagne-en-Perche et de Fréjus. Malgré tout, l'approche des récoltes ralentit les opérations. On risquait de réduire leur produit. La saison ajoutait des entraves que l'on n'avait pas prévues.

En fait, le principe d'une distribution gratuite des terres, qui ressortait des rapports de Saint-Just, ne parut pas dans les décrets, où l'on retint celui d'une indemnisation. Dès le 16 ventôse on créa la confusion. Pour supprimer la mendicité, 500 000 francs furent accordés au ministre de l'Intérieur Paré qui réclama aux administrations de hâter la distribution des précédents secours [1]. Il n'est pas inutile de signaler la double intervention de Danton qui, le 8, tenta de retarder, en le compliquant, le recensement des détenus, et le 13 préconisa d'étendre aux soldats mutilés la distribution « des terres aux environs de Paris, et de leur donner des bestiaux afin de mettre en activité, sous les yeux mêmes de la Convention, cette colonie de patriotes qui ont souffert pour la patrie [2] ».

Les intentions du rapporteur ne laissaient aucun doute et les Sociétés populaires entendaient bien qu'il s'agissait d'un cadeau de la République plus substantiel et plus profitable qu'un simple secours. Celle de Mont-Saint-Vincent (Saône-et-Loire) proposa, le 10 germinal, de distinguer vieillards et infirmes qu'on entretiendrait avec le produit des ventes de maisons et de meubles, et les sans-propriété qui recevraient des lots de terres en rapport avec leurs charges de famille. Là où n'existaient pas de biens fonds à partager, les pauvres espéraient du cheptel ou de l'argent.

1. Un décret du 13 pluviôse avait prévu dix millions pour le même objet.
2. Publié dans les *Arch. parl.*, t. LXXXVI, p. 24.

On comptait environ deux mois pour achever localement la besogne préparatoire. Avant qu'elle ne fût achevée, le Comité de salut public montra son désaccord sur cette redoutable politique. En son nom, le rapport présenté par Barère, le 22 floréal (11 mai 1794), constitua un plan ambitieux de bienfaisance nationale. Pour « extirper la mendicité des campagnes » il prévoyait la vente aux enchères des biens des suspects. Elle alimenterait à la fois un fonds national de solidarité et le Trésor public. On se référait au projet de Saint-Just, mais la Convention, qui adopta la nouvelle entreprise, songeait à le torpiller.

Si les indigents continuaient à y figurer, on entendait leur allouer par exception, et à titre de récompense, quelques propriétés nationales. Vieillards et infirmes, par contre, seraient inscrits sur le « Grand livre » des indemnités. « L'expropriation terroriste fut oubliée; dès Thermidor on la révoqua définitivement. »

Au poids de la guerre et des contraintes économiques les décrets de ventôse pouvaient-ils apporter une suffisante contrepartie? Entre les Robespierristes qui concevaient une société plus juste et le monde rural qui s'attardait au réel quotidien, se glissait une incompréhension fondamentale. Les uns visaient trop haut et les autres trop près. Entendons ceux-là. Ils demandaient à la Révolution de les sacrer propriétaires afin d'assurer par leur travail l'existence de leur famille et leur indépendance. La notion de propriété n'était pas mise en cause, ni celle des particuliers ni celle des collectivités qu'on préserverait. Mais, proposer des terres à des handicapés ne leur servirait guère; les malheureux le demeureraient en grande partie. « Le bon laboureur est celui qui tient lui-même la charrue; il n'a pas été corrompu par l'ambition ou par l'oisiveté. » Lui seul peut affermir la République. Elle fit la sourde oreille aux limitations de fermes, à la diminution des fermages. Son apport fut, en fin de compte, plus fictif que réel.

6
La fin de la dictature jacobine

Crise de confiance. Crise d'autorité?

On juge encore le Neuf-Thermidor selon des critères politiques. Borné aux débats de l'Assemblée, on l'assimile à une revanche : celle du 31 mai; à une vengeance : celle des Girondins, de Danton et d'Hébert. Comment admettre qu'une crise gouvernementale, un changement de majorité parlementaire puissent balayer, avec les Robespierristes, la République jacobine, sans le consentement tacite de l'opinion, ou son indifférence? L'explication historique s'élargit donc progressivement jusqu'à mettre en évidence qu'un ensemble de conditions favorisèrent, à un moment donné, le désengagement des masses.

Quelles en furent les origines et les motivations essentielles? Les points de vue, qui diffèrent, valent tous pour une part, sans qu'on puisse reconnaître de priorité. Aulard proposa la déchristianisation, et Mathiez les décrets de ventôse. Dans les formes doctrinales qui retenaient les gouvernants, problèmes religieux et sociaux restaient peu accessibles à la population. Elle ressentait leurs répercussions sur sa propre existence comme celles des contraintes économiques et de la répression terroriste. On conviendra avec G. Rudé et A. Soboul, que l'annonce du *maximum* des salaires parisiens put influencer le comportement des sections dans la soirée décisive [1]. La goutte d'eau? Peut-être. Reste à savoir comment se remplit le vase avant de déborder.

Les ouvrages récents ne fournissent pas de solution convaincante. Ils refusent au jeu des forces contraires le pouvoir d'influencer l'action révolutionnaire pour ne le concéder qu'à la

1. « Le maximum des salaires parisiens et le Neuf Thermidor » (210), dans *A.h.R.f.*, 1954, p. 1 et s.

bourgeoisie montagnarde, d'où les discussions stériles sur le départ du « reflux » de la Révolution. A. Soboul le fait coïncider avec la crise de ventôse, et D. Guérin l'aperçoit dès frimaire dans la codification du régime. Cette idée, qu'il emprunte à R. Cobb, se confirme dans les comportements provinciaux après la dissolution des armées révolutionnaires. On retient des décrets de ventôse une promesse de libération des détenus; de la disparition des tribunaux extraordinaires, un ralentissement des exécutions; des tableaux du *maximum* général, l'occasion de frauder sur les prix de détail. Ainsi le reflux appartient au mouvement dialectique de l'Histoire. Sa force seule était capable de contraindre des dirigeants, dont par ailleurs on loue la perspicacité, à « barrer à droite ».

Le mal profond, caché, s'infiltra lentement dans la mentalité collective. L'observation des attitudes politiques révèle leur fragilité. La France rurale considérait dans un lointain brumeux les événements parisiens, assimilant la lutte des partis à une succession de règlements de comptes. D'ailleurs on l'en informait mal. Pour cette dernière période, l'historien n'est guère mieux servi. Les journalistes trahirent les premiers, puis les vainqueurs et les lâches composèrent leur vérité. On juge d'après un dossier truqué. Cependant les documents, par leur variété et leurs contradictions, témoignent du désarroi des consciences et d'une lassitude générale. Thermidor résulte avant tout de la démission inconsciente du jacobinisme.

« Il ne faut pas, si l'on veut fonder une République, la peupler de mécontents. » Depuis le début de l'an II, leur nombre n'avait cependant cessé de croître, non par la faute des événements, cette « force des choses », mais par celle de l'intransigeance et de l'égoïsme des hommes. La France paysanne, qui s'était installée dans une Révolution « provisoire », retournait à ses champs, à ses mitoyennetés, à sa religion. Partout on dénonçait l'apathie, l'indifférence ou l'ambition. Le patriotisme devenait un métier, le civisme, une parure. « L'effroi, le découragement ont gagné jusqu'à une partie des sans-culottes. Aux premières apparences de libération, les sept huitièmes de la France s'élèveraient contre les

Jacobins[1]. » Saint-Just, plus que ses collègues du « grand » Comité, sentait monter cette marée. « Un peuple qui n'est pas heureux n'a pas de patrie. » Avant le printemps de 1794, une fraction de l'opinion, qui voulait la République, redoutait déjà ses excès. Après le « drame » qu'elle ne comprit pas, les sacrifices consentis se transformèrent en brimades inutiles.

Robespierre concentre notre attention, car il porta souvent la parole, mais il ne fut pas seul. On oublie trop qu'une large concertation décida du renforcement de l'autorité. La Convention et ses Comités s'accordèrent sur les moyens qui instauraient leur dictature. Jusqu'au début de messidor, la victoire fut d'ailleurs incertaine et les nécessités de la défense nationale pesèrent lourdement sur l'évolution politique. Si les exécutions de germinal parurent précipiter le reflux de la Révolution, il répondit profondément à cette soif de vivre, à cet appétit de jouissance, suite inéluctable des trop fortes tensions. La Terreur engageait à la prudence, elle n'empêchait pas pour autant de penser. Thermidor fut considéré comme une libération.

1. Les excès du pouvoir

« La démocratie périt par deux excès : l'aristocratie de ceux qui gouvernent ou le mépris du peuple pour les autorités qu'il a lui-même établies. » Corollaires l'un de l'autre, ils résidaient dans la construction artificielle de l'édifice gouvernemental et son caractère despotique qui rappelait l'Ancien Régime. Les observateurs étrangers le soulignèrent, attribuant au Comité de salut public un pouvoir « absolu, ferme et resserré », semblable à celui de Louis XIV. « Conseil suprême », il dominait une Assemblée réduite « à 150 valets d'enregistrement ». C'était « la chancellerie de Robespierre, Barère son secrétaire et son déclamateur, Saint-Just son enthousiaste, Couthon son scélérat, Collot son suppléant

1. Mallet du Pan à sir Trevor, 18 février 1794 (*A.h.R.f.*, 1965, p. 469).

aux Jacobins; le reste ne vaut pas l'honneur d'être nommé[1] ». Accréditée par les royalistes, l'idée se répandit de l'existence d'un triumvirat, rendant plus saisissante l'image de la dictature qui se cristallisait autour de quelques hommes. La centralisation excessive lui donna de la consistance.

La nouvelle politique et l'esprit public.

Après avoir liquidé les factions, le gouvernement, se repliant sur ses cadres jacobins, inaugura une politique favorable aux possédants dont les travailleurs firent les frais. Hébert avait prédit qu' « un seul pas en arrière perdrait la République ». Le Comité de salut public passa outre, et Mallet du Pan, toujours perspicace, supputa les conséquences de ce revirement. On modérera le pouvoir révolutionnaire pour peser sur les ultras « et pardonner à ce troupeau immense de bourgeois, royalistes, feuillants, fédéralistes, persécutés à outrance jusqu'à ce jour... Le Comité n'est pas hors de Paris. A force de tirer sur les troupes de la Révolution, il est réduit à chercher des sûretés chez ses victimes. Il s'est démasqué; on ne lui pardonnera sa tyrannie qu'autant qu'il sera heureux ».

Pouvait-il l'exercer sans dommage? Disposait-il d'un appareil assez solide et d'une autorité assez forte? La police et les finances lui échappaient. Le gouvernement révolutionnaire, qui s'était établi lentement en province, ne fonctionnait pas encore à la veille de thermidor dans l'Ardèche, le Var, la Chalosse et le Pays basque. Comment les représentants en mission, engagés dans la Terreur, supporteraient-ils d'être traités en subalternes? Comment enfin réagirait l'opinion? Il fallait craindre le modérantisme; il fallait redouter la confusion des esprits.

Le désarroi se manifesta au club de la rue Saint-Honoré que la Montagne avait choisi pour exprimer les volontés gouvernementales. Dispensateur de la bonne parole, pourvu de la consécration officielle, méritait-il toujours cette insigne confiance? L'épuration de ses membres, inachevée en messidor, inquiéta les

1. Lettre de Frossard, à Mercy-Argenteau, 14 avril 1794. Citée par G. Walter, *Robespierre*, éd. 1961, t. II, p. 354.

observateurs. On se dispensait d'y paraître, on décidait de l'incivisme sur de vagues suspicions. Robespierre le jeune, au retour d'une longue mission, constatait cette décadence. On s'occupait autrefois « des grands intérêts de la République; aujourd'hui de misérables querelles d'individus l'agitent ». « D'honnêtes gens » participaient aux débats, se permettant de ridiculiser, pour des maladresses de langage, des « patriotes sensés ». Était-ce là « le conducteur énergique » que l'on souhaitait?

A son profit, on se débarrassa des Sociétés sectionnaires. Le 27 germinal (16 avril), celle de Brutus s'offrit en holocauste à la Convention; les autres suivirent lentement son exemple. On hâta leur dissolution. « C'est là que la cupidité, le mécontentement de la Révolution, les murmures contre le gouvernement, l'ambition fondée sur le patriotisme, ont de commodes développements. » En les supprimant, « on jeta le pouvoir populaire par les fenêtres ». Les sections parisiennes dont les assemblées générales se réduisaient à deux par décade, ne correspondraient désormais qu'avec les Jacobins devant lesquels, à tour de rôle, elles se présentèrent « en masse ». La Commune, de même que les autres autorités de la capitale, fut régénérée.

On la qualifia de « robespierriste », Robespierre, s'érigeant en défenseur de l'ordre jacobin. A la tribune du club, il ressassait ses idées de toujours sur l'union des patriotes, les crimes de l'aristocratie, de Pitt et de Cobourg. On l'écoutait avec respect, mais il ne convainquait plus. Les sans-culottes échaudés se méfiaient, tandis que les anciens suspects attendaient le moment où, de nouveau, ils pourraient « coucher dans leurs lits, aller à l'Opéra et jouir des débris de leur fortune ». Partout on croyait découvrir des conspirateurs. Des fleurs dans les cheveux d'une femme étaient interprétées comme un signe de ralliement. En éloignant de Paris, assimilé à une place forte, les nobles, les étrangers et les militaires destitués, le décret du 27 germinal (16 avril) répondait aux inquiétudes de l'opinion.

Les difficultés du ravitaillement y contribuaient aussi, relançant l'agitation ouvrière. Tandis que la Commune refusait d'augmenter les salaires, les Halles offraient un désolant spectacle. « C'est foutu! », déclarait, le 8 germinal, l'ouvrier d'un atelier d'armes. « On est plus malheureux qu'autrefois car, avec son argent, on ne peut rien avoir; il faut mourir de faim. On nous berne avec de belles paroles[1]. » On récriminait dans tous les corps de métiers, et la répression policière, les arrestations se révélaient inefficaces. Les rendements diminuaient et les soumissionnaires risquaient des retards. Certains patrons cédant aux revendications, celles-ci s'étendirent. On se détachait de la Révolution. « Je me trouvai hier [7 germinal] dans la compagnie d'un vrai sans-culotte », rapportait un mouchard. « En entendant un enfant réciter quelques articles de la Constitution, il dit qu'il aimait mieux une bouteille de vin que tout cela... Quel appui la République peut-elle attendre de pareils hommes? »

Pouvait-on davantage compter sur le soutien des Sociétés jacobines de province? Il devenait à tel point suspect que les représentants hésitaient à recourir à elles et les rendaient responsables de leurs propres mécomptes. N'avaient-ils pas agi selon leurs conseils? Elles se transformaient en foyers d'intrigues et rendaient « à la chose publique les plus mauvais services ». Partout la malveillance les divisait. Ici s'exerçait « le despotisme du vulgaire », et là, celui des riches, et des fonctionnaires. Au Mans, les jeunes, qui se réclamaient du *Père Duchesne*, résistaient à Garnier (de Saintes) : « Je n'ai jamais regardé comme patriotes ces intrigants fougueux et atrabilaires qui, dépréciant et avilissant tout, voyaient dans la Convention un corps politique usé. » On confondit ailleurs bienfaisance et patriotisme. Le don de quelques chemises suffit pour acquérir un brevet de civisme. Les modérés en profitèrent. Dans les villes, leur clientèle évinça les ultra-révolutionnaires, gens du dehors. Ils s'installèrent solidement à la tête des Sociétés.

Méritaient-elles encore le nom de « populaires »? « Dans l'intérieur de la France, la Terreur paralyse toutes les opinions qui ne sont pas républicaines et révolutionnaires. » On se tut par crainte mais on eut aussi l'impression de perdre son temps. Président et secrétaires, qui s'emparaient des discussions, interdisaient la critique. L'équipe victorieuse flattait les représentants qui disposaient des emplois locaux. Les « tribunes de l'opinion », autrefois « sentinelles vigilantes », admirent des enfants et des quémandeurs. Elles se transformèrent en salles d'asiles et en « bureaux de place-

1. Cité par G. Rudé et A. Soboul. Voir ci-dessus, p. 212, note 1.

ment ». Un personnel avide et humilié, résidu des métiers de luxe et des congrégations supprimées, attendait impatiemment le prix de son zèle patriotique.

Le règne des bureaucrates.

Pour répondre aux exigences du gouvernement révolutionnaire et du dirigisme économique, la machine administrative atteignait des dimensions insolites. Il suffisait d'un peu d'instruction et d'une apparence de civisme pour obtenir une parcelle d'autorité. Celle de l'État se fractionnait ainsi en une multitude de volontés particulières. Sous son égide, une mentalité bureaucratique se forma à l'abri des tables de bois blanc. La possession d'un cachet, de papier à en-tête, la réception des imprimés officiels conféraient aux employés publics un sentiment de supériorité et un pouvoir discrétionnaire. Ils en usaient et en abusaient, décidant, rédigeant, délivrant certificats de toute espèce, accordant leur signature comme une récompense ou la refusant comme une sanction.

Permanents ou temporaires, élus ou nommés, combien pouvaient-ils être? Sans doute plusieurs centaines de milliers en province pour tous les postes d'administration, de surveillance et de jugement, plusieurs dizaines de mille à Paris, sans compter les sans-culottes présents aux assemblées sectionnaires, que l'on rémunérait à 40 sous. Dans les bureaux du Comité de salut public, on en employait 418 en prairial, sept fois plus qu'en frimaire, cinq mois auparavant. Ceux des ministères, plus nombreux, se pérennisèrent dans les Commissions exécutives créées le 12 germinal (1er avril 1794). Elles prirent lentement leur forme nouvelle qui consacrait un état de fait, le Comité de salut public « coiffant » déjà l'activité des ministres. Sa volonté centraliste ainsi manifestée fut inutilement spectaculaire. Elle eut, d'autre part, une conséquence imprévue. En modifiant la répartition des services, elle les désorganisa pour un temps, créa du désordre dans les dossiers et les consciences. Le personnel se sentit vulnérable. A travers ses habitudes contrariées, il mesura le caractère provisoire de ses fonctions.

Ses appréhensions coïncidaient avec les incertitudes politiques. Sur qui modeler sa conduite? Le proche avenir paraissait plein de menaces. Les autorités locales étaient déconcertées, comme la capitale, par l'incarcération de leurs militants. Les reproches dont on abreuvait quelques-uns, qui les méritaient, rejaillissaient sur tous. Des abus de pouvoirs étaient prévisibles dans ces temps difficiles, mais ils méritaient compréhension et indulgence. On se plaignait d'arrogance et de brutalité. La Commission des subsistances rappelait à l'ordre ses agents. « Tous les Républicains sont égaux, mais l'égalité n'exclut pas les égards et l'affabilité; c'est au contraire à ces signes qu'on reconnaît un peuple de frères. » Des querelles éclataient entre administrateurs bénévoles et salariés, notamment dans les ports.

L'envahissante paperasse contribuait aussi à les énerver. En floréal, le Comité de salut public expédiait plus de 60 arrêtés par jour, exigeait une exécution rapide, et la réalisation d'enquêtes trop compliquées dans des délais trop restreints. Les plus minces objets d'administration étaient minutieusement réglés. On décourageait les initiatives. Partout les représentants en mission constataient l'incurie et la lassitude. De Caen et de Moulins, ils décrivaient cet engourdissement progressif et la résurgence des modérés. Certes, les patriotes demeuraient nombreux, « mais malheureusement, ce ne sont pas eux qui sont les plus instruits; les gens à talents sont ou plus froids ou ne jouissent pas d'une parfaite confiance. Beaucoup ne se sont pas prononcés assez à temps pour la Révolution ». Le moment sembla venu « de tirer du sommeil tous les dépositaires de l'autorité publique ». En fait, il était trop tard.

Entre la population et le pouvoir central, les fonctionnaires avaient dressé un rempart. Une caste de parvenus, qui confondaient leurs propres intérêts et leur foi révolutionnaire, régentait le pays. Saint-Just les vitupérait le 23 ventôse (13 mars) : « Que voulez-vous, vous qui courez les places pour vous faire voir et pour faire dire de vous : Vois-tu! voilà un tel qui parle, voilà un tel qui passe! Vous voulez quitter le métier de votre père qui fut peut-être un honnête artisan, dont la médiocrité vous fit patriote, pour devenir un personnage influent dans l'État. Vous périrez, vous qui courez à la fortune et qui cherchez un bonheur à part de celui du peuple. » Non seulement ils oubliaient leurs devoirs, mais ils accaparaient les fonctions, persuadant les sans-culottes de leur ignorance. Comment des employés aux assignats pouvaient-ils, avec leurs cinq francs journaliers, entretenir les filles et peupler les cabarets s'ils ne prévariquaient[1]? Un temps éloignés, hommes de loi et notables remplaçaient boutiquiers et artisans. Le talent modeste retournait à son obscurité, à son métier, à sa famille, à ses champs. L'été favorisait d'ailleurs l'abstention des hommes de la terre. Sollicités par les travaux de la récolte, ils délaissaient les Sociétés populaires.

Même ces dernières s'abandonnaient à leurs bureaux. « Depuis qu'il y a trop de fonctionnaires, trop peu de citoyens, le peuple y est nul. Ce n'est plus lui qui juge le gouvernement, ce sont les fonctionnaires coalisés qui, réunissant leur influence, font taire le peuple. » Puisque les citoyens se livrent aux employés de la République, « où donc est la cité? » interrogeait Saint-Just. « Sous prétexte d'agir révolutionnairement comme si le pouvoir révolutionnaire résidait en eux », ils s'emparaient de l'opinion. Qu'on chasse donc ces « êtres artificieux » des « temples de l'Égalité, si l'on souhaite encore que vive la Liberté ».

Le conformisme et l' « ennuyeuse » vertu.

Élus et fonctionnaires qui devaient refléter les mouvements de l'opinion l'interprétèrent selon leurs tempéraments et leurs intérêts. Agents nationaux, tribunaux, Sociétés populaires prononcèrent leur propre éloge ou éludèrent leurs responsabilités dans les circonstances difficiles. Leur comportement public et leurs sentiments privés ne s'accordèrent pas toujours, même s'ils furent résolument patriotes. Ils imitèrent servilement, dans leurs écrits et leurs propos, des exemples éprouvés.

La propagande intensive du gouvernement les leur fournit. Elle émanait du « grand » Comité, plus que des Jacobins, sans cesser pour autant d'être jacobine. Il fit expédier directement et en franchise les journaux subventionnés. 2 000 Sociétés des chefs-lieux de cantons reçurent gratuitement le *Républicain français*. Les plus petites communes réclamèrent avec insistance le *Bulletin de la Convention*. On tira à 200 000 exemplaires les rapports de Barère sur les « Crimes des Anglais », et de Robespierre sur les « Idées

1. Cité par M. Eude, *Paris pendant la Terreur*, t. VI, p. 324.

religieuses et morales ». Les Sociétés populaires entendirent leur lecture et mêlèrent leurs enseignements à ceux de la Déclaration des Droits. Il exista ainsi à travers la France un fonds commun de références où l'on puisa abondamment.

Néanmoins on évita de citer des noms. On invoqua la Convention et ses Comités, la Montagne et les Jacobins, comme des entités. Le caractère collectif du pouvoir n'échappait pas aux rédacteurs. Pour féliciter l'Assemblée d'avoir triomphé de « la conspiration », les adresses qui lui parvinrent en germinal se chiffrent par milliers. On y trouve les traces d'un cheminement et d'une inspiration analogues à ceux des cahiers de doléances de 1789. On reproduit les expressions typiques des grands « ténors », les propos de la ville proche; on copie son voisin qu'on cherche à dépasser par le choix des superlatifs. On administre enfin les preuves de son activité, les mêmes presque toujours.

Ce concert de louanges, uniforme et naïf, tient à la fois de la prière, de l'acte de contrition, et du recueil des faits héroïques. On se représente la Sainte Montagne telle que Jupiter « au milieu des éclairs et de la foudre ». On se livre inconditionnellement à la Convention. « La liberté ne doit pas périr. C'est dans vos cœurs que sont plantées ses incorruptibles racines. » Tout ce qu'elle a fait, tout ce qu'elle fera, sera bien fait. Qu'elle continue donc « à tenir le gouvernail d'une main ferme et assurée jusqu'à ce que le vaisseau soit entré dans le port ». De telles approbations, lues à la tribune au début de chaque séance, impressionnèrent les députés. Ils retinrent le sentiment d'une unanimité nationale, et le blanc-seing qu'elle leur accordait. Nombre de lettres s'accompagnaient d'ailleurs d'une masse imposante de signatures. Lorsqu'y figuraient seulement les auteurs, ceux-ci prenaient soin d'engager avec eux tous leurs concitoyens. S'il y eut opposition, elle reste incontrôlable.

Ces manifestations, d'apparence collectives, se reproduisirent entre germinal et thermidor, à l'occasion des événements marquants. Félicitations chaleureuses pour les décrets et les victoires, indignation provoquée par les tentatives d'assassinat du début de prairial, elles se déclenchèrent avec un ensemble touchant, comme à un signal, revêtant les mêmes formes, répondant aux mêmes préoccupations. On se convainquit rapidement de leur caractère artificiel.

Elles ennuyèrent comme la vertu, correctif indispensable de la Terreur. « Le ressort du gouvernement populaire en révolution est à la fois la vertu et la terreur, la vertu sans laquelle la terreur est funeste, la terreur sans laquelle la vertu est impuissante. » Après Montesquieu, Robespierre l'avait définie, le 17 pluviôse (5 février). Elle tenait à la dignité de l'homme et à la souveraineté du peuple, « à l'amour de la patrie et de ses lois ». Ses fondements étaient à la fois moraux et civiques; la démocratie ne pouvait exister sans elle. « Nous n'aurons de liberté et de paix publique que lorsque nous aurons assez de mœurs pour suivre nos principes et assez de bon sens pour ne plus nous abandonner aux fripons et aux charlatans. » Il fallait une âme élevée pour comprendre ce langage. La vertu pouvait-elle suppléer au patriotisme, donner du bon sens et du caractère?

Camille Desmoulins concevait déjà que, « dans le maniement des grandes affaires, il était permis de s'écarter des règles austères de la morale ». Les Jacobins ne raisonnaient pas autrement, et les sans-culottes opposèrent le vice à la vertu, la simplicité des mœurs et l'honnêteté à la richesse et au luxe, éléments corrupteurs. « Une chaumière à l'abri du fisc, une famille à l'abri de la lubricité d'un brigand » suffisaient-elles néanmoins au bonheur? Saint-Just le promettait; combien y consentiraient, même parmi les patriotes? On les qualifia donc de purs et de vertueux, mais la vertu ne consista que dans les apparences. On s'abrita derrière son nom. Elle n'évita ni le vol, ni la violence, ni les excès, et encouragea l'hypocrisie.

Ainsi que le remarque Cobb, elle fut inefficace et parut fastidieuse. Les autorités locales proposèrent à l'admiration publique de rares actes gratuits, un désintéressement passager, des gestes enfantins et charmants. Avec la complicité des fonctionnaires, la Révolution s'enlisa. Un conformisme trompeur répandit l'illusion que le pouvoir était incontesté. En fait, l'emprise croissante de l'exécutif déclencha une réaction d'autodéfense quasi générale et révéla les lacunes du système.

Rappel des représentants terroristes.

Les représentants en mission étaient les premiers concernés. La crise de ventôse les troubla. Montagnards sincères, ils souffraient dans leur orgueil du manque d'égards qu'on leur manifestait. Avaient-ils donc démérité? Chateauneuf-Randon, qu'on attaquait parce qu'il avait été noble, répliquait avec amertume : « Toute ma vie a prouvé que j'étais homme et citoyen avant la Révolution, l'égal de tous, au-dessus d'aucun, ennemi des cours, des préjugés, des grands et des riches. » Une remarque désobligeante indigna Gaston (de l'Ariège) : « Ou les représentants ont votre confiance et vous devez vous fier uniquement à eux, ou ils ne l'ont pas, et vous devez les rappeler. »

Ils le furent de plus en plus et résistèrent souvent, cherchant à se disculper, publiant le compte rendu de leurs opérations, se dénonçant entre eux. Quelques-uns prétextèrent leur état de santé pour obtenir un congé. D'autres s'entourèrent de précautions, évitant même, pour des objets mineurs, d'agir sans autorisation expresse du Comité. Le désaveu qu'il infligea, le 30 germinal (19 avril), à vingt et un d'entre eux, acheva de les désemparer. A travers Fouché, Tallien, Carrier, dont il condamnait les excès à Lyon, à Bordeaux et à Nantes, on mettait en cause l'exercice même de la Terreur. D'ailleurs l'opposition ne les ménageait pas. On les craignait de moins en moins; on les tolérait à peine. Dartigoeyte échappa de justesse à un attentat dans le local de la Société d'Auch, et Bo faillit être massacré près d'Aurillac. Pour les accueillir, on traçait sur les murs des inscriptions royalistes; on oubliait sciemment sa cocarde tricolore. On les assaillait de réclamations. Les familles de détenus dénonçaient leurs dénonciateurs. Ils ne savaient à qui se fier. Étrangers au pays, ils subissaient le contrecoup des intrigues locales. Députés du cru, ils avaient partie liée avec l'un des camps qu'ils favorisaient au détriment de l'adversaire. La malveillance les environnait, ils étaient isolés au milieu de populations hostiles. Leur attitude s'en ressentit. « Rien n'est plus éloigné de la sévérité que la rudesse; rien n'est plus près de la frayeur que la colère. » Par peur les uns agirent avec plus de rigueur et les autres avec trop de faiblesse. On la reprocha, fin ventôse, à Vernerey pour des libérations hâtivement accordées dans la Creuse.

A ceux qui contrecarraient sa politique ou paraissaient hésitants, le Comité substitua ses propres agents. Puisque le décret du 27 germinal lui confiait la surveillance des fonctionnaires, il organisa ce Bureau de Police dont on dit tant de mal. Il envoya Vialle dans l'Ain, Demaillot dans le Loir-et-Cher, Jullien (de Paris) à Nantes, Pottofeux, Guermeur et d'autres, qu'il paya sur ses fonds secrets. Robespierre, Saint-Just et Couthon se chargèrent d'examiner leurs rapports, de les annoter, de réclamer des compléments d'enquêtes. Quant aux arrestations pour lesquelles on utilisa Rousseville, Lejeune et les comités révolutionnaires, elles furent décidées collectivement. Les minutes retrouvées par Arne Ording[1] sont de mains différentes et portent aussi les signatures de Barère, de Carnot, de Lindet. Bien qu'il travaillât selon les méthodes des autres sections, ce Bureau fut considéré comme « un instrument de tyrannie aux mains des triumvirs ». Il empiétait sur le domaine du Comité de sûreté générale, qui voulut lui faire porter la responsabilité de la grande Terreur.

2. La grande Terreur

La crise de ventôse, dont on a retenu les aspects politiques et sociaux, réagit sur la mentalité collective à la façon de la Grande Peur de 1789. Georges Lefebvre souligna cette analogie. Des attitudes conjuguées : la crainte des complots et une volonté punitive exemplaire se manifestèrent dès l'annonce de la liquidation des factions, se propagèrent dans toute la France et se prolongèrent jusqu'au-delà de Thermidor. Les députés, craignant pour leur propre sécurité, partageaient ces sentiments. Ils acceptèrent de reconnaître dans les malheurs nationaux les crimes de l'Angleterre et de la contre-révolution.

Sans nul doute, les coalisés avaient grand intérêt à bouleverser l'opinion. L'offensive de printemps déclenchée leur apportait des espérances. Enfonçant la frontière du Nord, ils s'emparaient de Landrecies le 10 floréal (30 avril) et menaçaient Cambrai. Leurs espions se répandaient partout. Le Comité de salut public ne l'ignorait pas et agissait de même, cherchant à séparer de Londres, l'Écosse et l'Irlande. En dépit des sacrifices exigés de la population,

1. *Le Bureau de Police du Comité de salut public*, Oslo, 1930, in-8°. A. Soboul (5) apporte sur son activité de nombreux compléments.

le péril extérieur, un instant écarté, reparaissait. On se persuada de l'existence d'un plan machiavélique conçu et payé par l'étranger pour acculer la République à la guerre civile, à l'anarchie, à la faillite, préludes d'un retour à l'Ancien Régime. Il fallait donc purger le pays des ennemis intérieurs avant qu'ils ne nous massacrent. « Que la vengeance nationale promène son glaive justement destructeur sur les têtes coupables des ennemis du bien public; qu'elle les frappe tous inexorablement. » Ceux qui détenaient la moindre parcelle d'autorité étaient convaincus de cette urgence.

L'explication psychologique ne suffit cependant pas. Il existe une autre nécessité sur laquelle Mathiez s'appesantit peut-être, mais qui conserve son intérêt : l'application des décrets de ventôse[1]. Pour tenir les promesses faites aux indigents, ne convenait-il pas de dresser un inventaire précis des biens qui seraient partagés? En triant les suspects, on fixerait du même coup l'étendue des propriétés disponibles. Cette grande mesure sociale paraît inséparable de la centralisation judiciaire et du renforcement de la Terreur. Notre impression ne ressort pas de textes particuliers, mais de leur succession et des « attendus » qui les motivent. Elle fut aussi celle des autorités locales qu'effrayait l'augmentation du nombre des détenus.

Détenus et Commissions populaires.

Comme les hôpitaux, les prisons n'étaient pas extensibles. Au début de l'été, elles avaient fait leur plein. On ouvrit en germinal, à Paris, trois nouvelles maisons d'arrêt et le total des prisonniers politiques passa de 6 300 à 7 500, mais les anciennes, dont le Luxembourg, La Force, Bicêtre et la Conciergerie, stabilisèrent le chiffre de leurs pensionnaires. En province la situation devint plus dramatique, la suppression des Commissions extraordinaires ne permettant plus de dégager des places pour les nouvelles entrées. A Nantes, Angers et Saumur, s'entassaient de 2 à 3 000 détenus. Mallarmé fit arrêter d'un coup 35 habitants sur 2 000 à Varennes et cette proportion s'éleva ailleurs.

1. Voir ci-dessus, p. 209.

Ils posaient aux municipalités le double problème de leur garde et de leur subsistance. Même la police du bagne de Rochefort devenait pénible. Le personnel de surveillance était insuffisant et sans moralité. Une vingtaine de porte-clefs assuraient ces fonctions au Luxembourg où l'on enfermait 649 suspects. Ils vivaient ensemble, circulaient à leur gré dans l'intérieur de la prison, partageaient la nuit leur cellule avec plusieurs compagnons. On leur demandait parfois de fournir leurs lits. Le blanchissage du linge permettait avec l'extérieur des contacts aisés, comme la nourriture qu'ils recevaient de leur famille. Elle ne suffisait pas et les représentants à Dax autorisèrent à prélever sur leur fortune le montant de leur entretien. Beaucoup restaient chez eux sous la garde de personnes qu'ils appointaient. Leur nombre représentait un danger permanent qu'accentuait leur concentration.

On pouvait craindre des évasions massives et des soulèvements appuyés par les parents qui se coalisèrent à Alès. Des clans rivaux se formaient. On tenait à l'écart les patriotes, incarcérés à leur tour. Même si leur détention fut brève, ceux-ci songèrent à se venger. On procéda à Carcassonne à de nombreuses libérations qui attisèrent les haines. On tira aussi de leurs retraites les anciens Constituants qui se croyaient oubliés, tels Goupil de Préfeln, Dupont de Nemours, les comtes de Durfort et de Lauraguais. Avec quelques précautions, une forte proportion de suspects traversa la Terreur sans dommage. Plusieurs, non des moindres, connus des autorités, à peine dissimulés, furent arrêtés fort tard.

Le Comité de sûreté générale n'accordait d'ailleurs aux comités révolutionnaires qu'une confiance limitée. On l'avait avisé d'abus flagrants. Déjà le 17 nivôse, il chargea les districts d'enquêter sur la légitimité des arrestations et la manière dont on les opéra. Les réponses tardèrent et furent évasives, la présomption suffisant, dans bien des cas, à fonder la décision. On ne s'embarrassa pas de scrupules, on ne montra guère d'imagination. Les registres, qui disparurent souvent après Thermidor, utilisaient les mêmes formules, les interrogatoires, les mêmes questions. Quelle conduite avait-on suivie dans les « Grandes journées »? Quelles relations avait-on entretenues? Quelles preuves pouvait-on fournir de son civisme? Lettres et papiers recueillis dans les perquisitions étaient interprétés par des ignorants.

Saint-Just envisageait, dès le 8 ventôse (26 février), une révision générale des détentions. « La Terreur a rempli les maisons d'arrêt, mais on ne punit point les coupables. » Puisque « le but de la Révolution est le triomphe de l'innocence », il faut réparer les erreurs, distinguer les égarés des vrais ennemis du peuple, qu'on exterminera. En deux mois 40 000 dossiers parvinrent au Comité de sûreté générale tant on était persuadé de hâter les libérations. Mais des six Commissions populaires qui devaient être constituées avant le 15 floréal (4 mai 1794), deux seulement furent en place à la fin du mois, non sans réticences. Les autres ne virent jamais le jour. Leurs membres, rémunérés comme les juges du Tribunal révolutionnaire, opérèrent sur pièces le tri des détenus dont ils consignèrent les résultats dans des feuilles de travail. La décision appartenait en fin de compte aux deux « grands » Comités. Pendant six semaines ils semblèrent ignorer ces tableaux et n'approuvèrent les premiers qu'au début de thermidor.

Nul ne contestait cependant l'urgence d'une telle mesure. Des Sociétés populaires la réclamaient en province, s'offrant à désigner des commissions locales. Le transfert des prisonniers dans la capitale posait en effet plus de problèmes que celui des papiers. Maignet déclara, d'Avignon, qu'il ne pouvait en assumer les frais. Après l'affaire de Bédoin où les décrets furent foulés aux pieds et l'autorité bafouée [1] la Convention créa le 21 floréal (10 mai) la Commission d'Orange selon les principes qui seront bientôt adoptés pour le Tribunal parisien. Elle prononça plusieurs centaines de condamnations et fonctionnait encore au Neuf-Thermidor. De leur côté Saint-Just et Le Bas maintinrent et étendirent les pouvoirs du tribunal d'Arras, créé par Lebon, qui subsista jusqu'au 22 messidor (10 juillet). Il s'agissait une fois de plus d'effrayer la contre-révolution et de rassurer « les amis constants et imperturbables de la République ».

1. Cette affaire se termina par 63 exécutions et l'incendie d'un bourg de 2 000 habitants. En fait elle permit de liquider 60 contre-révolutionnaires qui n'avaient pas de rapport direct avec l'événement (P. Vaillandet, *L'Affaire de Bédoin*, Avignon, 1930, in-8°, 68 p.).

Complots et assassinats.

Les militants jacobins, qu'on qualifiait d'Hébertistes, risquaient à chaque instant d'être désavoués; ils se lamentaient ou se taisaient. L'audace des modérés ne connaissait plus de bornes. Ils intriguaient partout. On signalait des rassemblements près de Chimay, des troubles inquiétants à Nancy où Levasseur (de la Sarthe) fit arrêter vingt « complices de Lafayette ». Dans les Pyrénées-Orientales, Chaudron-Roussau découvrit un complot favorable aux Espagnols qui réunissait 150 personnes. Pinet et Cavaignac en dénoncèrent un autre dans les Landes.

Rébellions excitées par les prêtres et les royalistes ou tentatives individuelles exaspéraient les autorités. « Un poignard ensanglanté est suspendu sur la tête des représentants du peuple. Les Jacobins n'attendent plus que l'assassinat et la ciguë. » Déjà le 18 germinal, Legendre et Bourdon (de l'Oise) avaient apporté à la Convention des lettres anonymes qui les exhortaient « à brûler la cervelle à Saint-Just, Robespierre et autres », à entraîner le peuple contre le Tribunal révolutionnaire pour massacrer ses juges. On s'ingéniait à répandre ces angoisses. Le Club de la rue Saint-Honoré s'alarmait des nouvelles de Coulommiers et des régions proches de la capitale. A la frontière du Nord l'imminence du danger surexcita les esprits.

Les attentats de prairial apparurent comme un début. Le 1er (20 mai) Admirat — et non Admiral — ivrogne paresseux et brutal, tenta de supprimer Robespierre, puis fit feu sur Collot d'Herbois sans l'atteindre. Trois jours plus tard on arrêta Cécile Renault qui voulait s'introduire chez les Duplay. Elle portait deux petits couteaux et ne dissimula pas ses sentiments contre-révolutionnaires. On chercha vainement leurs complices. Sans doute n'en avaient-ils pas. Mallet du Pan qualifia de fables ces attaques et prédit le « massacre prochain d'une partie de la Convention et de tous les détenus... Vous verrez verser incessamment des flots de sang dans l'intérieur ». Manœuvre habile, qui alertait la Plaine et accusait implicitement les Robespierristes.

Les menaces et les griefs se concentraient naturellement sur Robespierre, qu'ils vinssent des partisans d'Hébert ou des partisans de Danton. Lecointre se vanta même d'avoir projeté de le tuer en pleine Convention. Il ne refusait pas ses responsabilités. « Les crimes des tyrans et le fer des assassins m'ont rendu plus libre et plus redoutable pour tous les ennemis du peuple. » Mais le peuple même ne le ménageait pas, chaque individu l'accusant des maux dont il souffrait.

Parmi les salariés du régime, l'émotion causée par le danger qu'il avait couru fut considérable. A travers lui, ils se sentaient menacés. On proposa au Comité de salut public de réserver la délivrance des armes aux patriotes reconnus, d'en interdire la vente, de faire protéger ses membres. On réclama la vigilance et la rigueur de l'Assemblée, en même temps que la poursuite de la lutte « à outrance ».

Cette atmosphère d'angoisse enveloppait à la fois les militants engagés dans l'action terroriste, dont ils réclamaient le renforcement et la « majorité silencieuse » qui le redoutait. De plus, la province s'inquiétait du nombre croissant des prisonniers de guerre et des déserteurs étrangers. A Fontainebleau, on les préférait aux sans-culottes « à cause des bas prix qu'ils acceptaient ». Le courant anglophobe, particulièrement fort, provoqua le 7 prairial (26 mai) la décision de ne plus leur faire quartier, ainsi qu'aux Hanovriens. Les militaires, qui pouvaient craindre la réciprocité, n'y obéirent pas toujours.

Une telle entorse aux lois de la guerre, et le rappel incessant d'une vengeance implacable correspondaient à des attitudes passionnelles. La déraison remplaça la raison. Les gouvernants furent entraînés par cette vague de fond qu'enregistrent aussi les débats des Jacobins. On a considéré qu'ils perdirent leur sang-froid; il paraît plus probable qu'ils mesurèrent la vanité de leurs efforts. « Il n'est pas naturel qu'il s'élève une sorte de coalition contre le gouvernement qui se dévoue pour le salut de la patrie. » Dès cette époque, il se sentit condamné. Robespierre avoua, le 6 prairial, qu'il ne croyait pas « à la nécessité de vivre ».

La loi du 22 prairial an II.

« Une Révolution comme la nôtre n'est pas un procès, mais un coup de tonnerre contre les méchants. » Saint-Just, le 26 germinal, appelait la foudre sur les ennemis de la République. Tous les « prévenus de conspirations », désormais traduits devant le Tribunal révolutionnaire de Paris, il fallait l'adapter à cette tâche, de précédentes tentatives n'ayant pas abouti. « Depuis deux mois vous avez demandé au Comité de salut public une loi plus étendue que celle qu'il vous présente aujourd'hui. »

La préparation du décret s'entoura des mêmes obscurités que ses autres projets, leur discussion restant secrète et orale. Logiquement Saint-Just aurait dû s'en charger, mais sa mission le retenait à l'armée du Nord. Un mot de Robespierre le rappela, contresigné des membres présents. Le Comité se croyait directement menacé. On jugeait fort grave la situation politique. Arrivé le 12 prairial (31 mai), il repartit le 18. Son accord de principe ne fait pas de doute; il suffit de se référer à des déclarations anciennes. Couthon, auteur du rapport, le défendit devant l'Assemblée qui l'adopta, non sans réticences, le 22 prairial (10 juin). La loi visait moins à « punir » qu'à « anéantir » les contre-révolutionnaires. On l'étendit à ceux qui cherchaient « à inspirer le découragement, à dépraver les mœurs, à altérer la pureté et l'énergie des principes ». On supprima la défense. Les jurés « patriotes » décideraient sur des preuves matérielles; en leur absence seulement on appellerait des témoins. Quant aux juges, après la constatation d'identité, ils n'avaient d'autre alternative qu'un verdict d'acquittement ou de mort.

Ces dispositions, qui simplifiaient la procédure, nous choquent. Elles affectèrent à peine les contemporains : c'était la reconnaissance d'une situation de fait. La présence d'avocats était devenue inutile et le recours unique aux preuves écrites existait depuis longtemps. D'ailleurs la consultation des dossiers du Tribunal révolutionnaire montre à cet égard que l'instruction fut souvent très poussée. Ne la considérait-on pas comme suffisante pour provoquer les décisions des Commissions populaires? Enfin on pouvait prononcer le non-lieu qui constatait l'inutilité des poursuites.

D'autre part, avec ce projet, le Comité de salut public exprimait sa volonté de diriger la Terreur. « On a voulu donner au cours de la justice une impulsion fausse et précipitée. » Le Comité de sûreté générale, qu'on ne consulta pas, en conçut du dépit. Le décret ne lui réserva sa part qu'après de vives discussions; son nom paraît sur la minute, en additif, de la main de Couthon. Il poursuivit ses activités habituelles. Le Bureau de Police ne le gêna guère. Par rapport aux affaires qu'il traita, les siennes furent quatre fois plus élevées : 1814 contre 464. On ne peut suivre Mathiez qui affirme qu'il sabota délibérément l'application de la loi. Elle constitua, malgré tout, un grief majeur contre les Robespierristes. C'en fut un également pour la Convention qu'on semblait oublier. Tant de sièges vides hantaient les députés qui se demandaient quand viendrait leur tour! Des listes de proscription circulaient. Ils perdaient, en fait, leur droit de contrôle sur l'inculpation des représentants, ainsi livrés aux initiatives de l'exécutif. L'appareil terroriste leur paraissait d'autre part suffisamment répressif. Tandis qu'ils renouvelaient les pouvoirs du « grand » Comité, l'idée d'une dictature personnelle progressait lentement. On en imputa le dessein à Robespierre. « J'ai cru voir en lui, écrivait D'Yzez, un homme qui aimait véritablement la liberté... Les moyens qu'il prenait m'ont paru les moins éloignés de la vraie route. Actuellement un nouvel ordre de choses s'ouvre devant nous [1]. »

Les fournées.

Les exécutions, précipitées en messidor, ne découlèrent pas de la loi de prairial. Elle les facilita mais ne les provoqua pas. Le gouvernement possédait l'autorité suffisante pour éviter un nouveau massacre des prisons. Les amalgames, qui confondaient dans le même procès des détenus de diverses origines, continuaient les méthodes de germinal. On les attribua à la bureaucratie et particulièrement à la Commission des administrations civiles, police et tribunaux que présidait Herman, compatriote de Robespierre. En fait, il se borna à exécuter les décisions des Comités.

Celui de sûreté générale porte la responsabilité du « procès des chemises rouges » où l'on vêtit du sarrau des parricides les 53 inculpés. Tous avaient de près ou de loin trempé dans les intrigues du baron de Batz. Avec le Comité des finances, il engagea encore les poursuites contre les fermiers généraux, dont Lavoisier, et les membres des anciens Parlements. L'exécution des « Vierges

1. Publié dans la *Revue de France*, t. XXXV (1926), p. 517.

de Verdun » fut préparée par le représentant Mallarmé. Quant aux « conspirations des prisons », elles justifièrent, du début de messidor au 8 thermidor (26 juillet) la composition de dix « fournées » qu'on tira de Bicêtre, du Luxembourg, de Saint-Lazare [1], des Carmes. Les ordres émanaient du Comité de salut public. Barère, Lindet, Collot, Billaud, Saint-Just les signèrent, et plus rarement Robespierre. Fouquier-Tinville, qu'il tenait en piètre estime, recevait chaque jour un rapport sur le comportement des détenus et pouvait, de sa propre autorité, provoquer le jugement des fauteurs de troubles. En un mois et demi on enregistra 1 376 exécutions, plus que pendant l'année précédente tout entière.

Mais on laissa rarement les choix au hasard. Pour les personnalités célèbres impliquées, les opinions contre-révolutionnaires ne laissaient pas de doute. Les provinciaux transférés à Paris pour subir une peine longtemps différée savaient dès leur départ quel sort les attendait. D'autres, conduits dans les prisons de la capitale, sur un ordre direct du Comité de sûreté générale, par des gendarmes, comme des criminels de droit commun, étaient d'avance condamnés. Du Pont de Nemours, par exemple, ne conservait pas d'illusions; il comptait déjà trop d'amis parmi les victimes.

La guillotine, transportée place de la Bastille puis barrière du « Trône renversé », fonctionna journellement. Le spectacle était de nature à ébranler les nerfs. Il pouvait inciter à la pitié. On voulut faire croire à une sorte de saturation de l'horreur, à la nausée du sang si généreusement répandu. Peut-être quelques-uns la ressentirent, mais la majorité des bourgeois parisiens n'y fait pas allusion. Les badauds, toujours nombreux, reconnaissaient des visages et les injuriaient, critiquaient leurs attitudes et applaudissaient à leur supplice.

Non seulement, la loi de prairial sembla passer inaperçue, mais la Grande Terreur ne souleva aucune objection, si ce n'est de la part de Robespierre. « Je ne lui ai jamais reproché, dit Reubell, que d'avoir été trop doux. » On lui prêta le désir de modérer la répression. C'est mal interpréter sa pensée. Avec un sens politique aigu, il mesurait les dangers d'une exagération de la violence et de ses

1. André Chénier succomba dans l'une de ces fournées. C'est à Saint-Lazare qu'il connut Aimée de Coigny, la « jeune captive ».

manifestations anarchiques. Ne déclarait-il pas aux Jacobins, le 23 messidor (11 juillet) : « Il faut arrêter l'effusion du sang humain versé par le crime. » Le crime résidait en effet non dans le châtiment des coupables, qui était nécessaire, mais dans sa démesure. La réaction punitive satisfaite, on risquait, en la prolongeant, de s'aliéner une nouvelle fraction de l'opinion. « Il me semble toujours impossible que cela puisse durer, et cependant cela dure », constatait Casanova.

Bilan de la Terreur.

Le bilan général dressé par l'historien américain D. Greer n'englobe pas la totalité des victimes. Il tient compte des condamnations que prononcèrent le Tribunal parisien, les tribunaux criminels des départements et les Commissions extraordinaires. Son recensement porte sur environ 17 000 noms qui se répartissent entre des secteurs géographiques déterminés : 52 % concernent la Vendée, 19 % le Sud-Est, 16 % la capitale et 13 % le reste de la France. Il oppose la part majoritaire des zones de turbulence à celle, insignifiante, des campagnes silencieuses. Entre les départements, le contraste devient plus frappant. Il y en eut de très touchés, comme la Loire-Inférieure, la Vendée, le Maine-et-Loire, le Rhône et Paris. Dans six, on ne relève aucune exécution, dans 31, elles sont inférieures à 10, dans 32 à 100, et dans 18 seulement supérieures à 1 000. Leur nombre varie aussi d'un district à l'autre et toutes ne sont pas dues aux tribunaux locaux. Celui de Paris jugea 16 % de provinciaux. Les exemples connus de Rouen, de Tours, de Montauban, de Lunéville, rendent compte de cette imbrication. La proportion des condamnés ou des décapités au lieu de leur domicile demeura faible, sauf dans les zones troublées. Pour le district de Rouen, 8 seulement sur 42 le furent par ordre du tribunal criminel du département [1].

L'examen des motifs aboutit à des conclusions analogues. Rébellions et trahisons arrivent de très loin en tête avec 78 %, puis le fédéralisme (10 %), les délits d'opinion (9 %) et les délits écono-

1. La majorité, impliquée dans l'affaire de la Rougemare, avait été jugée par le Tribunal révolutionnaire et exécutée à Paris en septembre 1793.

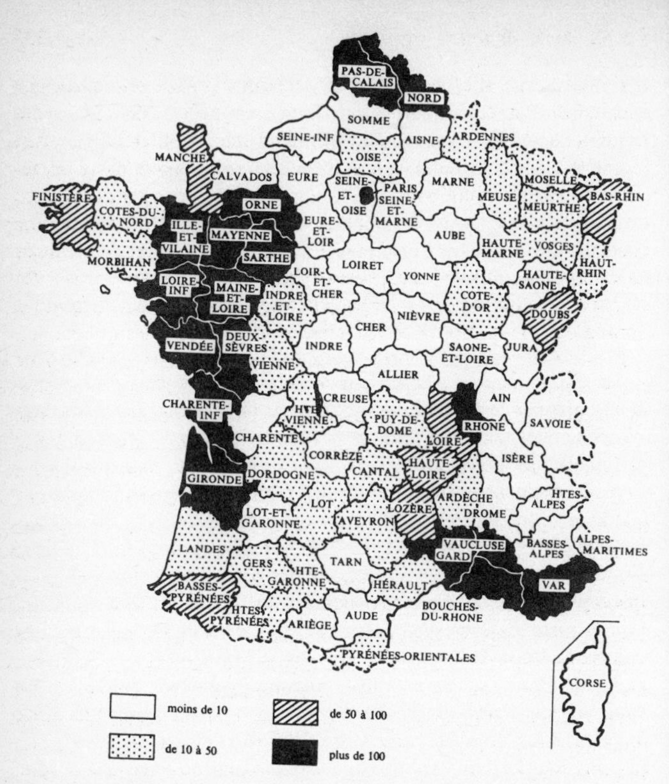

Fig. 6. *Répartition des exécutions capitales, par département.*

miques (1,25 %) dans lesquels on comprend la fraude des assignats. Artisans, boutiquiers, salariés, petites gens forment, avec 31 %, le contingent le plus élevé. Il concerne les populations citadines de Lyon, Marseille, et des bourgades environnantes. Avec les Vendéens, les paysans prennent une place plus importante (28 %) que la bourgeoisie fédéraliste et marchande. Nobles (8,25 %) et prêtres (6,5 %) qui paraissent relativement épargnés, fournissent en réalité une proportion de victimes supérieure à celle des autres catégories sociales. Dans les régions les plus préservées, ce furent même les seules.

D'autre part, la Terreur qu'on qualifia de « grande », se distingue à peine de l'ensemble. Elle fournit en juin-juillet 1794, 14 % des exécutions, contre 70 % d'octobre 1793 à mai 1794, et 3,5 % avant septembre 1793. Sans doute la moyenne mensuelle s'éleva nettement, mais la concentration parisienne exagéra cette recrudescence tardive, que la réaction exploita. On la dépeignit comme une entreprise machiavélique destinée, comme la guerre, à résorber les excédents humains, alors que se renforça son caractère de lutte contre-révolutionnaire. La proportion des classes dirigeantes doubla dans le nombre des victimes, et celle des nobles quadrupla.

Bien qu'elle soit prématurée, cette étude statistique, qui s'appuie sur le tiers des exécutions, conserve une valeur indicative. Si l'on ajoute celles qui n'exigèrent pas de procès, et les décès en prison, il est vraisemblable qu'on parvienne à 50 000, soit environ 2 ‰ de la population totale. De plus, une moitié des détenus recouvra la liberté après Thermidor. Par rapport au nombre très approximatif des suspects, la Terreur n'en supprima guère que le dixième. Mais il convient de tenir compte des déportations et de la prison à temps, dont les études locales révèlent la fréquence, pour apprécier les haines accumulées sur la République jacobine.

Dans l'immédiat, le rythme accéléré des exécutions à la veille de Thermidor provoqua un réflexe général de peur. On se sentit plus ou moins complice des massacres, et plus ou moins concerné. La Terreur parut détournée de son objet initial pour servir les ambitions des hommes en place qui personnifièrent la dictature. Contre eux, les mécontents, les lâches, les humiliés, les corrompus se coalisèrent tandis que les masses se refusaient à de nouveaux sacrifices.

3. Le malaise général

« C'est surtout de la lassitude du peuple qu'il faut se garantir. » Beffroy et d'autres représentants avisaient le Comité de salut public de la désaffection progressive des campagnes. La réalité contredisait à chaque instant le mythe rousseauiste : ils ne retrouvaient plus « la sagesse infinie » des paysans et doutaient qu'ils fussent des êtres de raison. Le ton même de leurs lettres témoigne de cette amertume. « Automates par tempérament, les stupides habitants ne semblaient aucunement émus des prodiges qu'enfante la Révolution. » Le sentiment national même s'affaiblissait. En Alsace, le nom de Français équivalait à une insulte, et la région niçoise comptait moins de patriotes que le Piémont voisin.

Seule la défense du pays justifiait, pour la majorité de la population, la continuité de la lutte révolutionnaire, mais les exécutions parisiennes ne l'alarmaient plus. L'étonnement, la tristesse, la morosité saisissaient ceux qui n'osaient pas encore publiquement espérer. Il fallait leur procurer des loisirs, les distraire de la situation présente. Chaudron-Roussau qui le recommandait, obligea la municipalité de Mirepoix à payer « les violons qui les firent danser ». La récolte abondante, et les victoires des armées, qui procurèrent une détente réelle, ranimèrent aussi les plaintes contre le dirigisme et la répression. La solidarité joua contre la dictature jacobine.

La cascade des épurations.

Les représentants, dont les missions furent maintenues en floréal, perdirent leur belle assurance. Contraints souvent à se déjuger, à abandonner leurs collaborateurs, à renier leurs amitiés, ils incriminaient obscurément le pouvoir dont ils se réclamaient, doutant de sa clairvoyance. Plus ils se montraient soucieux de son approbation, plus le Comité semblait les dédaigner, négligeant de les consulter, se bornant à accuser réception de leurs arrêtés et à bénir, par une formule banale, la suite de leurs travaux. « Continuez dans cette voie; nous comptons sur vous. »

Voie changeante, voie chancelante, elle discrédita l'autorité. La valse des « hommes de liaison » et leurs actions contraires rendaient, sur le plan local, la Terreur moins effrayante. Tout devenait provisoire. Plus que jamais, la question se posait de savoir à qui l'on devait obéir. Les scrutins épuratoires se succédaient à un tel rythme que les candidats manquaient. A Brest, fin floréal, la Société populaire « s'était déjà régénérée trois fois ». Aux frontières de la Vendée, où les administrations étaient mauvaises, le pays ne possédait « aucune ressource pour les former ». Les paniques et les dialectes causaient en Maurienne, en Tarentaise, en Alsace, des difficultés plus grandes. Le civisme ne pouvait suppléer à l'ignorance. « Il est bien malheureux que les hommes qui ont quelque talent soient suspects et qu'on ne puisse sans danger les mettre en place. » La remarque ne valait pas que pour l'Auvergne.

Les épurations prirent une tournure démagogique. Les représentants favorisèrent les courants majoritaires et obéirent à leurs fluctuations. Au Mans, Garnier (de Saintes) avoua sans honte : « Je vais épurer de nouveau mes épurations, car la cabale et l'intrigue avaient surpris ma religion. » Généralement ils imposaient une liste élaborée en comité restreint. Le Carpentier dissout « révolutionnairement la Société patriotique de Port-Malo pour la composer mieux »; il opéra ainsi dans la Manche et les Côtes-du-Nord. D'autres firent afficher les noms des réfractaires aux impôts, aux réquisitions, aux levées, ou proposèrent les choix à un débat public qui dégénéra en querelles privées. On élimina les terroristes locaux. Le peuple se lassa; les représentants confièrent le soin de continuer leur tâche à des agents nationaux qui se savaient discutés. Ils préféraient s'abstenir.

Dès que le délégué du pouvoir s'éloigna, les intrigues reprirent de plus belle. Des collaborateurs sûrs ne soutenaient plus son action. Intermittente, elle cessa d'être efficace et devint inopportune. Dans la Meuse, les administrateurs s'absentaient depuis un mois, sans autorisation. Ils dénonçaient leurs adversaires dans toute la région, discourant au lieu de veiller à l'exécution des décrets. On négligea dans l'Indre et le Cher de les publier. Il n'était plus question de « forcer les intermédiaires au respect rigoureux de la représentation nationale et du peuple », ou de les contenir par la Terreur. Les gardes nationales, diminuées par les levées, obéissaient sans enthousiasme, et les emplois de gardiens de scellés, qu'on recherchait hier, ne trouvaient plus preneur. On se préoccupait davantage de ses propres travaux que de la Révolution. « Qu'elles sont coupables ces communes qui, plongées dans un sommeil léthargique, semblent attendre l'issue du choc qui ébranle l'univers pour déterminer leur impolitique insouciance[1]. » Le ressort de

1. Publié dans les *Arch. parl.*, t. LXXXVIII, p. 77.

l'action révolutionnaire détendu, les « opprimés » prirent leurs distances.

Crise d'autorité et « maximum ».

La carence des autorités locales encourageait la réaction et mettait en péril le gouvernement. Remaniées abusivement, elles se désintéressaient de leurs tâches. Leur connaissance des affaires publiques était nulle; elles s'abstenaient de répondre aux enquêtes, et de dresser les tableaux d'indigents, ou les truffaient d'erreurs grossières. Leurs avis comptaient de moins en moins. Elles ne représentaient ni le peuple, ni l'État républicain.

Les régions méridionales se montraient particulièrement frondeuses. Dans le district de Quillan, on assaillit à coups de pierres les gendarmes dont on désapprouvait les missions; on délivra les détenus en Haute-Loire. Les vieux instincts de rapine resurgirent; on vola les bestiaux dans les prés, on déroba les fruits du voisin; on braconna. Glaneurs et vendangeurs multiplièrent leurs exactions. On ravagea les forêts nationales; on s'empara des terres incultes. Une sorte de précommunisme agraire montait du fond des âges. « La terre appartient à celui qui l'exploite »; « ses produits sont le bien de la communauté ». Un prêtre, Petitjean, près de Moulins, prêchait, fin floréal, le partage des denrées [1].

On envisageait d'ailleurs cette distribution dans les limites de la paroisse. Elle se repliait sur elle-même, résistant aux intrusions des inconnus. Les perquisitions se heurtaient à une obstruction systématique; on répondait évasivement aux questions, même anodines. Pinet et Cavaignac constataient chez les Basques cet état d'esprit. « Ils veulent la République mais ils sont encore imbus de l'isolement qui les porte à soustraire leur arrondissement à des mesures générales. » A Montfort-l'Amaury, des femmes dévissèrent la nuit les roues des chariots qui emportaient les grains de la commune.

La politique aussi s'en mêla. On s'attaqua aux témoins de la présence jacobine. A Montesquieu (Lot-et-Garonne), l'arbre de la Liberté, qu'on arracha, fut replanté racines en l'air; dans la région de Melun, on défonça des tonneaux d'eau salpêtrée. Des spécula-

1. Voir E. Campagnac, « Un prêtre communiste : le curé Petitjean » (*Révolution française*, 1903, p. 425).

teurs envahirent les ventes nationales, soudoyant les paysans pour qu'ils ne poussent pas les enchères. En prairial et en messidor, ces genres de troubles se répandirent, créant une impression d'insécurité.

Des représentants insistèrent sur leur caractère spontané et occasionnel, déclarant qu'il s'agissait de brigandage. Quelques exécutions rétablirent le calme et « les malveillants disparurent ». N'exagérait-on pas ces troubles dans le but d'alarmer l'opinion? Ils éclataient cependant dans les zones habituelles de rébellion, les mêmes qu'aux lendemains du 10 août et du 31 mai, celles du fédéralisme, du refuge des nobles, des prêtres, des modérés que le décret du 27 germinal avait éloignés de Paris. A partir de « points noirs » connus, l'Ariège, la Lozère, le Valais, l'Isère, ils gagnaient le « plat pays » réputé calme.

L'opposition usait des arguments traditionnels. A la veille de la moisson, on annonça l'arrivée de brigands qui détruiraient la récolte. Dans le district de Tarbes, pour diminuer la consommation de pain, on répandit le bruit du massacre général des vieillards et des enfants. Georges Lefebvre signale l'effet de ces paniques qui poussèrent vers les Autrichiens des familles entières du Nord. On cherchait à protéger sa vie et ses biens, la République n'y parvenant plus. Les lois récentes, auxquelles se raccrochaient les sans-culottes, les divisaient au lieu de les unir. L'exécution du *maximum* général, que le petit paysan considérait comme une atteinte au produit de son travail, accrut son animosité contre la ville taxatrice. Un vigneron du Loiret en accusait « la crapule d'Orléans ». Le citadin pauvre, insatiable et menaçant, faisait à présent figure d'affameur.

Les agents nationaux des districts, chargés de compléter les tableaux des prix, les achevèrent rarement avant Thermidor. Ils fourmillaient d'erreurs; on ne les respecta pas. A peine quelques curieux les feuilletèrent. Les réquisitions réglées à la taxe, le producteur assuma les risques d'un trafic clandestin qui justifia des profits excessifs. « L'esprit de lucre gagna beaucoup de gens qui n'y avaient pas songé. » Les bouchers se transformèrent en marchands de bestiaux. Un commerce de troc s'établit entre la campagne et la ville. On échangea du sucre contre du beurre, du vin contre du blé. Fournisseurs et acheteurs se protégèrent mutuellement. Les comités révolutionnaires, débordés par les dénonciations, firent de leur mieux, mais la répression, confiée aux tribunaux correctionnels, se révéla sans portée.

Entre sans-culottes, les avantages acquis par certains provoquèrent l'envie des autres. Contre les paysans leur coalition se désagrégea, tandis que se renforça l'esprit communautaire. Ainsi les conséquences du *maximum* furent plus profondes que les excès des déchristianisateurs et les peines capitales. Dans la mentalité paysanne toutes les résistances se conjuguèrent contre la Révolution.

Dieu ou l'Être Suprême?

Les prêtres exercèrent sur cette opposition massive une influence certaine et cependant moins forte que les attitudes officielles le laissent supposer. A cause de l'acharnement qui les poursuivait, on les considéra comme des martyrs ou des héros. Ils donnaient un sens humain à cette vague de fond qui soulevait tous les croyants. La déchristianisation, artificiellement provoquée et menée brutalement, avait balayé les apparences sans affecter la religiosité des campagnes[1]. La foi contrainte s'entoura de mystère. On prit des allures de conspirateur pour recourir aux sacrements. Le culte de la Raison, ce palliatif, choqua par ses outrances. « Nous avons fait de la Raison une espèce de reine du Ciel et nous adoptons les fureurs du fanatisme [2]! »

Le Comité de salut public, qui réprouvait les persécutions, rechercha l'appui des Sociétés populaires. « Plus les convulsions du fanatisme expirant sont violentes, plus nous avons de ménagements à garder. Ne lui redonnons pas des armes en substituant la violence à l'instruction... On ne commande point aux consciences. » Cette position s'inspirait de motifs d'opportunité que terroristes locaux et représentants ne partageaient pas. Là où continua la lutte antireligieuse, les troubles s'amplifièrent. A Manosque, les femmes refusèrent de laisser dépouiller leurs églises et la troupe dut intervenir. Des lettres « divines » circulèrent autour de Montbrison pour rappeler les fidèles au culte catholique. Ils acquirent la conviction que les saints profanés accompliraient de nouveaux miracles. Malgré les interdictions on chôma le dimanche, on fréquenta les

1. Voir ci-dessus, p. 198.
2. Lettre d'un ancien doyen de la Faculté protestante de Montauban, à Robespierre, 16 floréal an II.

lieux de pèlerinage. Près de Rambouillet on venait de loin faire bénir les anneaux de mariage. A Paris même, les livres religieux atteignaient « des prix fous ».

La tolérance, qui semblait payante, donnait raison à Robespierre. Il redoutait, contre la République, l'union des réfractaires et des jureurs dont la population avait souvent apprécié le civisme. Confondre dans le même crime et punir de mort un traître et un prêtre patriote, relevait d'un athéisme aveugle et désuet. Le décret du 18 floréal (7 mai) tendait à faire disparaître, de son propre aveu, « la juste indignation comprimée par la Terreur, qui fermentait sourdement dans tous les cœurs ». Il en appelait à la majesté de la Providence. « Être des êtres! Le jour où l'univers sortit de tes mains toutes-puissantes, brilla-t-il d'une lumière plus agréable à tes yeux!... » Déiste à la manière de Rousseau, il retrouvait Dieu dans toute la création, sans intermédiaire, sans démonstration extérieure. Puisque les prêtres devenaient inutiles, comme les églises, n'était-ce pas un coup mortel porté au fanatisme? Qu'on ne l'accuse donc pas de favoriser un culte lorsqu'il les élimine tous en proposant à la croyance populaire la religion universelle de la Nature. Réaffirmant l'immortalité de l'âme, il ne songeait pas au christianisme, mais rendait aux malheureux une espérance de bonheur.

Cependant, il indisposa les athées et tous les déchristianisateurs. Dans la Convention, dans le gouvernement, on ne dissimula pas son hostilité. Vadier, par exemple, le 27 prairial s'employa à exagérer l'affaire d'une vieille illuminée, Catherine Théot[1], et d'y impliquer Robespierre. Quant au peuple, il interpréta le culte de l'Être suprême comme la fin des poursuites antireligieuses. Il revint publiquement à son Dieu, à ses messes, à ses processions. Le bruit courut que la fête solennelle du 20 prairial (8 juin) rétablirait bientôt celle de Pâques. Des prêtres mariés, dont celui de Beaudeau (Hautes-Pyrénées), continuèrent leur ministère sous forme d'un culte à la patrie.

1. Mathiez étudia longuement cette affaire (*Contributions à l'histoire religieuse de la Révolution française*, Paris, 1907, p. 96-142). Récemment Michel Eude a montré qu'en fait Robespierre demanda de surseoir au jugement pour permettre un complément d'enquête par le Bureau de Police, ce qui affecta le Comité de sûreté générale (206).

La colère gronda lorsque des commissaires voulurent localement interdire ces pratiques. Dans la région de Douai on accusa Convention et Jacobins de manquer à leurs engagements. Les déceptions causèrent en prairial de nouvelles manifestations. Un prêtre ariégeois incendia, pour se venger, la maison d'un patriote. Tiraillées, les autorités se gardaient de prendre parti. D'ailleurs n'entendait-on pas de tous côtés prédire la fin prochaine de la Révolution et le rétablissement des autels?

Le problème des salaires.

L'inquiétude religieuse coïncidait avec celle des salariés de la République. L'ordre social et la production économique dépendaient de l'équilibre des salaires et des prix. Comme le *maximum* des denrées, celui des salaires ne s'appliquait que dans les régies nationales. En contrepartie les ouvriers y bénéficiaient de distributions de pain à la taxe. La soudure, difficile, réduisit les rations. Ceux des forges, en Dordogne, reçurent comme les soldats, une livre par jour de mauvais pain. Même dans les bourgs céréaliers, la disette se fit sentir; elle fut grande dans toutes les villes. Mais la condition des travailleurs n'était pas uniforme.

L'entreprise privée favorisa les meilleurs par la rémunération aux pièces. Dans les arsenaux, on distribua des gratifications pour heures supplémentaires. Les ateliers d'armes parisiens tinrent compte des spécialités pour élargir l'éventail des salaires. En province on s'accorda pour frauder en payant par exemple aux portefaix d'Orléans trois fois la même tâche. Avec des procédés semblables le prix des transports quintupla. D'autre part, ouvriers industriels et agricoles comparèrent leurs conditions. Ceux des ateliers de l'Allier et de la Nièvre étaient nettement défavorisés. Ils touchaient en moyenne 30 sous par jour, somme que l'on attribuait aux chômeurs occasionnels et aux réfugiés vendéens. Ne valait-il pas mieux rester chez soi plutôt que de travailler au taux du *maximum?* Le flottage des bois s'arrêta sur l'Yonne et les bûcherons, qu'on réquisitionna, se cachèrent. Il semblait aussi très préférable de s'embaucher pour la moisson.

Elle était urgente et la main-d'œuvre agricole faisait défaut. On en profita. Les ouvriers disponibles dans la région de Cherbourg réclamèrent jusqu'à deux francs par jour avec la nourriture.

Le Carpentier, surpris par cette hausse qui désorganisait le marché du travail, réclama la taxation. Elle intervint le 22 messidor (10 juillet). Feignant d'ignorer le doublement quasi général des salaires privés, le Comité de salut public accorda des augmentations dérisoires. Par rapport aux prix en vigueur, c'était un tarif de famine. A Paris, les forgerons des ateliers d'armes, qui touchaient 16 francs par jour, n'en eussent reçu que 5, et un charpentier 3 francs 15 sous au lieu de 8. L'appliquer était impensable; l'annoncer constituait déjà une faute politique grave. L'agitation ouvrière menaçait de paralyser les ateliers d'armes, l'imprimerie du Louvre, la manufacture des Gobelins. Les sans-culottes parisiens surtout manifestèrent leur déception. De plus en plus, les préoccupations du gouvernement s'éloignaient des légitimes exigences du peuple. Contre l'État-patron, les salariés possédaient des raisons de s'unir, tandis que la taxation des denrées coalisait contre lui la France rurale.

4. La revanche de la peur

Un nouveau drame se préparait, plus profond que celui de ventôse. Il eût éclaté de toute manière avant l'automne. Le point de rupture était atteint entre une société résolument conservatrice et ses cadres artificiels. Politiquement, socialement, humainement, l'appareil terroriste — nonobstant les principes — était devenu insupportable. Contre une autorité excessive, la population et l'armée résistaient à leur façon. De plus en plus, la machine tournait à vide. Maintenue par la volonté des gouvernants, elle s'arrêta dès qu'ils se divisèrent.

La désunion des gouvernants.

Reprenant le 10 messidor (28 juin), après vingt jours d'absence, sa place au Comité de salut public, Saint-Just pressentit la rupture. « Je ne reconnais plus quelques visages. » Robespierre n'y paraissait pas. On portait chez lui les dossiers du Bureau de Police. Il ne donna dans tout le mois que cinq signatures. Cette attitude ne lui ressemblait guère. Elle traduisait son profond écœurement. On a insisté sur les problèmes sociaux qui opposaient les membres du Comité. Il se peut que les décrets de ventôse y eussent contribué, comme la Grande Terreur et la guerre à outrance. Néanmoins, les arrêtés qui les concernent portent des signatures multiples, et la majorité, le 4 thermidor, consentit à créer les quatre Commissions populaires qu'on avait oubliées.

Par contre, on ne prend pas suffisamment garde aux griefs personnels, aux réticences, aux coups d'épingles qui aigrirent inévitablement leurs rapports. Les spécialités isolèrent de véritables domaines interdits, et aboutirent, par voie de conséquence, à des conflits d'autorité. Qui saura le nombre des décisions mineures dont l'utilité fut mise en doute! De simples regards, des gestes maladroits, risquaient en s'accumulant de mortifier des hommes qui vivaient depuis une année, sans repos, sans détente, dans le même cadre. Également responsables, également pointilleux, ils s'irritaient d'autant plus que les gagnait la fatigue. Onze hommes sur la même galère, quel défi! Les plans d'opération, le choix des généraux affrontaient plus souvent Carnot à Saint-Just. Les tirades de Barère à l'Assemblée les exaspéraient; Couthon le remplaça. L'unité d'action, qui faisait la force du « grand » Comité, s'effritait dangereusement.

On avait constaté des dissensions dès la fin de germinal; elles devinrent plus vives et plus fréquentes après le 22 prairial. Leurs querelles s'entendirent parfois de la rue et l'on transporta les séances à l'étage supérieur. Le Comité de sûreté générale souffla sur le feu. Robespierre n'y comptait que deux amis, dont Le Bas, souvent aux armées. Vadier et Amar ne lui cachaient pas leur aversion. Les polices rivales entretenaient l'animosité. On exploita des affaires louches. Néanmoins, l'hostilité entre les deux Comités ne suffit pas à émouvoir la Convention.

Pour entraîner la Plaine, jusqu'à présent fidèle, il fallait qu'elle se crût sérieusement menacée. Les terroristes rappelés s'évertuèrent à l'en persuader. Ils usaient des arguments royalistes, prophétisant le massacre général des députés par lequel Robespierre inaugurerait son règne. Quelques-uns, « frappés des terreurs que leur ont inspirées ces scélérats », ne couchaient plus chez eux. Mais l'incertitude subsista sur l'attitude centriste. D'ailleurs la Montagne elle-même se disloquait à cause des rivalités de missions et de questions personnelles. Le frère d'André Dumont et la famille de Thibaudeau avaient été arrêtés. « Encore quelques jours, écrivait le 30 messidor, Fouché à sa sœur, la vérité et la justice auront un triomphe éclatant. » Il ajoutait, le 5 thermidor : « Aujourd'hui peut-être les traîtres seront démasqués. »

La conjuration était réelle et les conjurés impatients. Tallien tremblait pour sa maîtresse Thérésa Cabarrus, détenue. Dubois-Crancé, désigné comme Fouché pour ses excès à Lyon, avait tenté vainement d'attendrir Robespierre. Legendre, Thuriot, amis de Danton, les soutenaient. On était avisé à l'étranger de la crise imminente. La nouvelle parut dès le 23 messidor dans un *Mercure universel* imprimé en Belgique. « Bourdon (de l'Oise) et Tallien sont considérés par les coalisés comme les champions de la faction qui doit renverser le Comité de salut public. »

Erreur inconsciente, abandon ou suprême dédain, qui saurait le dire? Robespierre laissa le champ libre à ses adversaires. Il bouda la Convention comme le Comité, se réfugiant aux Jacobins. A leur tribune, il conservait quelque espoir de rallier l'opinion. En onze séances il intervint quatorze fois, luttant contre la calomnie. Lui, que la dictature effraya toujours et qui confondit si aisément ses accusateurs girondins, ne pouvait tolérer de telles imputations. « Je suis dépeint comme un tyran et un oppresseur de la représentation nationale », constatait-il avec amertume, le 13 messidor, soulevant des protestations unanimes. En même temps il avouait ses scrupules et son indécision.

La partie n'était pas perdue; sa position restait très forte. Il comptait à la Commune des partisans dévoués, Dumas au Tribunal révolutionnaire, Hanriot à la tête de la garde nationale. Les autorités jacobines, en province, l'identifiaient toujours à la Révolution. Cependant, l'opinion parisienne, directement concernée par la crise politique, le jugeait diversement. Les uns louaient sa modération et sa prudence. Pour les autres, c'était un conservateur. La sans-culotterie, mal guérie de l'hébertisme, récriminait contre la disette, les accapareurs et le marché noir. Des tentatives isolées manifestaient la permanence de l'opposition démocratique. Elle se dissimulait dans des fêtes partielles qu'on interdit, dans des banquets fraternels dont la réaction s'empara. Robespierre, le 28 messidor (16 juillet), applaudit à leur suppression. « Que les patriotes sachent bien que leur union constitue leur force, que leurs ennemis ne sont pas encore vaincus. »

L'impossible conciliation.

L'enjeu dépassait le sort de quelques individus et des oppositions doctrinales. La continuité du gouvernement révolutionnaire et le destin de la République étaient en péril. Les membres des Comités tentèrent, de bonne foi sans aucun doute, une conciliation dont se chargea Saint-Just. Ils proposèrent, le 4 thermidor, avec les quatre Commissions populaires, le rattachement du Bureau de Police au Comité de sûreté générale. Robespierre, convié, parut le lendemain. Billaud-Varenne et ses collègues l'assurèrent de leur amitié. Barère informa la Convention de cette entente retrouvée. Robespierre néanmoins y pressentit une diversion qui donnerait quelque délai à ses adversaires. Il prépara dès lors sa justification.

Le temps était compté et le malaise profond. Il n'y prit pas garde, décourageant ceux de ses amis, dont Payan et Le Bas, qui pensaient à organiser la résistance. Eût-elle d'ailleurs été possible? Les sectionnaires que le Comité semblait brimer par plaisir marcheraient-ils? Le nouveau *maximum* des salaires fut affiché le 5 thermidor à Paris. Les Jacobins n'atteignaient qu'une fraction des patriotes, et disposaient d'armes émoussées. L'exclusion dont ils frappèrent Fouché et Dubois-Crancé les solidarisa avec ceux qu'ils avaient précédemment chassés.

On reprocha aux Robespierristes leur passivité. C'est méconnaître le caractère de ces hommes et leur énergie. Si Maximilien préférait le silence du cabinet et la tribune, au contact des foules, il ne les redoutait pas. Quant à Augustin, à Saint-Just, à Le Bas, ils avaient prouvé leur esprit de décision. L'action populaire et les responsabilités ne les rebutaient pas. Mais se dresser contre la Convention dont ils proclamèrent toujours l'incontestable souveraineté, les obligeait à se renier eux-mêmes. A cela ils ne pouvaient consentir.

En démocrate sincère et en parlementaire, Robespierre confia sa cause à l'Assemblée. Il semble que Saint-Just n'ait pas partagé cette attitude personnelle dont il mesurait les dangers. Qu'il souhaitât un rapport d'ensemble, prononcé au nom du Comité de salut public, est fort probable. L'Assemblée eût hésité à condamner un gouvernement qu'elle venait de réinvestir. Elle eût accepté de décréter d'accusation quelques membres nommément désignés. En s'engageant seul, Robespierre donnait crédit au projet de dictature qu'on lui prêtait si généreusement. Il se comporta en chef de l'exécutif qui réclame un vote de confiance, non en simple représentant du peuple. « Si l'on ne me croit pas je n'ai que faire ici. »

Le long discours qu'il imposa à l'Assemblée, le 8 thermidor, fut son testament politique. On ne lui accorde pas une attention suffisante. D'abord, il se disculpe. « Ils m'appellent tyran. Si je l'étais, ils ramperaient à mes pieds, je les gorgerais d'or... » Pourquoi donc affubler un seul être « d'une importance gigantesque et ridicule? » Puis il dénonce « les commis de sûreté générale », « puissance supérieure au Comité même »; les employés de la Trésorerie, « des ex-nobles, des émigrés peut-être ». Ce sont les comparses, les subalternes qui font tout le mal. Comme Saint-Just, il s'en prend aux fonctionnaires, à la bureaucratie. A cause d'eux, « nous marchons sur des volcans ».

Il se garda des personnalités. « Je désire que les coupables se justifient et que nous devenions plus sages. » Élevant et passionnant le débat, il conjura la Convention de reprendre « sa puissance », et tous les patriotes d'oublier leurs querelles. De leur union dépend le salut de la Patrie. Le gouvernement révolutionnaire l'assurant, « il faut le sauver lui-même de tous les écueils ». « Qu'il soit détruit aujourd'hui, demain la liberté n'est plus. » « Laissez flotter un instant les rênes de la Révolution : vous verrez le despotisme militaire s'en emparer. »

On a considéré comme un discours politique et un réquisitoire cette tentative suprême de conciliation. C'est un sermon et une prophétie. Il en appelle à l'amitié, à l'honnêteté, à l'honneur, au pardon des injures, Les députés qui l'applaudirent longuement partageaient ses craintes, mais ses ennemis ne désarmèrent pas. Dans ce combat imprudemment engagé, c'était la première manche; elle restait indécise.

La seconde se déroula le soir même aux Jacobins. Assisté de Couthon, qui ne le lâchait plus, Robespierre répéta ses arguments devant une assistance nerveuse. Il la conquit encore. Collot-d'Herbois et Billaud-Varenne, ligués contre lui, ne purent se faire entendre. En les chassant, l'auditoire les poussa définitivement dans l'autre camp. Ainsi renforcé, il arrêta son plan pour le lendemain, tandis que Saint-Just préparait fiévreusement le discours auquel il s'était décidé. Robespierre, fataliste, et conscient de son impuissance, accepta son destin. « J'ai l'expérience du passé, je vois l'avenir. Quel ami de la patrie peut vouloir survivre au moment où il n'est plus permis de la servir et de défendre l'innocence opprimée. »

La dernière manche.

Le dénouement se joua dans la journée et la nuit du 9 (27 juillet). Il suggère une tragique partie de dés. Ses coups surprirent les acteurs : la Convention et ses Comités, la Commune et ses sections. Tout parut truqué, même les maladresses. Les vainqueurs, qui doutèrent jusqu'à la fin de leur victoire, la redoutèrent aussitôt. Les plus passionnés gardèrent le sentiment d'une mauvaise action. Pour nombre de députés, le drame de Thermidor fut, comme le procès du roi, celui de leur conscience. En condamnant des hommes qui incarnaient la Révolution, ils reniaient une cause qu'ils avaient eux-mêmes servie. La violence fut excessive, comme la lâcheté. Le peuple ne suivait plus la scène, stupéfait de cette soudaineté et d'une brutalité inhabituelle aux politiques.

La séance débuta à onze heures, comme à l'accoutumée, par la lecture de la correspondance et l'audition des pétitionnaires. Vers midi, Saint-Just tenta d'éviter l'irréparable « par respect humain », sans trop y croire. Tallien l'interrompit et une obstruction systématique, tolérée par Collot qui présidait, réserva la parole aux seuls accusateurs. De leurs bancs. ils dénonçaient et injuriaient. Les témoignages objectifs et spontanés — qui sont rares — donnent une idée de ce tumulte et des efforts des accusés. Robespierre se cramponna littéralement à la tribune, clama son indignation, ne parvenant pas à se faire entendre. Saint-Just se tut, considérant la partie perdue.

Le plan, prémédité, s'appliqua sans surprise. La Plaine subjuguée lui apporta ses voix. On destitua d'abord Hanriot et Lavalette, leurs aides de camp, le général Boulanger et Dufraisse, décourageant toute tentative de la garde parisienne, puis Dumas, afin de s'assurer du Tribunal révolutionnaire. Une proclamation, rédigée par Barère, rassura la population. Vadier, Bourdon (de l'Oise), Tallien.

Billaud-Varenne s'acharnèrent alors sur Robespierre. Moins d'une heure suffit à son procès. On prononça sans scrutin le décret d'arrestation contre lui, son frère, Couthon, Saint-Just et Le Bas, qui furent écroués dans des prisons différentes. Le portier du Luxembourg refusa d'admettre l'aîné des Robespierre. Conduit à la mairie, quai des Orfèvres, et accueilli avec ferveur, il y demeura jusqu'au soir.

La Commune ne manqua pas de réagir, mais elle fut prise de court, et l'aide des Jacobins ne se révéla d'aucune utilité. Les prisonniers libérés, on conservait encore l'espoir d'entraîner les sections. Payan fit battre la générale. Ses ordres et ceux de la Convention se croisèrent, désorientant les chefs de légions. On perdit en serments, en palabres, un temps très mesuré. Le turbulent Hanriot manquait d'envergure, sinon de courage et d'audace. Place de Grève, vers sept heures, 3 000 sectionnaires et du canon attendaient un chef.

Ils pouvaient aisément investir la Convention qui reprit sa séance. Un raid sur les Tuileries pour délivrer Hanriot, lui confirma le danger. Elle céda d'abord à la panique, puis se ressaisit, déclara hors la loi les députés rebelles et s'efforça de rallier les sections. Seize seulement avaient rejoint la Commune. Tandis que leurs troupes, lasses d'être inemployées, se disloquaient, Barras et Léonard Bourdon entraînaient les autres vers l'Hôtel de Ville. Elles y pénétrèrent vers deux heures et demie du matin sans rencontrer la moindre résistance.

Au même moment, le jeune Robespierre se jeta d'une fenêtre du premier étage. Il venait d'apprendre le suicide vraisemblable de son frère, blessé d'un coup de pistolet à la mâchoire. Transporté presque inconscient à la Convention qui le repoussa, au Comité de salut public, puis à la Conciergerie, il fut exécuté dans la soirée du 10, sans jugement, place de la Révolution, avec vingt et un de ses amis. On jeta les cadavres dans une fosse du cimetière des Errancis, situé dans l'ancien domaine du duc d'Orléans, à Monceau. Les hécatombes se prolongèrent les jours suivants, frappant surtout le Conseil général. Au total, 108 personnes payèrent de leur vie l'attachement aux principes, le dévouement, et la confiance. D'autres, dont la femme du menuisier Duplay, se suicidèrent.

Le peuple parisien assista, passif, à cette répression. Mais le long de la Seine que suivaient les cortèges, les quartiers bourgeois manifestèrent bruyamment leur satisfaction. Pour les jeunes de l'École de Mars qu'on avait chapitrés, la conspiration ressemblait aux précédentes. En province, on se réserva d'abord, puis les administrations, purgées des Jacobins, félicitèrent la Convention. L'ordre ne fut pas troublé; le pays accepta.

En n'analysant que ses conséquences, on qualifia le Neuf-Thermidor de « journée des dupes », on parla à son propos « d'incident de parcours ». Pour Joseph de Maistre, il se résume dans cette formule : « Quelques scélérats firent périr quelques scélérats. » Ce fut pour d'autres une revanche de la bourgeoisie, une étape de la lutte des classes. Le grand problème, quant à nous, réside dans l'indifférence des populations ou dans leur incompréhension. Les contraintes imposées par la dictature économique et la Terreur, qui les réduisaient à une apparente soumission, se répercutèrent de manière imprévue sur la mentalité collective. On confondit autorité et légalité. On s'habitua à obéir aux ordres qui, d'où qu'ils vinssent, se réclamaient de la Convention. En se dressant contre elle, on se détachait donc de la République qu'elle incarnait. L'insurrection, dynamique révolutionnaire, perdait sa raison d'être. Automatiquement, l'insurgé devenait un rebelle. Cette réflexion, qui agita les Robespierristes, ne fut pas indifférente aux sectionnaires.

D'autre part, on ne s'est pas interrogé sur leur attitude au cas où les deux camps devraient s'affronter. Manifester la volonté populaire contre les mandataires indignes, en entourant l'Assemblée de ses canons comme au 31 mai, ou se défendre, comme au 10 août, contre la trahison d'un monarque, constituaient pour les patriotes un droit et un devoir « sacrés ». Tirer contre des frères, au nom d'une Commune destituée, parce qu'ils préféraient obéir à l'Assemblée souveraine, ne se justifiait pas. C'était un crime gratuit. L'argument fut utilisé. Il ne semble pas étranger aux hésitations des autorités parisiennes. Replongé dans son contexte humain, le Neuf-Thermidor s'inscrit dans la mentalité collective qui n'envisageait pas qu'un peu de détente et de bien-être pût menacer la République.

Conclusion

La Ire République ne se réclame d'aucun modèle. Elle secréta ses institutions, rôda ses techniques, forgea son esprit au gré des circonstances. Cette originalité lui confère un prestige qu'elle n'a pas recherché. Le pays tout entier subit une conjoncture démentielle à laquelle ne pouvait s'appliquer de remède miracle. Le caractère exceptionnel des mesures proposées répondait à un sentiment de panique. Il fallait « faire face » et consentir à payer le prix. L'urgence était la première des contraintes.

Elle s'imposa au peuple et à ses mandataires, aux pauvres et aux riches, qui furent patriotes, mais ne s'accordèrent pas sur les moyens. Le nombre, qui n'avait rien à perdre — ou si peu — menaça d'entraîner ses notables au-delà de leurs intérêts qui étaient ceux de groupes nantis, non ceux de la nation. La bourgeoisie des fonctions, de la terre, du commerce qui tentait de gouverner et d'administrer, canalisa provisoirement l'action populaire. Le mouvement révolutionnaire prend ainsi son double aspect. Vu « d'en haut » à travers les intentions, les attitudes, les réalisations gouvernementales, il arbore fièrement son label et suit un chemin balisé. Vu « d'en bas », il constitue la Révolution à l'état pur : une sorte d'éruption qui submerge tout et pousse l'Histoire devant elle. Bien avant Daniel Guérin, Michelet affirma sa confiance dans le génie du peuple. « Laissé à lui-même, dans les moments décisifs... il a trouvé ce qu'il fallait faire et l'a accompli. »

Le 10 août fut sa réponse spontanée à l'envahisseur étranger et au danger royaliste. Il ne proposa pas qu'on le conduisît, mais qu'on le suivît. Comme il concevait son pouvoir, il usa de l'intimidation, de la répression, de la violence, et laissa à d'autres le soin de légiférer et d'organiser. Sa contradiction organique réside dans cette force latente et cette insigne faiblesse. Elle répond d'une trahison plus inqualifiable que celle de l'aristocratie, son ennemie naturelle; une fraction du peuple, non la moindre, abandonna l'autre. La poussée démocratique se heurta à un conservatisme aveugle, à l'immobilisme social. Accélérateur et frein agirent sur le déroulement de la Révolution. On n'a pas pris garde au jeu des forces contraires; elles firent éclater la République avant qu'elle ait pu se fonder.

Le pouvoir révolutionnaire englobait tous les pouvoirs, parce qu'il était révolutionnaire. Pour la même raison, il créait sa légalité qui justifiait ses outrances. Il confondait dans le même combat la défense de la patrie et de la République. La Gironde se perdit en hésitant à associer les sans-culottes à l'œuvre commune. Jacobins et Montagnards de la Convention saisirent cette chance; ils rassemblèrent les forces populaires. Une fois de plus, en septembre 1793, les sans-culottes sauvèrent la République que la réaction harcelait. L'élan patriotique, renforcé par le péril, consolida l'unité nationale. Le gouvernement révolutionnaire s'ancra sur elle.

La dictature s'installa « d'en haut ». Elle fut bourgeoise, de cette petite bourgeoisie que l'on disait aussi sans-culotte. Elle fut intransigeante et parfois inhumaine. On en usa comme d'un expédient que justifiaient les impératifs militaires et économiques.

L'autorité, déclarée provisoire, disposait d'un temps limité. Elle se condamna à vaincre. Toute déviation devint traîtrise. Dotée par le peuple de la Terreur, elle l'utilisa contre lui lorsqu'il s'écarta de la voie étroite tracée par le pouvoir jacobin. La contestation s'établit à tous les niveaux sans qu'il soit nécessaire d'y introduire un concept de classe. Entre les groupes existaient des rapports traditionnels que contrarièrent les effets du dirigisme économique. La contre-révolution hérita des antiterroristes, des « fanatiques », des timorés, des indifférents, que l'on rejetait de la nation.

La revendication sociale passa au second plan. A mesure que se renforça la dictature, elle multiplia ses appels à l'égalité, à la justice à la vertu. Les intentions étaient pures, mais les moyens manquaient. On aigrit les moins pourvus par de fallacieuses promesses qui effrayèrent les riches. La République souffrit de ces peurs et de ces déceptions. Les faveurs qu'elle concéda à la propriété en encourageant l'individualisme agraire, la part que s'accorda la bourgeoisie dans la vente des biens d'émigrés, provoquèrent des engagements politiques très conditionnels. En se marquant à droite, le gouvernement ne pouvait compenser les défections de la gauche. L'ardeur révolutionnaire s'en ressentit. La confusion et la méfiance gagnèrent les rangs des patriotes. Construction inachevée, la République se détruisit du dedans.

Assurer la défense nationale et le ravitaillement du pays nécessitait des sacrifices de la part de tous les citoyens. La mentalité collective les acceptait; individuellement on les redouta.

La réussite de l'entreprise dépendait des méthodes employées pour persuader ou contraindre. La répression n'atteignit pas seulement des nobles et des prêtres, mais des catégories diverses. Elle s'étendit à toutes les forces hostiles, sans discernement. La révolution bourgeoise n'épargna pas les bourgeois. En province elle appartint aux autorités locales que les délégués du pouvoir contrôlèrent par intermittence. Le gouvernement révolutionnaire ne fut donc ni toujours présent, ni toujours écouté. Il souffrit d'ailleurs bien plus de la lenteur des transmissions que de la négligence.

L'édifice reposait sur l'unité de direction qui conférait l'efficacité. Pour y parvenir l'État s'immisça partout, prétendant régenter les individus et les choses. Il se heurta aux structures et aux mentalités en place, qu'il tenta d'utiliser au lieu d'innover. Position réaliste, et aussitôt rentable, elle créa une ambiguïté : deux modes d'économie coexistèrent. Le pouvoir dissimula son impuissance derrière une activité tatillonne qui le rendit insupportable.

Des constructions artificielles se plaquèrent sur la vieille société. Parce qu'il fut éphémère, l'an II ne pouvait guère prétendre qu'au provisoire et à l'approximatif. Il ne bâtit en dur que son armée. Celle-ci prépara la dimension moderne d'une société militaire privilégiée qui accapara près de la moitié de la population active mâle. A l'image de la société civile, elle compta des ambitieux, des purs, des naïfs et des profiteurs. Mais la discipline, la hiérarchie, les dangers préservèrent le civisme des combattants qui défendirent la patrie et le jacobinisme. L'armée fut ainsi la réussite du régime et elle lui survécut.

Autour d'elle gravitait un contingent de parasites. Ils appartenaient à la grande masse des salariés de la République. L'entreprise nationale rétribua en effet un personnel pléthorique. Elle pourvut ses nombreux services et songea en même temps à s'attacher les patriotes zélés. Employés, fonctionnaires, agents rémunérés prouvèrent leur dévouement. Néanmoins pour mériter et conserver leur place, ils forcèrent leurs attitudes. Leur soumission et leur conformisme béat masquèrent aux gouvernants les véritables sentiments populaires. Quant aux ouvriers des ateliers d'armes et des arsenaux, sans-culottes éprouvés, ils trouvèrent dans leurs conditions de travail et dans leurs salaires maximés des raisons pour s'unir contre les exigences de l'État. Leur relative concentration favorisa l'éclosion d'une certaine conscience de classe.

La propagande jacobine, par contre, n'affecta guère la mentalité paysanne. Immuable, le rythme des saisons réglait les cultures et les existences. Elle reçut les bienfaits de la Révolution « sans en éprouver les orages », et la déchristianisation même l'atteignit superficiellement. Elle fut plus sensible à la taxation qu'aux réquisitions de denrées et aux levées d'hommes qui, chez les jeunes, résorbèrent le chômage et l'indigence. Petits exploitants et manouvriers purent y engager leurs enfants. Une veuve dénuée de ressources comptait onze de ses garçons sur douze parmi les combattants. Le sentiment de la patrie résista aux déceptions et aux tracas. En messidor, la campagne s'émut, comme la capitale, à l'annonce des victoires qui libéraient les frontières. « La gaîté et la joie sont peintes partout. C'est une seule et immense famille qui célèbre en commun les heureux événements dont chacun se félicite, auxquels tous sont intéressés[1]. » La France rurale restait associée à une République débarrassée de la Terreur. Dans sa majorité elle partageait la conviction que le temps des sacrifices s'achevait. Le drame dénoué, la vie recommença.

Plus tout à fait comme auparavant. En dépit des résistances ou à cause d'elles et de la guerre, les comportements humains avaient évolué. La démographie d'abord en témoigne. Sa croissance se ralentit malgré un bond prodigieux de la nuptialité. Considéré

1. Cité par M. Bouloiseau, *Bourgeoisie et Révolution. Les Du Pont de Nemours (1788-1799)*, p. 94-95.

comme mauvais citoyen, le célibataire contracta mariage. Des jeunes gens menacés par la réquisition, des prêtres abdicataires firent de même. Les naissances ne suivirent pas, tandis que privations, épidémies et batailles accrurent les décès. Très certainement l'égalité successorale, qui émiettait le patrimoine, rappela les parents à la prudence. On estime aussi que 20 % des adultes connurent une existence perturbée par le service militaire.

La cellule familiale ne le fut pas moins. Elle subit de multiples assauts qui l'ébranlèrent. Le respect des engagements, la fidélité des époux, l'attachement au foyer souffrirent de l'absence des hommes, et d'une mobilité sociale qui se développa même dans les campagnes. Le libertinage se répandit en province. On recueillit dans les villes nombre d'enfants abandonnés, un plus grand nombre encore moururent de misère. Par contre, l'institution du divorce entraîna moins de séparations réelles qu'on ne l'imagine. Des ménages âgés rompirent une union consentie pour des motifs d'intérêt; les femmes d'émigrés usèrent de ce moyen pour préserver leurs biens. La réhabilitation des enfants naturels, qui provoqua parfois des réconciliations touchantes, posa des problèmes d'héritage insolubles. Les querelles de partages occasionnèrent dans les familles des haines durables.

La société dont les structures restaient intactes opéra ainsi une mutation discrète. La mentalité collective enregistra la précarité des dispositions les mieux établies. On attacha une moindre valeur à l'acte notarié. Les scrupules religieux pesèrent d'un moindre poids. Le jacobinisme engagea à secouer d'anciens tabous, à libérer la pensée pour la mettre au service de la nation. Une masse de projets sortit de la réflexion populaire, apportant à des problèmes actuels des solutions que nous n'avons pas atteintes, qu'il s'agisse de la démocratisation de l'enseignement, du statut des fermages, de la nationalisation des mines ou de l'impôt sur le capital. Dans cet héritage délaissé et dans les principes qui l'inspirèrent, réside encore le miracle de l'an II. Replacé dans son optique concrète, dépouillé de sa contamination émotionnelle, ce passé demeure notre présent, car jamais, dans sa projection sociale, l'espérance des hommes ne s'était portée aussi loin.

L'étranger ne s'y trompa pas. La République jacobine fut pour les peuples de son temps moins un modèle qu'un symbole, celui de la lutte à outrance contre toutes les formes d'oppression. Les conservateurs se prémunirent contre « l'épidémie française » que les patriotes appelèrent à leur aide. De même qu'en France, le nom de Jacobin se confondit avec ceux de démocrates et de républicains. Il se répandit d'abord par l'adhésion des intellectuels et de la bourgeoisie libérale, puis ses échos parvinrent aux milieux populaires. Les nationalités sujettes de l'Empire des Habsbourg, la Pologne écartelée accueillirent ces « principes subversifs » comme autant de promesses de libération. L'abolition de l'esclavage souleva les Noirs colonisés. Des clubs se fondèrent clandestinement, ou au grand jour, jusqu'en Turquie et aux États-Unis. Plusieurs souhaitèrent être affiliés à celui de Paris. On crut en Angleterre voir resurgir les « niveleurs ».

Une véritable Terreur blanche s'organisa, déclenchée par les souverains. On supprima loges maçonniques et associations d'étudiants; on interdit les ouvrages suspects, dont ceux de Kant. La répression policière s'étendit de la Volga jusqu'au Rhin. L'Inquisition s'en mêla dans les royaumes « très catholiques », en Espagne et à Naples. A Londres, où la *gentry* s'inquiéta, on vota l'*alien bill*. La chasse aux étrangers, aux radicaux, aux francophiles revêtit bientôt une ardeur fanatique.

Malgré la dérobade de ceux qu'effrayait la Terreur, le mouvement défia tous les interdits et gagna en profondeur. Son audience populaire influença ses objectifs; il dépassa le stade du libéralisme politique. On réclama la libération des serfs. En Italie du Sud, les paysans se soulevèrent; en Suisse et en Piémont ils refusèrent de payer les redevances seigneuriales. Un tribunal révolutionnaire se constitua à Genève. « En ce temps-là, l'insurrection s'appelait jacobinisme [1] », celle des Polonais et toutes les autres, quels qu'en soient les motifs. Le Jacobin se désigna par sa volonté de changement. Séparatiste, réformiste, ou franchement démocrate, il choisit toujours, entre les solutions françaises, celles qui répondaient à ses problèmes nationaux. Même Kosciuszko, qui utilisa la levée

1. Cité par B. Lesnodorski, *Les Jacobins polonais*, Paris, 1965, p. 3.

en masse, s'interdit d'être à la remorque de Paris. On distingua idéologie et action révolutionnaire.

Dans le film de la Révolution, Thermidor achève une séquence : la République des Jacobins perd son âme. Elle ne la retrouva jamais plus. L'an II fascina cependant des générations et le jacobinisme imprégna la conscience politique du siècle passé; à l'étranger, il rallia les patriotes. Fut-il prophétique parce qu'inachevé? Mérite-t-il les passions qu'il déchaîna? A-t-il donc tant vieilli qu'on doive abandonner sa défroque? Débat irrationnel, obscurci à plaisir, il ne mène nulle part. A nos yeux, seuls importent les termes dans lesquels les problèmes se posèrent aux contemporains.

Ce fut leur aventure, une aventure humaine, diversement ressentie. C'est notre souvenir, celui d'un moment exceptionnel de notre Histoire et de la Révolution, où chacun peut, à son gré, découvrir un message.

Chronologie sommaire

1792	10 août	Convocation d'une Convention nationale.
	11 août	Établissement du suffrage universel.
	14 août	Lafayette essaie vainement d'entraîner son armée contre Paris.
	17 août	Création d'un tribunal extraordinaire pour juger les défenseurs des Tuileries.
	22 août	Émeutes royalistes en Vendée, dans le Dauphiné, et en Bretagne.
	23 août	Prise de Longwy par les Prussiens.
	2 septembre	Réunion des assemblées électorales. Capitulation de Verdun.
	2-6 septembre	Massacres dans les prisons, à Paris et en province.
	4 septembre	Réquisition et taxe des grains pour l'armée.
	8-9 septembre	Émeute ouvrière à Tours.
	20 septembre	Laïcisation de l'état civil. Fin de l'Assemblée législative.
	20 septembre	Victoire de Valmy. La Convention élit son bureau.
	21 septembre	Abolition de la royauté. An Un de la République.
	24 septembre	Libération de la Savoie par nos troupes.
	25 septembre	La République est déclarée « une et indivisible ».
	29 septembre	Les Français occupent Nice.
	8 octobre	Retraite des Prussiens. Ils abandonnent Verdun.
	21 octobre	Le général Custine occupe Mayence, puis Francfort.
	6 novembre	Victoire de Dumouriez à Jemappes. Occupation de la Belgique.
	19 novembre	La France accorde « fraternité et secours » à tous les peuples.
	20 novembre	Découverte des papiers secrets du roi dans l'armoire de fer des Tuileries.
	22 novembre	Troubles paysans en Beauce pour la taxation des grains.
	27 novembre	Réunion de la Savoie à la France.
	2 décembre	Renouvellement de la Commune de Paris.
	8 décembre	Liberté du commerce des grains.
	11 décembre	Début du procès du roi.
	19 décembre	Saint-Just élu président du club des Jacobins.
1793	7 janvier	Clôture des débats du procès du roi.
	11 janvier	Manifestation royaliste à Rouen.
	20 janvier	Assassinat de Le Peletier de Saint Fargeau par un royaliste.

21 janvier	Exécution de Louis XVI.
23 janvier	Partage de la Pologne entre la Prusse et la Russie.
1er février	La France déclare la guerre à l'Angleterre et à la Hollande. Début de la 1re coalition.
14 février	Pache est élu maire de Paris.
21 février	Décret sur « l'amalgame » des volontaires et des troupes de ligne.
24 février	Levée de 300 000 hommes. Difficultés en province.
25-27 février	Pillage des épiceries à Paris où l'on taxe le savon et le sucre.
5 mars	Rébellion royaliste enrayée à Lyon.
7 mars	La Convention déclare la guerre au roi d'Espagne.
10 mars	Création du Tribunal criminel extraordinaire qui prendra le nom de « révolutionnaire ».
11 mars	Début de la rébellion vendéenne.
18 mars	Défaite de Dumouriez à Neerwinden. Peine de mort contre quiconque proposerait la « loi agraire ».
21 mars	Création des Comités de surveillance.
28 mars	Les émigrés, frappés de « mort civile », sont bannis à perpétuité du territoire.
3-5 avril	Trahison de Dumouriez. Arrestation de Philippe-Égalité duc d'Orléans.
6 avril	Formation du Comité de salut public. Siège de Mayence par les Prussiens.
11 avril	Cours forcé de l'assignat. Interdiction de la vente du numéraire.
17 avril	Romme réclame le droit de vote pour les femmes.
24 avril	Marat, décrété d'accusation est acquitté par le Tribunal révolutionnaire.
26 avril	Débuts du télégraphe optique de Chappe.
29 avril	Début de l'insurrection marseillaise.
4 mai	Établissement du prix maximum des grains et farines.
20 mai	Emprunt forcé d'un milliard sur les riches.
29 mai	Début de l'insurrection lyonnaise.
31 mai	Manifestations contre les députés girondins devant la Convention.
2 juin	Arrestation de 27 députés et de 2 ministres girondins.
3 juin	Vente des biens des émigrés par petits lots.
7 juin	Rébellion fédéraliste à Bordeaux et dans le Calvados.
8 juin	Blocus de nos côtes par la flotte anglaise.
10 juin	Partage facultatif des biens communaux.
24 juin	Vote de la Constitution de l'an I.
26-28 juin	Troubles du savon à Paris.
27 juin	Fermeture de la Bourse de Paris.
29 juin	La Commune et les Jacobins attaquent violemment les Enragés.
10 juillet	Renouvellement du Comité de salut public dont Danton est exclu.
12 juillet	Rébellion royaliste de Toulon.
13 juillet	Assassinat de Marat par Charlotte Corday.
17 juillet	Abolition sans indemnité de tous les droits féodaux.
18 juillet	Victoire des Vendéens à Vihiers.

	23 juillet	Évacuation de Mayence par les troupes françaises. Elles combattront en Vendée.
	26 juillet	Décret punissant de mort les accapareurs de denrées.
	27 juillet	Robespierre entre au Comité de salut public.
	28 juillet	Prise de Valenciennes par les coalisés.
	8 août	L'armée de Kellermann investit Lyon.
	23 août	Décret sur la levée en masse.
	24 août	Établissement du Grand Livre de la Dette publique.
	25 août	Les troupes de la Convention s'emparent de Marseille.
	27 août	Les royalistes livrent Toulon aux Anglais.
	4-5 sept.	Émeutes populaires à Paris. La Terreur est mise à l'ordre du jour. Formation d'une armée révolutionnaire parisienne.
	6-8 sept.	Victoire française à Hondschoote.
	7 septembre	Séquestre des biens des sujets ennemis en France.
	11 septembre	Établissement d'un prix maximum national pour les grains.
	17 septembre	Loi sur les suspects.
	18 septembre	Arrestation de Varlet.
	21 septembre	Port obligatoire de la cocarde tricolore pour les femmes.
	29 septembre	Institution du « maximum » général des denrées et des salaires.
	5 octobre	Adoption du calendrier républicain.
An II	*Vendémiaire*	
	18 (9 oct.)	Capitulation de Lyon.
	19 (10 oct.)	Le gouvernement est déclaré révolutionnaire jusqu'à la paix.
	25 (16 oct.)	Victoire de Wattignies contre les Autrichiens. Exécution de l'ex-reine Marie-Antoinette.
	Brumaire	
	3 (24 oct.)	Procès de 21 députés girondins.
	10 (31 oct.)	Les Girondins sont exécutés.
	11 (1er nov.)	Le tutoiement devient obligatoire, même dans la correspondance officielle.
	16 (6 nov.)	Les municipalités pourront renoncer au culte catholique.
	20 (10 nov.)	Fête de la Liberté et de la Raison à Notre-Dame de Paris.
	23 (13 nov.)	Échec des Vendéens devant Granville.
	25 (15 nov.)	Suppression des loteries.
	Frimaire	
	1er (21 nov.)	Robespierre s'élève contre la déchristianisation et l'athéisme.
	16 (6 déc.)	Interdiction de lever des taxes révolutionnaire sur les riches.
	22 (12 déc.)	Les Vendéens sont anéantis au Mans par Marceau.
	26 (16 déc.)	Arrestation de Ronsin et de Vincent, amis d'Hébert.
	29 (19 déc.)	Reprise de Toulon. La ville s'appellera Port-de-la-Montagne.
	Nivôse	
	3 (23 déc.)	Nouvelle défaite vendéenne à Savenay.
	6 (26 déc.)	Victoire de Hoche au Geisberg. Strasbourg et Landau sont dégagés.

1794 23 (12 janv.) L'affaire de la Compagnie des Indes est débattue à la Convention.
27 (16 janv.) Marseille s'appellera Ville-sans-Nom.
28 (17 janv.) Colonnes infernales du Gal Turreau en Vendée.
Pluviôse
9 (28 janv.) Robespierre dénonce aux Jacobins les crimes de l'Angleterre.
13 (1er fév.) Crédit de dix millions pour secourir les indigents.
16 (4 fév.) Suppression de l'esclavage dans les colonies françaises.
22 (10 fév.) Suicide et mort de Jacques Roux dans sa prison.
24 (12 fév.) Momoro dénonce aux Cordeliers le modérantisme des Jacobins.
Ventôse
3 (21 fév.) Barère présente à la Convention le tableau du « maximum général ».
8 (26 fév.) Sur le rapport de Saint-Just, la Convention décrète le séquestre des biens des suspects.
9 (27 fév.) Sanctions plus sévères contre les accapareurs de denrées.
13 (3 mars) Création de Commissions populaires pour « trier » les suspects.
16 (6 mars) Rapport de Barère sur l'extinction de la mendicité.
23 (13 mars) Arrestation d'Hébert et de ses amis.
Germinal
4 (24 mars) Fin du procès des Hébertistes. Exécution des principaux militants sans-culottes.
7 (27 mars) Licenciement de l'armée révolutionnaire.
10 (30 mars) Arrestation des Dantonistes.
12 (1er avr.) Création d'un Bureau de Police au Comité de salut public.
13 (2 avr.) Suppression du Conseil exécutif provisoire. Les ministres sont remplacés par des Commissions.
13-16 (2-5 avr.) Procès et condamnation des Dantonistes.
21-24 (10-13 avr.) Procès dit « de la conspiration du Luxembourg ».
Exécution des veuves d'Hébert et de Desmoulins.
25 (14 avr.) Les cendres de J.-J. Rousseau seront transférées au Panthéon.
26 (15 avr.) Rapport de Saint-Just sur la « Police générale de la République ». Interdiction aux nobles et aux étrangers de résider à Paris et dans les places de guerre.
Floréal
11 (30 avr.) Les Autrichiens s'emparent de Landrecies.
19 (8 mai) Exécution de 27 fermiers généraux, dont Lavoisier.
21 (10 mai) Création de la Commission populaire d'Orange.
22 (11 mai) Institution du grand Livre de la Bienfaisance nationale.
23 (12 mai) Arrestation à Londres des démocrates anglais.
Prairial
3-4 (22-23 mai) Tentatives d'assassinats contre Robespierre et Collot-d'Herbois.
7 (26 mai) Interdiction de faire des prisonniers anglais et hanovriens.

10 (29 mai)	Jourdan victorieux à Dinant prend le commandement de l'Armée de Sambre-et-Meuse.
13 (1er juin)	Création de l'École de Mars qui remplace l'ancienne École militaire.
14 (2 juin)	Bataille navale au large d'Ouessant. Épisode du *Vengeur*.
16 (4 juin)	Robespierre élu président de la Convention.
20 (8 juin)	Fête de l'Être suprême.
22 (10 juin)	Réforme du Tribunal révolutionnaire.
29 (17 juin)	Procès des « Chemises rouges ».
Messidor	
3 (21 juin)	Paoli offre la Corse au roi d'Angleterre.
7 (25 juin)	A Saint-Domingue, Toussaint-Louverture se rallie à la République.
8 (26 juin)	Victoire de Fleurus contre les Autrichiens.
17 (5 juil.)	La Commune de Paris approuve le nouveau « maximum » des salaires.
20 (8 juil.)	Nos troupes entrent à Bruxelles.
26 (14 juil.)	Le représentant Fouché est exclu des Jacobins.
Thermidor	
1er (19 juil.)	Insurrection genevoise favorable à la France.
4-5 (22-23 juil.)	Séances communes des Comités de Gouvernement. Tentatives de réconciliation.
8 (26 juil.)	Dernier discours de Robespierre à la Convention et aux Jacobins.
9 (27 juil.)	Robespierre, son frère, Couthon, Saint-Just, Le Bas, décrétés d'accusation et hors-la-loi.
10-12 (28-30 juil.)	Exécution à Paris de 105 Robespierristes.

Orientation bibliographique

Tous les ouvrages sur la Révolution française — et ils sont légion — consacrent plusieurs chapitres à la République jacobine; on en a cité dans le précédent volume; on en citera d'autres dans le suivant. A dire vrai, nous avons peu emprunté dans celui-ci aux histoires générales, puisant en revanche, avec profusion, dans les archives françaises et étrangères inédites ou inexploitées. La parcimonie des références infra-paginales ne donne qu'une faible idée de ce support documentaire largement renouvelé.

Les grandes collections sont connues. Nous en avons nous-même révisé et continué plusieurs dont :

1. A. Aulard, *La Société des Jacobins, 1889-1897*, 6 vol. Supplément en préparation.

2. A. Aulard, *Recueil des Actes du Comité de salut public, avec la correspondance officielle des représentants en mission et le registre du Conseil exécutif provisoire*, Paris, C.T.H.S., 1889-1951, 28 vol. plus 3 vol. de tables et 4 vol.de *Supplément*, dont deux sont parus.

3. *Archives parlementaires. Recueil complet des débats législatifs et politiques des Chambres françaises,* 1re série : 1787 à 1799, Paris C.N.R.S. (cette publication qui atteint actuellement le tome 94 — 25 thermidor an II —, nous concerne à partir du tome 52).

4. *Œuvres complètes de Maximilien Robespierre*, *Journaux* (t. IV-V) et *Discours* (t. VI à X), éd. critique, Paris 1960-1967.

D'autre part, les thèses d'érudition, matériaux élaborés, sont riches à la fois par leur texte et leurs notes. Notre période a inspiré celles de :

5. A. Soboul, *Les Sans-culottes parisiens en l'an II. Mouvement populaire et gouvernement révolutionnaire, 2 juin 1793-9 thermidor an II*, Paris 1958.

6. R. Cobb, *Les Armées révolutionnaires, instrument de la Terreur dans les départements*, Paris 1961-1963, 2 vol.

7. G. Rudé, *The Crowd in the French Revolution*, Oxford 1959.

Mais certaines, qui couvrent une large chronologie, sont par quelques chapitres précieuses pour l'étude de la mentalité collective; ainsi

8. G. Lefebvre, *Les Paysans du Nord pendant la Révolution française*, nouvelle éd., 1959.

9. P. Bois, *Paysans de l'Ouest*, Le Mans 1966.

10. E. Leroy-Ladurie, *Les Paysans du Languedoc*, Paris 1966.

Il suffit de les mentionner ici pour souligner ce que nous leur devons.
Sur un plan différent, quelques ouvrages de qualité proposent des interprétations nouvelles. Ils contribuent à relancer la recherche. Malgré ses déductions extrêmes, on tirera grand profit des positions adoptées par

11. D. Guérin, *La Lutte des classes sous la Première République*, nlle éd. 1968, 2 vol.

Cet éclairage social, qui souleva tant de critiques, oblige à réviser des notions admises, comme le font dans leur fureur iconoclaste

12. F. Furet et D. Richet, *La Révolution*, t. I, Paris, Hachette 1965.

En même temps, des tâcherons de l'Histoire ouvrirent d'autres chantiers. Leurs points de vue, consignés dans les *Actes* des colloques et des congrès, dans les *Annales historiques de la Révolution française (A.h.R.f.)*, dans les revues locales, ont étayé notre réflexion. Nous avons réuni par chapitres et par parties, ouvrages et articles dont nous avons usé. Bien qu'ils contribuent tous à l'exposé, l'ordre adopté tient compte de leur intérêt respectif et de la division des paragraphes.

1. Bilan des forces et mentalités

I. En ce qui concerne la Révolution démocratique, voir

13. P. Caron, *Les Massacres de septembre*, Paris 1935, 559 p.

14. P. Nicolle, « Les meurtres politiques d'août-septembre 1792 dans le département de l'Orne », *A.h.R.f.*, 1954, p. 97-118 et 212-232.

15. R.M. Andrews, « L'assassinat de J.L. Gérard, négociant lorientais » *A.h.R.f.*, 1967, p. 334.

16. P. Caron, « Conseil exécutif provisoire et pouvoir ministériel », *A.h.R.f.*, 1937, p. 4-16.

17. E. Bernardin, *Jean-Marie Roland et le ministère de l'Intérieur, 1792-1793*, Paris 1964, 667 p.

18. P. Caron, *La Première Terreur. I. Les Missions du Conseil exécutif provisoire et de la Commune de Paris*, Paris 1950.

19. P. Caron, *Les Missions dans l'Est et dans le Nord (août-novembre 1792)*, Paris 1953, 251 p.

20. J. Godechot, *Fragments des mémoires de Charles Alexis Alexandre sur sa mission aux armées du Nord et de Sambre-et-Meuse*, Paris 1937.

Sur les subsistances

21. G. Lefebvre, *Études orléanaises*, t. II, *Subsistances et maximum*, Paris 1963, 476 p.

22. M. Vovelle, « Les taxations populaires de février-mars et novembre-décembre 1792 dans la Beauce et sur ses confins », *Comm. hist. éc. et soc. R. f., Mémoires et documents*, XIII, p. 107-161.

23. P. Caron, « Une enquête sur la récolte de 1792 », *Bull. Hist. éc. et soc. R. f.*, 1913, p. 161-185.

II. Sur les forces réactionnaires, on consultera

24. J. Godechot, *La Contre-Révolution. Doctrine et action, 1789-1804*, Paris 1961, 426 p., nlle éd. 1986, coll. Quadrige.

25. D. Greer, *The Incidence of the Emigration during the French Revolution*, Harvard University Press 1951, 173 p.

26. M. Bouloiseau, *Étude de l'émigration et de la vente des biens des émigrés (1792-1830)*, Paris 1963, 190 p.

27. J. Chaumié, *Le Réseau d'Antraigues et la contre-révolution, 1791-1793*, Paris 1965, 471 p.

III. Il manque sur le jacobinisme, une analyse récente, à l'échelon national, à laquelle les travaux suivants ne peuvent suppléer.

28. Crane Brinton, *The Jacobins, an essay in the new history*, New York 1930, 319 p.

29. G. Maintenant, *Les Jacobins*, 1984, coll. Que sais-je ?

30. L. de Cardenal, *La Province pendant la Révolution. Histoire des clubs jacobins*, Paris 1929, 517 p.

31. G. Lefebvre, « Foules révolutionnaires », *Études sur la Révolution française*, p. 271.

32. R. Cobb, « Quelques aspects de la mentalité révolutionnaire », in *Terreur et subsistances*, p. 31.

33. M. Dommanget, « Le symbolisme et le prosélytisme révolutionnaires à Beauvais et dans l'Oise », *A.h.R.f.*, 1925, p. 131; 1926, p. 47, 345; 1927, p. 127; 1928, p. 46, 442.

34. G. Lemarchand, « Jacobinisme et violence révolutionnaire au Havre de 1791 à septembre 1793 », *Cahiers Léopold Delisle*, 1966, numéro spécial.

IV. Sur la guerre et la diplomatie en 1792 l'ouvrage cité

35. A. Sorel, *L'Europe et la Révolution française*, Paris 1904-1911, 8 vol.

demeure toujours utile. On le complétera par

36. R. Fugier, *Histoire des relations internationales*, t. IV, Paris 1954.

37. J. Chaumié, *Les Relations diplomatiques entre l'Espagne et la France, de Varennes à la mort de Louis XVI*, Bordeaux 1957, 215 p.

Il existe aussi nombre d'études locales sur les volontaires, dont celle de

38. J. Vidalenc, « Les Volontaires nationaux dans le département de l'Eure », *A.h.R.f.*, 1949, p. 116.

Voir surtout :

39. M. Reinhard, *L'Armée et la Révolution*, cours de Sorbonne, 1957.

40. J. P. Bertaud, *Valmy, la démocratie en armes*, Paris 1970, 319 p.

2. Le divorce des bourgeoisies

Sur la rivalité Gironde-Montagne, comparer les positions respectives de

41. A. Aulard, *Histoire politique de la Révolution*, IIe partie, chap. III, VI à VIII.

42. A. Mathiez, *Girondins et Montagnards*, Paris 1930, recueil d'articles.

43. A. Mathiez, « De la vraie nature de l'opposition entre les Girondins et les Montagnards », *Ann. révol.*, 1923, p. 177.

44. A. Soboul, *La Première République*, Paris 1969.

I. A propos des élections à la Convention et de la composition de l'Assemblée, voir

45. E. Auvray, « Les élections à la Convention nationale dans le département de Seine et-Oise », *Actes Congrès Stés savantes*, 1953, p. 239-256.

46. G. Laurent, « Un Conventionnel ouvrier », J. B. Armonville, *A.h.R.f.*, 1924, p. 217 et 315.

Les biographies des leaders sont nombreuses, on les trouvera aisément. Il paraît préférable de mentionner quelques travaux particuliers.

47. L. M. Gidney, *L'Influence des États-Unis d'Amérique sur Brissot, Condorcet et Madame Roland*, 1930, 176 p.

48. E. Bernardin, *Les Idées religieuses de Madame Roland*, Paris 1933.

49. M. Bouloiseau, « Robespierre d'après les journaux girondins, 1792-93 », *Actes colloque Robespierre*, 1967, p. 1 à 17.

A propos de l'expansion française, voir

50. A. Chuquet, *Jemappes et la conquête de la Belgique*, Paris 1890.

51. J. Godechot, *La Grande Nation. L'expansion révolutionnaire de la France dans le monde, 1789-1799,* Paris, 1956, 2 vol., nlle éd. 1983.

II. Sur les « épreuves de force », voir

52. A. Soboul, *Le Procès de Louis XVI*, Paris 1966, 271 p.

53. Cl. Mazauric, « A propos de la manifestation de la Rougemare », *Cahiers Léopold Delisle*, t. XV, n° spécial.

54. H. A. Goetz-Bernstein, *La Diplomatie de la Gironde, Jacques Pierre Brissot*, Paris 1912, 450 p.

55. R. H. Rose, « Documents relating on the rupture with France », *English historical review*, 1912, p. 117 et 324.

56. J. Richard, « La levée des 300 000 hommes et les troubles de mars 1793 en Bourgogne », *Ann. Bourgogne*, 1961, n° 132, p. 213.

57. Ch. Poisson, *Les Fournisseurs aux armées sous la Révolution. Le Directoire des achats, 1792-1793*, Paris 1933.

58. A. Mathiez, « Servan et les premiers marchés d'Espagnac », *Ann. révol.*, 1918, p. 533.

59. L. Dubreuil, *Histoire des insurrections de l'Ouest*, 1929-1930, 2 vol., 328 et 396 p.

60. E. Gabory, *La Révolution et la Vendée*, Paris, 1925-1928, 3 vol.

61. Ch. Tilly, *The Vendee*, Harvard 1964, 373 p. Trad. française, 1970.

62. A. Mathiez, *La Vie chère et le mouvement social sous la Terreur*, Paris 1927, 620 p.

63. *Assemblée générale de la Commission d'histoire économique...*, 1939, tome II. Communications de E. Sol, p. 97; E. Auvray, p. 121; M. Bouloiseau, p. 143; R. Laurent, p. 177; M. Lhéritier et A. Richard, p. 187; P. de Saint-Jacob, p. 213; F. Vermale, p. 255.

64. A. Michalet, « Économie et politique chez Saint-Just. L'exemple de l'inflation », *Actes colloque Saint-Just*, 1966, p. 151-201.

65. G. Rudé, « Les émeutes des 25, 26 février 1793, à Paris, *A.h.R.f.*, 1953, p. 33.

III. L'ouvrage ancien de

66. H. Wallon, *La Révolution du 31 mai et le fédéralisme en 1793*, Paris 1886, 2 vol.

mériterait d'être renouvelé. On le complétera provisoirement par les articles suivants :

67. L. Dubreuil, « L'idée régionaliste sous la Révolution », *Ann. révol.* 1919.

68. J. Grall, « L'insurrection girondine en Normandie », *Cahiers Léopold Delisle*, 1966, n° spécial.

69. E. Coulet, « La situation économique de Toulon pendant la rébellion de 1793 », *Actes Congrès Sociétés savantes*, Poitiers 1962, p. 269-298.

70. E. Herriot, *Lyon n'est plus*, Paris 1937-1940, 4 vol.

71. P. Nicolle, « Le mouvement fédéraliste dans l'Orne en 1793 », *A.h.R.f.*, 1936, p. 481.

Sur la Constitution, voir

72. A. Mathiez, « La Constitution de 1793 », *A.h.R.f.*, 1938, p. 497.

73. Fr. Galy, *La Notion de Constitution dans les projets de 1793*, Paris 1932, 197 p.

74. M. Friedieff, *Les Origines du referendum dans la Constitution de 1793*, Paris 1931, 318 p.

IV. La thèse de A. Soboul, citée ci-dessus, et les travaux de J. M. Zacker et de W. Markov, ont entièrement renouvelé le sujet. Voir notamment

75. A. Mathiez, « Un Enragé inconnu : Taboureau de Montigny », *A.h.R.f.*, 1930, p. 209.

76. H. Chobaut, « Un révolutionnaire avignonnais : André Pacifique Peyre », *A.h.R.f.*, 1931, p. 31 et 97.

77. M. Dommanget, *Jacques Roux, curé rouge. Les Enragés contre la vie chère...* Paris s.d. (1948), 91 p.

78. A. Soboul et W. Markov, *Die Sans-culotten von Paris, Dokumente zur Geschichte der Volksbewegung 1793-94*, Berlin 1967.

79. P. Leutrat, *François-Joseph L'Ange, Œuvres...*, Paris 1968, 240 p.

80. *Jacques Roux. Scripta et acta*, présentés par W. Markov, 1969, 686 p. (en français).

81. W. Markov, *Exhurse zu Jacques Roux*, Berlin 1970, 371 p. (importante bibliographie).

82. E. Soreau, « Les ouvriers aux journées des 4 et 5 septembre 1793 », *A.h.R.f.*, 1937, p. 436.

Sur l'armée révolutionnaire et les bataillons départementaux, la thèse de R. Cobb, citée ci-dessus, dispense de consulter d'autres ouvrages.

3. Le gouvernement révolutionnaire

Ses organismes et leur fonctionnement sont connus. La publication de

83. J. Godechot, *Les Institutions de la France sous la Révolution et l'Empire*, nouv. éd. 1969, livre III.

est de consultation commode et fait le point des recherches récentes

I. Sur le « grand » Comité, voir

84. M. Bouloiseau, *Le Comité de salut public*, nouv. éd. 1980. coll. Que sais-je ?

85. R.R. Palmer, *Twelve who ruled. The Committee of Public Safety during the Terror*, Princeton 1941.

86. P. Caron, « De l'étude du gouvernement révolutionnaire », *Revue de synthèse*, 1910, p. 147.

Pour chacun des membres, les biographies sont nombreuses. Nous nous bornerons à signaler, à cause des inédits qu'il contient

87. G. Bouchard, *Un organisateur de la victoire. Prieur de la Côte d'Or...* Paris 1946. Cf. ci-après, bibliographie du chapitre 5.

II. Sur l'appareil terroriste, l'ouvrage de H. Wallon cité ci-dessus, et du même

88. *Les Représentants du peuple en mission et la justice révolutionnaire dans les départements en l'an II*, Paris 1889-90, 5 vol.

exigent des compléments; ainsi que

89. E. Seligmann, *La Justice en France pendant la Révolution*, Paris 1913.

On consultera

90. Savine, *Les Geôles de province sous la Terreur*, Paris 1911.

91. H. Calvet, *Un instrument de la Terreur à Paris. Le Comité de salut public ou de surveillance du département de Paris*, Paris 1941.

92. Cl. Hohl, *Contribution à l'histoire de la Terreur. Un agent du Comité de sûreté générale Nicolas Guénot*, Paris 1968

93. R. Cobb, « La commission temporaire de Commune-Affranchie », *Terreur et subsistances*, p. 55.

III. Sur la dictature économique, voir les communications citées ci-dessus (*Assemblée générale de la Commission d'Histoire économique*, 1939, t. II).

93. P. Caron, *La Commission des subsistances de l'an II*, Paris 1924-25. 2 vol.

94. H. Calvet, *L'Accaparement à Paris sous la Terreur. Essai sur l'application de la loi du 26 juillet 1793*, Paris 1933.

95. H. Calvet, « Le commissaire aux accaparements de la section des Champs-Élysées », *A.h.R.f.*, 1936, p. 332.

96. H. Calvet, « L'application de la loi du 12 germinal sur les accaparements », *A.h.R.f.*, 1935, p. 539.

97. G. Lefebvre, « Le commerce extérieur en l'an II, » *Études sur la Révolution française*, p. 170.

98. A. Mathiez, « L'argenterie des églises en l'an II », *A.h.R.f.*, 1925, p. 576.

99. A. Mathiez, « Un fournisseur; C. Choiseau. Comment le Tribunal révolutionnaire traitait les mercantis », *A.h.R.f.*, 1924, p. 561.

IV. Sur Paris, voir

100. E. Mellié, *Les Sections de Paris pendant la Révolution française*, Paris 1898.

et tout particulièrement la thèse citée ci-dessus de A. Soboul; du même

101. « Robespierre et les sociétés populaires, *A.h.R.f.*, 1958, n° 1.

102. M. Reinhard, *Paris pendant la Révolution*, cours de Sorbonne, C.D.U. Paris. Pour cette période, fasc. III, p. 178 et s.

103. M. Reinhard, *Contributions à l'histoire démographique de la Révolution française*, 3e série, Paris 1970.

104. P. Sainte-Claire Deville, *La Commune de l'an II. Vie et mort d'une assemblée révolutionnaire*, Paris 1946.

En ce qui concerne les procès de ventôse et de germinal, voir

105. A. de Lestapis, *La « Conspiration de Batz », 1793-94*, Paris 1969.

106. A. Mathiez, *L'Affaire de la Compagnie des Indes*, Paris 1920.

107. L. Jacob, *Hébert, le « Père Duchesne », chef des sans-culottes*, Paris 1960.

108. M. Dommanget, « Mazuel et l'hébertisme », *Ann. révol.*, 1922, p. 464 et 1923, p. 34.

109. R. Cobb, « Le complot militaire de ventôse an II. Note sur les rapports entre Versailles et Paris au temps de la Terreur », *Terreur et subsistances*, p. 121.

Enfin, l'article de

110. G. Lefebvre, « Sur Danton », *A.h.R.f.*, 1932, p. 385 et 484.

utilise les travaux parus jusqu'à cette date.

4. Armée nationale et société militaire

Les travaux des historiens militaires, même les plus anciens, méritent d'être consultés, notamment ceux de :

111. A. Chuquet, *Les Guerres de la Révolution*, Paris 1886-1899, 12 vol.

et les recueils publiés par la Section historique de l'état-major de l'armée, dont :

112. Colonel Coutanceau, *La Campagne de 1794 à l'armée du Nord*, 1903-1908, 4 vol.

113. Commandant V. Dupuis, *Les Opérations militaires sur la Sambre en 1794. Bataille de Fleurus*, 1907.

114. L. Hennequin, *La Justice militaire et la discipline à l'armée du Rhin et de Rhin-et-Moselle. Notes historiques du chef de bataillon du génie Legrand*, 1909.

Des ouvrages comparables ont été publiés à l'étranger; ceux de

115. J. W. Fortescue, *History of the British Army*, t. IV, 1906.

de la section historique de l'état-major autrichien. On possède enfin à l'Institut d'Histoire de la Révolution française le micro-film des papiers du comte Razoumovsky, sur les campagnes de 1793 et 1794 contre la France.

I. Plusieurs vues d'ensemble présentent un intérêt comparatif :

116. J. Jaurès, *L'Armée nouvelle*, Paris 1910. Nouv. éd. 1970, présentée par M. Rebérioux.

117. P. Caron, *La Défense nationale de 1792 à 1795*, Paris 1912.

118. A. Mathiez, *La Victoire en l'an II*, Paris 1916.

119. A. Soboul, *Les Soldats de l'an II*, Paris 1956.

Mais elles n'envisagent pas tous les problèmes qui sont complexes. A propos de la direction gouvernementale, l'étude des personnages se mêle intimement à celle de leur action. C'est le cas pour :

120. L. Levy-Schneider, *Jeanbon Saint-André*, Paris 1901, 2 vol.

121. Général Herlaut, *Le Colonel Bouchotte, ministre de la Guerre en l'an II*, Paris 1946, 2 vol.

122. M. Reinhard, *Le Grand Carnot*, Paris 1951-54, 2 vol.

qu'on complètera par

123. O. Havard, *La Révolution dans les ports de guerre*, Paris 1912-13, 2 vol.

toujours valable, et

124. N. Hampson, *La Marine de l'an II. Mobilisation de la flotte de l'Océan*, Paris 1959.

125. C. Richard, *Le Comité de salut public et les fabrications de guerre sous la Terreur*, Paris 1922.

II. Des articles, surtout nombreux depuis 1930, parus dans les *Annales historiques de la Révolution française*, présentent des aspects particuliers et apportent des compléments appréciables. On a utilisé ceux qui suivent, classés par date de parution :

126. G. Michon, « La justice militaire sous la Convention à l'armée des Pyrénées-Orientales », 1926, p. 37.

127. G. Michon, « L'armée et la politique intérieure sous la Convention », 1927, p. 529.

128. F. Vermale, « Lettres inédites d'un sous-lieutenant de l'armée des Alpes, 1792-93 », 1929, p. 56.

129. Lionel D. Woodward, « Les projets de descente en Irlande et les réfugiés irlandais et anglais en France sous la Convention », 1931, p. 1.

130. S. Tassier, « Les sociétés des Amis de la Liberté et de l'Égalité en Belgique en 1792-93 », 1933, p. 307.

131. A. Richard, « L'armée des Pyrénées-Orientales et les représentants en Espagne », 1934, p. 302.

132. J. Godechot, « Les aventures d'un fournisseur aux armées : Hanet-Cléry », 1936, p. 30.

133. Général Herlaut, « La républicanisation des états-majors et des cadres de l'armée pendant la Révolution », 1937, p. 385 et 537.

134. M. Reinhard, « La guerre et la paix à la fin de 1793 », 1953, p. 97.

135. M. Reinhard, « Nostalgie et service militaire pendant la Révolution », 1958, n° 1, p. 1.

136. M. Reinhard, « Observations sur le rôle révolutionnaire de l'armée dans la Révolution française », 1962, p. 169.

137. J.-P. Gross, « Saint-Just, sa politique et ses missions », 1976, n° 191.

138. Samuel F. Scott, « Les officiers de l'infanterie de ligne à la veille de l'amalgame », 1968, p. 455.

III. Les ouvrages de J. Godechot, *La Grande Nation...*, cité ci-dessus, et de

139. R. Devleeshouwer, *L'arrondissement du Brabant sous l'occupation française*, 1964,

ont inspiré en 1968 un colloque international sur le problème des rapports entre occupants et occupés (compte rendu dans *Revue historique*, juin-sept. 1968). *Actes* à paraître.

Quant aux recherches actuelles qui se concentrent autour de points précis, leurs premiers résultats ont été exposés dans les Congrès nationaux et internationaux. Elles concernent :

1) les origines sociales des armées de la Révolution, voir :

140. J. Vidalenc, « Le premier bataillon des volontaires de la Manche », *Cahiers Léopold Delisle*, 1966, t. XV.

141. J. P. Bertaud, « Les papiers d'administration des demi-brigades », *Rev. internat. Hist. militaire*, 1970, p. 163.

142. R. Dupuy, *Recherches sur la garde nationale en Ille-et-Vilaine*, thèse de 3e cycle, Rennes 1971.

2) l'insoumission et la désertion, voir :

143. J. P. Bertaud, « Aperçus sur l'insoumission et la désertion à l'époque révolutionnaire », *Bin. Hist. éc. et soc. R.F.*, 1969, p. 17.

3) les services auxiliaires :

144. R. Werner, *L'Approvisionnement en pain de la population du Bas-Rhin et de l'armée du Rhin pendant la Révolution*, Strasbourg 1951.

145. P. Wagret, *Les Services auxiliaires à l'armée de Sambre-et-Meuse en l'an III*, D.E.S. Sorbonne, 1945.

146. M. Bouloiseau, « L'approvisionnement de l'armée de l'Ouest d'après les registres du commissaire-ordonnateur Lenoble », *Actes Congrès Stés Savantes*, Tours 1968.

4) la mentalité du soldat, voir :

147. J.P. Charnay, *Société militaire et suffrage politique en France depuis 1789*, Paris 1964.

148. A. Merglen, *La Naissance des mercenaires*, Paris 1969.

149. Général Gambiez, « La peur et la panique dans l'histoire », XIIIº Congrès international des Sc. hist., Moscou 1970, *Rapport* p. 92.

150. M. Bouloiseau, « Malades et tire-au-flanc à l'armée de l'Ouest, an II-an III », *Actes Congrès Stés savantes*, Toulouse 1971.

5. *La Terreur en province*

Une synthèse de l'histoire de la province pendant la Terreur serait ambitieuse et prématurée. Les ouvrages traitent de l'ensemble de la période révolutionnaire pour un département ou une localité. On citera parmi les plus utiles ceux de :

151. L. Jacob, *Joseph Lebon. La Terreur à la frontière Nord et Pas-de-Calais*, Paris 1933, 2 vol.

152. F. Clérembray, *La Terreur à Rouen*, Rouen 1901.

153. E. Dubois, *Histoire de la Révolution dans l'Ain*, t. IV, Bourg 1931-34, 6 vol.

154. Ch. Jolivet, *La Révolution dans l'Ardèche*, 1930, 568 p.

155. G. Aubert, « La Révolution à Douai », *A.h.R.f.*, 1936, p. 218 et 524.

156. A. Troux, *La Vie politique dans le département de la Meurthe d'août 1792 à octobre 1795*, Nancy 1936, 2 vol.

157. J. Kaplow, *Elbeuf during the Revolutionary Period. History and social structure*, Baltimore 1964.

C'est au gros ouvrage de R. Cobb, cité ci-dessus que nous nous reférons souvent et à son recueil *Terreur et subsistances*, Paris, 1965, qui reproduit quelques-uns de ses nombreux articles. Il en a publié beaucoup d'autres, tant sur la composition des armées révolution - naires que sur leur action et les lieux dans lesquels elle s'exerça, par exemple :

158. R. Cobb, « L'armée révolutionnaire dans le district de Pontoise », *A.h.R.f.*, 1950, p. 193.

159. R. Cobb, « Les débuts de la déchristianisation à Dieppe », *A.h.R.f.*, 1956, p. 191.

I. Villes et campagnes. Aux thèses de G. Lefebvre, P. Bois, P. Leroy-Ladurie déjà citées, on ajoutera l'ouvrage de

160. M. Faucheux, *L'Insurrection vendéenne de 1793. Aspects économiques et sociaux*, Paris 1964.

et les articles de

161. A. Soboul, « La communauté rurale. Problèmes de base », *Rev. de Synthèse*, 1957, p. 283.

162. M. Vovelle, « Formes de dépendance d'un milieu urbain : Chartres, à l'égard du monde rural », *Actes Congrès Stés savantes*, 1958, p. 483.

163. Y.G. Paillard, « Fanatiques et patriotes dans le Puy-de-Dôme », *A.h.R.f.*, 1970, p. 294.

164. F. Arsac, « Une émeute contre-révolutionnaire à Meymac », *A.h.R.f.*, 1936, p. 149.

II. Des institutions et des hommes. Les études locales apportent sur les autorités des renseignements dispersés. Avec les travaux de R. Cobb, déjà cités, on a consulté :

165. L. de Cardenal, « Les sociétés populaires de Monpazier », *Comité des Travaux historiques...* Études et documents divers, X, 1924.

166. H. Destainville, « Les sociétés populaires du district d'Ervy », *A.h.R.f.*, 1924, p. 440.

167. A. Richard, *Le Gouvernement révolutionnaire dans les Basses-Pyrénées*, Paris 1926.

168. M. Henriot, *Le Club des Jacobins de Semur*, Dijon 1933.

169. P. Gérard, « L'armée révolutionnaire de la Haute-Garonne », *A.h.R.f.*, 1959, p. 1.

On possède enfin une vue d'ensemble fort utile mais incomplète dans

170. J.B. Sirich, *The revolutionary committees in the departments of France*, Cambridge 1941.

III. L'action révolutionnaire. Là encore on se bornera surtout à citer des monographies. En ce qui concerne le ravitaillement voir G. Lefebvre, *Études orléanaises*, t. II (déjà cité).

171. A. Sée, « Clémence et Marchand. Trois mois sous la Terreur en Seine-et-Oise », *Assemblée générale de la Commission..., 1939*, t. II, p. 227.

172. R. Cobb, « Le ravitaillement des villes sous la Terreur. La question des arrivages », *Terreur et subsistances*, p. 211-221.

La déchristianisation et le culte de la Raison ont donné lieu à de nombreux travaux d'intérêt inégal, dont le récent ouvrage de

173. B. Plongeron, *Conscience religieuse en Révolution*, Paris 1969.

dresse le bilan et renouvelle la problématique. Sur le plan local, on retiendra les études anciennes de

174. Ed. Campagnac, *Les Débuts de la déchristianisation dans le Cher*, Paris 1912.

175. M. Dommanget, « La déchristianisation à Beauvais et dans l'Oise en l'an II », *Ann. Révol.*, 1916, p. 230, 504, 651 et 1917, p. 43.

L'enquête menée dans le cadre du Congrès des Stés savantes tenu à Lyon en 1964 sous la direction de

176. M. Reinhard, *Les Prêtres abdicataires pendant la Révolution française*, Paris 1965.

fournit les premiers résultats d'analyses coordonnées.

Enfin, à propos des fêtes civiques, les ouvrages suivants sont toujours utiles :

177. P. Mautouchet, « Les fêtes des victoires à Paris sous la Révolution », *Revue de Paris*, 15 juillet 1919.

178. B. Bois, *Les Fêtes révolutionnaires à Angers de l'an II à l'an VIII*, Paris 1929.

179. E. Chardon, *Dix ans de fêtes nationales et de cérémonies publiques à Rouen, 1790-1799*, Paris 1911.

Le problème a été envisagé sous un aspect nouveau par

180. A. Soboul, « Sentiment religieux et cultes populaires pendant la Révolution. Saintes patriotes et martyrs de la Liberté », *A.h.R.f.*, 1957, p. 193.

181. M. Ozouf, « Symboles et fonctions d'âges dans les fêtes de l'époque révolutionnaire », *A.h.R.f.*, 1970, p. 569.

IV. Questions agraires. L'ouvrage de

182. G. Lefebvre, *Questions agraires au temps de la Terreur*, La Roche-sur-Yon 1932, 2e éd. en 1954.

à la fois orientation de recherche et recueil de documents, constitue une base irremplaçable. On se reportera aussi à la synthèse élaborée par

183. M. Garaud, *La Révolution et la propriété foncière*, Paris 1969.

Les travaux relatifs aux ventes nationales furent d'abord à peine élaborés. On citera les plus récents qui procèdent de méthodes différentes :

184. R. Caisso, *La Vente des biens nationaux dans le district de Tours*, t. I, Première origine, Paris 1967; t. II, Seconde origine (en préparation).

185. J. Sentou, *La Fortune immobilière des Toulousains et la Révolution française*, Paris 1970.

186. R. Marx, *La Révolution et les Classes sociales en Basse-Alsace. Structures agraires et vente des biens nationaux*, Paris, 1974, in-8o, 572 p.

Sur les décrets de ventôse, on confrontera les points de vue de

187. A. Mathiez, « La Terreur, instrument de politique sociale des Robespierristes », *A.h.R.f.*, 1928, p. 198.

de G. Lefebvre, dans *Questions agraires*, citées ci-dessus; de A. Soboul, *Les Sans-Culottes*... Pour leurs répercussions sur le plan local, voir :

188. R. Schnerb, « L'application des décrets de ventôse dans le district de Thiers », *A.h.R.f.*, 1929, p. 24.

189. R. Schnerb, « Les lois de ventôse et leur application dans le département du Puy-de-Dôme, *A.h.R.f.*, 1934, p. 403-433.

On trouvera des renseignements épars dans plusieurs études, dont celle de

190. M. Eude, « La Politique sociale de la Commune robespierriste le Neuf-Thermidor », *A.h.R.f.*, 1936, p. 289.

mais l'accueil réservé à ces mesures reste mal connu.

6. La fin de la dictature jacobine

L'évolution politique et institutionnelle est analysée à plusieurs reprises par

191. A. Mathiez, « La division des Comités gouvernementaux à la veille du 9 thermidor », *Revue historique*, t. 118 (1915), p. 70.

192. A. Mathiez, « La réorganisation du gouvernement révolutionnaire, germinal-floréal an II », *A.h.R.f.*, 1927, p. 50.

193. A. Mathiez, « Les séances des 4 et 5 thermidor aux deux comités de salut public et de sûreté générale », *A.h.R.f.*, 1927, p. 193.

194. G. Lefebvre, « La rivalité du Comité de salut public et du Comité de sûreté générale », *Revue historique*, t. 157 (1931), p. 336.

195. A. Ording, *Le Bureau de police du Comité de salut public*, Oslo 1930

oblige à réviser des jugements exagérés sur le rôle répressif du Comité de salut public.

I. Les excès du pouvoir. Pour chacun des aspects évoqués, on consultera :

196. G. Thuillier, « Saint-Just et la cité usurpée par les fonctionnaires », *Revue administrative*, 1955, n° 47, p. 498.

197. F. Theuriot, « La conception robespierriste du bonheur », *A.h.R.f.*, 1968, p. 207.

198. A.Z. Manfred, « La nature du pouvoir jacobin », *La Pensée* n° 150 (1970), p. 62-83.

199. Gaston-Martin, *La Mission de Carrier à Nantes*, Nantes 1935.

II. La Grande Terreur. L'essai de synthèse réalisé par

200. D. Greer, *The Incidence of the Terror. A Statistical interpretation*, Cambridge, Mass. 1935

est approximatif, mais utile. Voir aussi

201. J.L. Godfrey, *Revolutionary Justice. A study of the organization personnel and procedure of Paris Tribunal 1793-1795*, Chapell Hill 1951.

Voir sur les complots :

202. A. Mathiez, *Études robespierristes. 1re série, La corruption parlementaire sous la Terreur ; 2e série, La conspiration de l'étranger*, Paris 1917-18, 2 vol.

203. R. Schnerb, « A propos d'Admirat et de Batz », *A.h.R.f.* 1952, p. 471.

204. A. de Lestapis, « Autour de l'attentat d'Admiral », *A.h.R.f.*, 1957, p. 6 et 107.

205. A. de Lestapis, « Admiral et l'attentat manqué », *A.h.R.f.*, 1959, p. 209.

206. M. Eude, « Points de vue sur l'affaire Catherine Théot », *A.h.R.f.*, 1969, p. 606.

L'interprétation de la loi du 22 prairial proposée par A. Mathiez a été discutée par

207. A. Calvet, « Une interprétation nouvelle de la loi de prairial », *A.h.R.f.*, 1950, p. 305.

208. G. Lefebvre, « Sur la loi de prairial », *A.h.R.f.*, 1951, p. 225.

III. Le malaise général. Tous les ouvrages sur la Terreur comptent quelques pages sur la situation à la veille de Thermidor. Voir pour Paris : A. Soboul, *Les Sans-culottes...*, *op. cit.*

209. A. Mathiez, « L'agitation ouvrière à la veille du 9 thermidor », *A.h.R.f.*, 1928, p. 271.

G. Rudé et A. Soboul, « Le maximum des salaires... » *art. cit.*

Pour la province, voir :

210. E. Soreau, « La Révolution française et le prolétariat rural », *A.h.R.f.*, 1933, p. 25.

211. D. Ligou, « L'épuration des autorités montalbanaises par Baudot », *A.h.R.f.*, 1954, p. 58.

212. O. Festy, *Les Délits ruraux et leur répression sous la Révolution et le Consulat*, Paris 1958.

213. R. Cobb, « Quelques conséquences sociales de la Révolution dans un milieu urbain. Lille. Floréal-messidor an II », *Terreur et subsistances*, p. 151.

214. A. Soboul, « Survivances féodales dans la société rurale au XIXe siècle », *Annales E.S.C.*, 1968, p. 965.

IV. Le Neuf-Thermidor a été traité avec peu d'objectivité par

215. E. Hamel, *Thermidor*, Paris 1891.

216. L. Barthou, *Le 9 thermidor*, Paris 1926.

Malgré des appréciations tendancieuses, l'ouvrage de P. Sainte-Claire Deville, *La Commune de l'an II. Vie et mort d'une assemblée révolutionnaire*, déjà cité, reste précieux à cause des documents inédits qu'il utilise. On les complétera par trois articles de

217. A. Mathiez, « Robespierre à la Commune le 9 thermidor », *A.h.R.f.*, 1924, p. 289.

218. A. Mathiez, « La campagne contre le gouvernement révolutionnaire à la veille de thermidor. L'affaire Legray », *A.h.R.f.*, 1927, p. 305.

219. A. Mathiez, « Rapport du commandant du bataillon de l'Arsenal sur les événements du 9 thermidor », *A.h.R.f.*, 1930, p. 163.

et la thèse de A. Soboul citée ci-dessus.

Conclusion

L'évolution démographique est bien connue grâce aux travaux publiés par M. Reinhard, *Contributions à l'histoire démographique de la Révolution française*, déjà cité.

220. J. Godechot et S. Moncassin, *Démographie et subsistances en Languedoc*, Paris 1964.

Voir aussi

221. M. Reinhard, « La Révolution française et le problème de la population », *Population*, 1946.

222. A. Fage, « La Révolution française et la population », *Population*, 1953.

Pour l'influence jacobine à l'étranger, l'ouvrage capital demeure celui de J. Godechot, *La Grande Nation*, cité ci-dessus. Voir aussi :

223. G. Michon, « Le jacobinisme dans les débats du Parlement anglais en 1793 et 1794 », *A.h.R.f.*, 1925, p. 365.

224. E.L. Burnet, *Le Premier Tribunal révolutionnaire genevois, juillet-août 1794*, Genève 1925.

COMPLÉMENTS BIBLIOGRAPHIQUES

La République jacobine procède de la Révolution tout entière. Nous n'avons recensé et utilisé que les ouvrages concernant notre exposé. Il n'en peut être autrement. Depuis quinze ans ont paru près d'un millier de volumes dont certains d'une hallucinante médiocrité. D'autres, produits à l'étranger dans notre tradition érudite, présentent un indiscutable intérêt en dépit d'un apriorisme regrettable. Enfin nous avons insisté sur l'étude des mentalités, qui introduit dans l'Histoire une précieuse dimension humaine. Quant aux controverses politico-mythiques, nées de rivalités d'auteurs ou de points de vue simplistes, nous ne saurions en tenir compte. Les colloques organisés dans le cadre du Bicentenaire ignorent d'ailleurs ces absurdes querelles. Nous nous bornerons donc à une relecture critique de notre texte, en le confrontant aux ouvrages suivants, classés par ordre alphabétique de noms d'auteurs :

F. Aftalion, *Économie de la Révolution française,* 1987.

Br. Baczko, *Comment sortir de la Terreur,* Paris, Gallimard, 1989.

J. Balossier, *La Commission extraordinaire des Douze (18-31 mai 1793),* 1986.

R. Barral-Mazoyer, *Thomas Augustin de Gasparin, officier de l'armée royale et Conventionnel,* Marseille, 1982, 306 p.

J. P. Bertaud, *L'Armée de la Révolution (1789-an VI). Étude sociale,* thèse de Lettres, Paris, 1978.

J. P. Bertaud, *La Révolution armée. Les soldats citoyens et la Révolution française, 1978. La Vie quotidienne au temps de la Révolution,* 1983.

Fred Bluche, *Septembre 1792. Logiques d'un massacre,* 1986.

M. Bouloiseau, « Georges Lefebvre et nous. Travaux collectifs et approches nouvelles », *Bull. hist. éc. et soc. R. f.,* 1977, p. 35-50.

M. Brugière, *Gestionnaires et Profiteurs de la Révolution,* 1986.

H. Burstin, *Le Faubourg Saint-Marcel à l'époque révolutionnaire,* 1983.

G. Chaussinand-Nogaret, *Madame Roland,* 1985.

R. Cobb, *La Protestation populaire en France (1789-1820),* 1975.

Colloque de Clermont-Ferrand (1974). *Les Fêtes de la Révolution, Actes,* 1977.

Colloque Mathiez-Lefebvre (1974). *Voies nouvelles pour l'histoire de la Révolution française, Actes,* Paris, 1978.

B. Didier, *Écrire la Révolution, 1789-1799,* Paris, PUF, 1989.

M. Eude, « La loi de prairial », *A.h.R.f.,* 1983.

A. Forrest, *Society and Politics in Revolutionary Bordeaux,* 1975.

Fr. Furet, « Penser la Révolution française », *recueil d'articles,* Paris 1978.

L. Jaume, *Le Discours jacobin et la Démocratie,* Paris, Fayard, 1989.

J. Godechot, *Regards sur l'époque révolutionnaire,* Privat, Toulouse, 1980, 441 p.

J. Godechot, *Le Comte d'Antraigues. Un espion dans l'Europe des émigrés,* 1986. *La Révolution française dans le Midi toulousain,* 1986.

N. Hampson, *Danton,* 1978.

D. P. Jordan, *The King's Trial. Louis XVI vs. the French Revolution,* 1979.

Fr. Kermina, *Saint-Just ou l'Intransigeance,* 1986.

G. Lewis, *The Second Vendée. The Continuity of Counter Revolution in the Department of the Gard (1789-1815),* 1978.

J.N. Luc, *Paysans et Droits féodaux en Charente-Inférieure pendant la Révolution,* 1984.

C. Lucas, *The Structure of the Terror,* 1973.

M. Lyons, *Revolution in Toulouse. An Essay on Provincial Terrorism,* 1978.

R. Monnier, *Le Faubourg Saint-Antoine (1785-1815),* 1981.

M. Ozouf, *La Fête révolutionnaire (1789-1799),* 1976.

A. Patrick, *The Men of the First French Republic,* 1972.

Cl. Petitfrère, *La Vendée et les Vendéens,* coll. Archives, Paris, 1981, 250 p.

Cl. Petitfrère, *Les Vendéens d'Anjou (1793),* 1981. *Les Bleus d'Anjou (1789-1792),* 1985.

R.B. Rose, *The Enragés. Socialists of the French Revolution,* 1965.

W. Scott, *Terror and Repression in Revolutionary Marseille,* 1973.

Mlle M.M. Sève, « Sur la pratique jacobine. La mission de Couthon à Lyon », *A.h.R.f.,* 1983.

M. Slavin, *The French Revolution in miniature : Section Droits de l'homme (1789-1795),* 1984. *The Making of an Insurrection. Parisian Sections and the Gironde,* 1986.

A. Soboul, « Robespierre ou les contradictions du jacobinisme », *A.h.R.f.,* 1978.

A. Soboul, *Comprendre la Révolution. Problèmes politiques de la Révolution française (1789-1797),* Paris, 1981, 380 p.

A. Soboul (sous la direction de), *Girondins et Montagnards,* Paris, 1981.

G. Sprigath, « Sur le vandalisme révolutionnaire, 1792-1794 », *A.h.R.f.* n° 4, 1980, p. 510-535.

D. Sutherland, *The Chouans. The Social Origins of Popular Counter Revolution in Upper Brittany (1770-1796),* 1982.

M. Sydenham, *The First French Republic (1792-1804),* 1974.

M. Vovelle, *Religion et Révolution. La Déchristianisation en l'an II,* 1976. *La mentalité révolutionnaire. Société et mentalité sous la Révolution française,* 1985.

M. Walzer, *Régicide et Révolution,* Paris, Payot, 1989.

Index des noms de personnes[1]

Admirat, 228.
Albitte, aîné, 118, 198, 210.
Alexandre, Charles, 102.
Alexandre, Jean, 23.
Amar, 107, 130, 244.
Anthoine, 23.
Anselme, 63.
Antraigues (comte d'), 32, 60.
Armonville, 58.
Bara, 164.
Barbaroux, 59, 81.
Barrère, 62, 66, 90, 99, 100, 101, 109, 118, 119, 156, 211, 214, 220, 224, 232, 244, 246, 248.
Barras, 249.
Batz (baron de), 128.
Baudot, 101.
Baudry d'Asson, 33.
Basire, 59, 107.
Beffroy, 235.
Benezech, 157.
Bernadotte, 146.
Berthollet, 157.
Beurnonville, 75.
Billaud-Varenne, 23, 42, 97, 99, 100, 106, 136, 232, 246, 247.
Biron, 71.
Bo, 197, 223.
Boisset, 101, 102.
Bonaparte, 137, 146.
Bonchamp, 70.
Bouchotte, 101.
Boudin, 111 n.
Boulanger, 248.
Bourdon, Léonard, 164, 249.
Bourdon (de l'Oise), 23, 228, 245, 248.
Briez, 93.
Brissot, 32, 36, 37, 57, 59, 61, 67, 68, 76.
Brunet, 113 n.
Brunswick (duc de), 17, 29, 52.
Buzot, 59, 81.
Cambon, 58, 62, 121, 123, 167.
Canclaux, 71, 146.
Capon, 157.
Carnot, 62, 92, 99, 100, 136, 139, 144, 157, 162, 166, 167, 224, 244.
Carra, 23, 57.
Carrier, 101, 182, 194, 223.
Carteaux, 82.
Casanova, 233.
Cathelineau, 70.
Cavaignac, 238.
Chabot, 37, 57, 60, 107, 128, 130, 174.
Chalier, 85, 199.
Chambon, 62.
Chappe, 157.
Chaptal, 157, 159.
Charette, 70.
Charrier, 82.
Chasles, 137, 195.
Chateauneuf-Randon, 102, 223.
Chatham (lord), 141.
Chaudron-Roussau, 179, 238, 236.
Chaumette, 62, 84 n., 91, 111, 127, 132.
Chénier, André, 108, 232 n.
Choiseau, 155.
Choudieu, 70.
Clavière, 20, 77.
Clémence, 23.

1. Selon la coutume de l'époque, on n'a mentionné les prénoms que lorsqu'il existe des homonymes, ou s'il s'agit de femmes.

Cloots, 131.
Cobourg, 71, 183, 216.
Collot-d'Herbois, 35, 98, 99, 100, 101, 130, 160, 187, 214, 228, 232, 247, 248.
Condé, 30.
Condorcet, 57, 59, 61, 78.
Coupé (de l'Oise), 143.
Couthon, 21, 22, 58, 60, 79, 99, 100, 101, 106, 110, 202, 206, 209, 214, 224, 230, 244, 247, 249.
Couturier, 197.
Custine, 63, 68, 71, 88.
Dagobert, 136.
Danton, 20, 23, 54, 59, 62, 65, 68, 76, 83, 110, 115, 128, 131, 132, 155, 210.
Darcet, 157.
Dartigoeyté, 80, 197, 223.
Delacroix (d'Eure-et-Loir), 131.
Delaunay (d'Angers), 128.
Delbrel, 208.
Demaillot, 224.
Descroisilles, 159.
Desfieux, 131.
Desgrouas, 208.
Desmoulins, 99, 129, 131, 132, 222.
Dillon, 128, 132.
Dolivier, curé, 205.
Doppet, 162.
Dossonville, 108.
Dubois-Crancé, 57, 155, 182, 245, 246.
Dubouchet, 94.
Dubuisson, 131.
Ducos, 66.
Dufourny de Villiers, 157.
Dufraisse, 248.
Dufriche-Valazé, 59, 64.
Dugommier, 167.
Dugué, Perrine, 200.
Dumas, 248.
Dumont, 197, 244.
Dumouriez, 51, 52, 61, 63, 64, 68, 71, 76, 167.
Duperret, 22.
Duplay, 228, 249.
Du Pont (de Nemours), 36, 179, 226, 232.
Duval d'Eprémesnil, 193.
Elbée (d'), 70.
Espagnac (abbé d'), 131, 155.
Fabre d'Églantine, 23, 104, 105 n., 128, 130, 131.
Faure, 102.
Forfait, 148.
Fouché, 35, 195, 197, 201, 208, 223, 245, 246.
Fouquier-Tinville, 111, 232.
Fourcroy, 157, 158.
Fréron, 101.
Frey, 128, 131.
Frotié, 17.
Gamain, 64 n.
Garin, 89.
Garnier (de Saintes), 146, 187, 217, 237.
Gaston (de l'Ariège), 111, 223.
Gérard (général), 146.
Gerbois, 183.
Gillet, 143, 145, 148.
Girey-Dupré, 62.
Giroud, 23.
Gobel, 197.
Goethe, 52.
Gonchon, 24.
Gorsas, 32.
Goullin, 183.
Goujon, 113 n.
Goupil de Préfeln, 226.
Gouverneur Morris, 29.
Grégoire, 80, 194.
Grenville (lord), 141.
Grouchy, 146.
Guadet, 59, 77.
Guenot, 108.
Guimberteau, 160.
Guyton-Morveau, 157.
Guzman, 128, 131.
Haller, 120.
Hanriot, 130, 131 n., 207, 248.
Harmand, 183.
Hassenfratz, 105, 114, 145.
Hébert, 42, 62, 65, 77, 87, 90, 91, 93, 111, 112, 127, 130, 131, 132, 215.
Hérault de Séchelles, 61, 79, 99, 131.
Herman, 231.
Héron, 108.
Hoche, 136, 146, 166.
Hood (amiral), 82.
Howe (amiral), 148.
Huguenin, 15 n.
Isnard, 46, 59.
Isoré, 202.

Jacotot, 159.
Javogues, 102, 177 n.
Jeanbon Saint-André, 99, 101, 148.
Jourdan, 146, 167.
Julien (de Toulouse), 107, 130.
Jullien (de Paris), 224.
Jumel, 183, 198.
Kellermann, 52, 68, 136.
Kersaint, 57.
Kock (de), 131.
Kosciuszko, 140 n., 256.
Laclos, 23.
Lacombe Claire, 77, 86, 92.
Lacombe-Saint-Michel, 102.
Lacoste, 102, 174.
Lacroix, Sébastien, 24.
Lafayette, 50, 71.
Lakanal, 157.
Lanchère, 155.
L'Ange, 90.
Lanthenas, 62.
Laplanche, 195.
La Rochejaquelein, 70.
Lavalette, 248.
Lavoisier, 157.
Le Bas, 67, 107, 227, 246, 249.
Lebon, 197, 227.
Lebrun, 20, 68, 77.
Le Carpentier, 237, 243.
Leclerc, 40, 45, 85, 86, 87, 92, 93.
Lecointre, 228.
Legendre, 188, 228, 245.
Lejeune, 224.
Léon, Pauline, 86.
Lepeletier de Saint-Fargeau, 58, 66, 104, 199, 200.
Lepetit, 184.
Lequinio, 146, 175.
Lescure, 70.
Lesguillier, 114.
Levasseur (de la Sarthe), 228.
Lindet, 82, 99, 100, 114, 224, 232.
Louis XVI, 63, 66, 86.
Louvet, 59, 62.
Mack, 165.
Maignet, 193, 227.
Maillard, 108.
Maistre (J. de), 28 n., 250.
Malesherbes, 64 n.
Mallarmé, 225, 232.
Mallet du Pan, 132, 140, 214 n., 215, 228.
Marat, 9, 19, 32, 36, 44, 57, 60, 62, 65, 75, 76, 83, 85, 87, 162, 199, 200.
Marceau, 146.
Marchand, 23, 190.
Marie-Antoinette, 88, 111.
Massieu, 183, 198.
Maure, 187.
Mazuel, 130.
Mirabeau-Tonneau, 30.
Momoro, 40, 130.
Moncey, 167.
Monge, 20, 101.
Montesquiou, 63.
Moutte, 114.
Ney, 146.
Ocariz, 65.
Oudot, 58.
Paine, 57.
Paoli, 82.
Paré, 210.
Parein, 23, 108 n.
Payan, 249.
Pelletier, 157.
Pereira, 128, 131.
Périer, 157.
Perregaux, 120, 128.
Petion, 36, 74, 81.
Petitjean (curé), 238.
Pflieger, 145.
Philippe-Égalité, 32, 57, 58, 67.
Pichegru, 146, 167.
Pinet, 238.
Piorry, 155 n.
Pitt, 31, 65, 73, 106, 141, 179, 183, 216.
Pocholle, 102.
Pointe, 58, 158.
Pottofeux, 224.
Préay, 82.
Prieur (de la Marne), 99, 101.
Prieur (de la Côte-d'Or), 99, 100, 136, 156, 157.
Proli, 128, 131.
Provence (comte de), 82.
Prudhomme, 23.
Raisson, 113 n.
Réal, 149.
Renault, Cécile, 228.
Reubell, 232.
Reynaud, Solon, 102.
Richmond (duc de), 141.
Ricord, 102.

Robert, 59.
Robespierre aîné, 32, 36, 37, 39, 40, 42, 47, 57, 59, 62, 64, 65, 75, 76, 77, 79, 80, 82, 91, 92, 93, 94, 97, 98, 99, 100, 104, 110, 127, 128, 129, 136, 161, 173, 199, 209, 214, 216, 220, 222, 224, 228, 229, 230, 232, 241, 243, 244, 245, 246, 248, 249.
Robespierre jeune, 102, 216, 247, 249.
Roland, 20, 56, 59, 62, 64, 68, 77.
Roland Mme, 59, 62.
Romme, 66 n., 105 n.
Ronsin, 23, 24, 129, 130, 131, 189.
Rouërie (marquis de la), 33.
Rousseau, J.-J., 38, 40.
Rousseville, 224.
Roux Jacques, 64, 85, 86, 87, 91.
Roux-Fazillac, 208.
Royer, 91.
Ruamps, 136.
Rudel, 58.
Saint-Just, 41, 42, 45, 58, 65, 71, 78, 79, 82, 97, 99, 100, 101, 112, 121, 127, 129, 130, 132, 137, 144, 146, 173, 190, 207, 209, 210, 214, 219, 220, 222, 224, 227, 228, 230, 232, 243, 244, 246, 248, 249.
Saliceti, 175.
Servan, 20, 60.
Sèze (de), 64 n.
Schneider, Euloge, 112.
Sénar, 108.
Siblot, 164.
Sieyès, 19, 57.
Simond (du Bas-Rhin), 11, 132.
Stengel, 52.
Taboureau, 85.
Taillefer, 194.
Tallien, 71, 187, 188, 223, 245, 248.
Talon, 65.
Target, 64 n.
Théot, Catherine, 241.
Théroigne de Méricourt, 86.
Thibaudeau, 244.
Thirion, 160.
Thuriot, 245.
Tiger, 91.
Tronchet, 64 n.
Turreau (général), 139.
Vadier, 107, 132, 241, 244, 248.
Vandermonde, 157.
Varlet, 85, 92.
Vassant, 183.
Vergniaud, 59, 61.
Vernerey, 223.
Viala, 164.
Vialle, 223.
Villaret-Joyeuse, 148.
Vilmorin, 114.
Vincent, 129, 130.
Westermann, 23, 131.
Wimpffen, 82.
Ysabeau, 187.
Yzez (d'), 77, 231.

Table

Avant-propos 7

1. Bilan des forces et mentalités 13

1. La révolution démocratique 15

Insurrection. Souveraineté. Légalité, 16. — L'automne sanglant de 92, 17. — Un appareil périmé, 20. — Unité et indivisibilité, 22. — Contradictions économiques, 24.

2. Chances et faiblesses de la réaction 26

L'aristocratie internationale. Les émigrés, 28. — La « cinquième colonne », 31. — L'aristocratie de l'argent, 33.

3. Le Jacobinisme 36

Le club parisien et les sociétés de province, 37. — L'idéologie jacobine, 38. — Les aspirations égalitaires, 40. — La mentalité révolutionnaire, 43.

4. Valmy 46

L'armée nouvelle, 47. — Les volontaires de 92, 48. — L'intendance et les transports, 50. — Victoire ou simple canonnade, 52.

2. Le divorce des bourgeoisies 54

1. La Convention « nationale » et les rivalités politiques . . 56

Électeurs et députés, 56. — Girondins et Montagnards, 58. — Luttes parlementaires et propagande, 61.

2. Les épreuves de force 63

Le procès du roi et l'exécution « sacrilège », 63. — La coalition européenne et la « grande levée », 67. — La Vendée, 70. — La vie chère, 71.

3. L'été tragique 74

La chute de la Gironde, 75. — La Constitution de l'an I, ou de 1793, 77. — Fédéralisme et contre-révolution, 79.

4. Le mouvement populaire et les Enragés 84

L'avant-garde. Militants et militantes, 85. — La démocratie sans-culotte, 87. — La bataille du pain, 88. — La bourrasque de septembre, 90. — Les grandes mesures, 92.

3. Le gouvernement révolutionnaire 95

1. Le « centre de l'impulsion » 97

Le gouvernement d'assemblée, 98. — Le « grand » Comité de salut public, 99. — Les délégations de pouvoirs, 101. — Le décret du 14 frimaire an II, 102. — Propagande et dictature d'opinion, 103.

2. La Terreur légale 106

L'appareil terroriste, 107. — Suspects et détenus, 109. — La justice révolutionnaire, 111.

3. La direction de l'économie 113

La Commission des subsistances, 113. — Réquisitions et accaparement, 116. — Le maximum général, 118. — Le commerce extérieur, 120. — Budget et monnaie. Taxes et emprunts révolutionnaires, 121.

4. Le drame de ventôse 124

Paris et ses sections en l'an II, 124. — Permanence du mouvement démocratique, 126. — Les conspirations, 128. — La liquidation des factions, 130.

4. Armée nationale et société militaire 133

1. Guerre révolutionnaire et guerres traditionnelles 135

La croisade de la Liberté, 135. — Les enseignements de la Vendée, 138. — L'esprit de la coalition, 140.

2. La levée en masse et son encadrement 142

Les cadres. L'avancement, 144. — Amalgame et embrigadement, 146. — Les déchets. Insoumis et déserteurs, 149. — Malades et « tire-au-flanc », 151.

3. La mobilisation matérielle........................ 152

Les commissaires des Guerres, 153. — Les fournisseurs et les marchés, 155. — Fabrications de guerre et savants, 156. — La solidarité nationale, 159.

4. La société militaire............................ 161

La mentalité du soldat, 162. — Discipline et tribunaux militaires, 165. — L'esprit de conquête, 166. — L'esprit mercenaire, 168.

5. *La Terreur en province*.......................... 171

Unité ou diversité?, 171.

1. Villes et campagnes............................ 174

Zones de turbulence et régions préservées, 174. — Régionalisme et esprit communautaire, 176. — Le poids des habitudes, 178. — Religion et fanatisme, 179.

2. Des institutions et des hommes.................... 181

Les missionnaires du pouvoir, 181. — Les autorités locales, 183. — Formes de la contestation, 186. — Les armées « politiques », 188.

3. L'action révolutionnaire........................ 190

Police du ravitaillement, 191. — Lutte contre l'aristocratie, 193. Déchristianisation spontanée ou organisée?, 195. — Vers un esprit nouveau?, 198.

4. Questions agraires............................ 202

Productivité ou propriété?, 202. — Les ventes nationales, 205. — Propriété, récompense civique, 207. — Les décrets illusoires de ventôse, 209.

6. *La fin de la dictature jacobine*.................... 212

Crise de confiance. Crise d'autorité?, 212.

1. Les excès du pouvoir........................... 214

La nouvelle politique et l'esprit public, 215. — Le règne des bureaucrates, 218. — Le conformisme et l' « ennuyeuse vertu », 220. — Rappel des représentants terroristes, 222.

2. La grande Terreur 224

Détenus et Commissions populaires, 225. — Complots et assassinats, 228. — La loi du 22 prairial an II, 229. — Les fournées, 231, — Bilan de la Terreur, 233.

3. Le malaise général 235

La cascade des épurations, 236. — Crise d'autorité et « maximum », 238. — Dieu ou l'Être Suprême?, 240. — Le problème des salaires, 242.

4. La revanche de la peur 243

La désunion des gouvernants, 243. — L'impossible conciliation, 246. — La dernière manche, 248.

Conclusion 251

Chronologie sommaire 258

Orientation bibliographique 263

Index des noms de personnes 281

Table des illustrations

1. Répartition des émigrés par département d'origine....... 27
D'après D. Greer, *The Incidence of the Emigration.*

2. Évolution du prix du pain en Beauce et sur ses confins ... 73
D'après M. Vovelle, *Les Taxations populaires.*

3. La République assiégée (juillet-août 1793).............. 81

4. Dépréciation de l'assignat à Paris (1792-1974)........... 121
D'après les « Tableaux » de P. Caron.

5. Abdicataires et déchristianisation en Provence........... 200
D'après M. Vovelle, *Les Prêtres abdicataires pendant la Révolution française*, p. 48.

6. Répartition des exécutions capitales par département..... 234
D'après D. Greer, *The Incidence of the Terror.*

COMPOSITION : FIRMIN-DIDOT AU MESNIL
IMPRESSION : BRODARD ET TAUPIN À LA FLÈCHE (7-89)
D. L. 1er TR. 1972. N° 2914-6 (1575B-5)

Du même auteur

Le séquestre et la vente des biens
des émigrés (1792-an X)
Paris, 1937

Le monde devant la Révolution française
et la conquête napoléonienne
(Livre II du *XVIIIe siècle,* coll.
« Histoire générale des Civilisations »)
Paris, 1953

Robespierre
coll. « Que sais-je ? », Paris, 1957

Extraits des *Mémoires d'Outre-Tombe*
(Chateaubriand)
Introduction et notes
éd. Alpina, Paris, 1960

Le Comité de salut public
coll. « Que sais-je ? », Paris, 1962

Étude de l'émigration et de la vente
des biens des émigrés (1792-1830)
Paris, 1963

Discours et rapports de Robespierre
à la Convention
coll. « 10/18 », Paris, 1965

La Révolution française :
Continuité et perspectives
« Civilisations, Peuples et Mondes »
tome VII, Paris, 1968

Bourgeoisie et révolution
Les Du Pont de Nemours (1788-1799)
Bibliothèque nationale, Paris, 1972

Délinquance et répression
sous le régime napoléonien
Le tribunal correctionnel de Nice (1800-1814)
Bibliothèque nationale, Paris, 1979